西遊記

吳承恩

卷4

第六一回至第八〇回

編者序

《西遊記》是中國古典小說中，以神話為題材的一部神魔小說。從唐代玄奘取經，歷經八百年左右的民間傳說的演變過程，最後寫成於一五七〇年代，由明朝吳承恩成書。

《西遊記》寫唐僧取經，是確有其人其事。唐太宗貞觀三年（西元六二九年），青年和尚玄奘（六〇二～六六四）獨自一人到天竺（今印度）取經，歷時十七年（《西遊記》上說是十四年），跋山涉水，取回梵文佛經六百五十七部。玄奘回國以後，唐太宗為他設立譯場，讓他主持翻譯佛經的工作，並講述取經途中的奇聞軼事，後由門徒辯機寫成《大唐西域記》，介紹西域各國的佛教遺址和風土人情。玄奘的門徒慧立、彥琮為弘揚師父不屈不撓的精神，將取經的過程誇大渲染後，寫成《大唐慈恩寺三藏法師傳》。

玄奘法師隻身赴天竺取經的故事，開始在民間流傳，越傳越誇張，離本來面目，也就越來越遠了。在唐人筆記《獨異志》和《唐新語》等書中所載的一些傳說，可看出具有濃厚的神奇色彩。

而取經故事不但形諸筆墨，五代時亦已流布丹青，揚州壽寧寺藏經樓、敦煌壁畫中安西榆林窟的壁畫中，已有唐僧、猴行者和白馬。到了宋代，取經故事成了「說話」藝術的重要題材，《大唐三藏取經詩話》便是一個重要的說經話本，除了猴行者，還有深沙神，也就是後來《西遊記》中孫悟空和沙僧的雛形。

從金元到明代中葉，取經故事再度「演化」，除了孫行者，豬八戒也登場，深沙神則改成了沙和尚；火焰山借扇、女人國逼配等情節也出現了。到了元末明初，孫悟空正式成了取經故事中的主角，基本情節也和今見百回本《西遊記》大致相同。

關於《西遊記》的作者，長期以來有不同說法。明刊百回本沒有署作者的名字，清初刊刻的《西遊證道書》提出為元代道士丘處機作，後經現代學者魯迅、胡適等人考證，認為是吳承恩所作，為目前學術界認可。

吳承恩（約一五〇〇～一五八二），字汝忠，號射陽山人，淮安山陽（今江蘇淮安）人。他早年屢試不第，中年以後補為歲貢生，仍不得志，《西遊記》是他晚年寫成的。吳承恩生活的時代，皇帝昏庸，宦官專權，世道並不平靜，於是他的作品多透過神鬼奇幻的形式來反映現實，寄寓他的愛憎和理想。

胡適認為《西遊記》是一部沒有什麼微妙寓意的滑稽小說，但更多的研究者認為，除了趣味，《西遊記》實則反映明代中葉以後的時代思想。《西遊記》寫取經路上的師徒四人，真正的主角卻是孫悟空而非唐僧。孫悟空來歷不凡，不把神仙界的權威放在眼裡；他樂觀勇敢、善惡分明，在取經路上總是保護唐僧，老愛戲弄豬八戒；沙和尚雖是老實人，但關鍵時刻也頗有見地。人物寫來活靈活現，令讀者時而捧腹，時而感傷，確是一部老少咸宜的小說。

人人出版公司《人人文庫》系列的四大小說——《紅樓夢》、《三國演義》、《水滸傳》、《西遊記》——於二〇一七年首度合體登場，盼提供讀者最豐富的閱讀饗宴。

《人人文庫》系列秉持好看、好讀的「輕」小說原則，方便您一卷在手，隨身攜帶。不但選用輕韌的日本紙，注解簡明易懂，編排賞心悅目。祈願讀者們盡情優游書海，享受閱讀的樂趣。

卷4

【目次】

第六一回至第八〇回

第六一回

豬八戒助力敗魔王
孫行者三調芭蕉扇

話表牛魔王趕上孫大聖，只見他肩膊上掮著那柄芭蕉扇，怡顏悅色而行。

魔王大驚道：「猢猻原來把運用的方法兒也叨餂◆得來了。我若當面問他索取，他定然不與；倘若搧我一扇，要去十萬八千里遠，卻不遂了他意？我聞得唐僧在那大路上等候。他二徒弟豬精、三徒弟沙流精，我當年做妖怪時，也曾會他。且變做豬精的模樣，反騙他一場。料猢猻以得意為喜，必不詳細提防。」

好魔王，他也有七十二變，武藝也與大聖一般，只是身子狼犺◆些。欠鑽疾◆，不活達◆些；把寶劍藏了，念個咒語，搖身一變，即變做八戒一般嘴臉。抄下路，當面迎著大聖，叫道：「師兄，我來也！」

這大聖果然歡喜。古人云：「得勝的貓兒歡似虎」也，只倚著強能，更不察來人的意思。見是個八戒的模樣，便就叫道：「兄弟，你往哪裡去？」牛魔王綽著經兒◆道：「師父見你許久不回，恐牛魔王手段大，你鬥他不過，難得他的寶貝，教我來迎你的。」行者笑道：「不必費心，我已得了手了。」牛王又問道：「你怎麼得的？」行者道：「那老牛與我戰經百十合，不分勝負。他就撇了我，去那亂石

◆叨餂—誘騙。餂音舔。　狼犺—形容物體龐大、笨重。犺音抗。
鑽疾—行動靈活迅捷。　活達—靈活。　綽著經兒—循著線索。

山碧波潭底，與一夥蛟精、龍精飲酒。是我暗跟他去，變做個螃蟹，偷了他所騎的辟水金睛獸，變了老牛的模樣，逕至芭蕉洞哄那羅刹女。那女子與老孫結了一場乾夫妻，是老孫設法騙將來的。」

牛王道：「卻是生受◆了。哥哥勞碌太甚，可把扇子我拿。」孫大聖哪知真假，也慮不及此，遂將扇子遞與他。

原來那牛王他知那扇子收放的根本，接過手，不知捻個甚麼訣兒，依然小似一片杏葉，現出本相。開言罵道：「潑猢猻！認得我麼？」

行者見了，心中自悔道：「是我的不是了！」恨了一聲，跌足高呼道：「咦！逐年家打雁，今卻被小雁兒嗛◆了眼睛。」狠得他暴躁如雷，掣鐵棒，劈頭便打；那魔王就使扇子搧他一下。不知那大聖先前變蟭蟟蟲入羅刹女腹中之時，將定風丹噙在口裡，不覺的嚥下肚裡，所以五臟皆牢，皮骨皆固，憑他怎麼搧，再也搧他不動。牛王慌了，把寶貝丟入口中，雙手掄劍就砍。

那兩個在那半空中這一場好殺：
齊天孫大聖，混世潑牛王，只為芭蕉扇，相逢各騁強。
粗心大聖將人騙，大膽牛王把扇誆。
這一個，金箍棒起無情義；
那一個，雙刃青鋒有智量。
大聖施威噴彩霧，牛王放潑吐毫光。
齊鬥勇，兩不良，咬牙銼齒氣昂昂。
播土揚塵天地暗，飛沙走石鬼神藏。
這個說：「你敢無知反騙我？」
那個說：「我妻許你共相將！」言村語潑，性烈情剛。
那個說：「你哄人妻女真該死！告到官司有罪殃！」

◈生受──說自己的時候，是受罪的意思，就是活受罪的省詞。對別人說，是難為、有勞的意思。
嗛──嘴裡叼著東西。嗛音賢。

伶俐的齊天聖，凶頑的大力王，一心只要殺，更不待商量。棒打劍迎齊努力，有些鬆慢見閻王。

且不說他兩個相鬥難分。卻表唐僧坐在途中，一則火氣蒸人，二來心焦口渴，對火焰山土地道：「敢問尊神，那牛魔王法力如何？」

土地道：「那牛王神通不小，法力無邊，正是孫大聖的敵手。」

三藏道：「悟空是個會走路的，往常家二千里路，一霎時便回，怎麼如今去了一日？斷是與那牛王賭鬥。」叫：「悟能、悟淨，你兩個，哪一個去迎你師兄一迎？倘或遇敵，就當用力相助，求得扇子來，解我煩躁，早早過山，趕路去也。」

八戒道：「今日天晚，我想著要去接他，但只是不認得積雷山路。」

土地道：「小神認得，且教捲簾將軍與你師父做伴，我與你去來。」

三藏大喜道：「有勞尊神，功成再謝。」

那八戒抖擻精神，束一束皂錦直裰，搴◆著鈀，即與土地縱起雲霧，逕回東方而去。正行時，忽聽得喊殺聲高，狂風滾滾。八戒按住雲頭看時，原來孫行者與牛王廝殺哩。

土地道：「天蓬還不上前待怎的？」呆子掣釘鈀，厲聲高叫道：「師兄，我來也！」行者恨道：「你這夯貨，誤了我多少大事！」八戒道：「師父教我來迎你，因認不得山路，商議良久，教土地引我，故此來遲。如何誤了大事？」行者道：「不是怪你來遲，這潑牛十分無禮。我向羅剎處弄得扇子來，卻被這廝變做你的模樣，口稱迎我，我一時歡悅，轉把扇子遞在他手，他卻現了本相，與老孫在此比並，所以誤了大事也！」八戒聞言大怒，舉釘鈀，當面罵道：「我把你這血皮脹的遭瘟！你怎敢

◆搴——扛舉。

變做你祖宗的模樣，騙我師兄，使我兄弟不睦！」你看他沒頭沒臉的使釘鈀亂築。

那牛王，一則是與行者鬥了一日，力倦神疲；二則是見八戒的釘鈀凶猛，遮架不住，敗陣就走。

只見那火焰山土地率領陰兵，當面擋住道：「大力王，且住手。唐三藏西天取經，無神不保，無天不佑，三界通知，十方擁護。快將芭蕉扇來搧熄火焰，教他無災無障，早過山去；不然，上天責你罪愆，定遭誅也。」

牛王道：「你這土地，全不察理！那潑猴奪我子，欺我妾，騙我妻，番番無道，我恨不得囫圇吞他下肚，化作大便餵狗，怎麼肯將寶貝借他！」

說不了，八戒趕上罵道：「我把你個結心癀◆！快拿出扇來，饒你性命！」那牛王只得回頭，使寶劍又戰八戒。孫大聖舉棒相幫，這一場在那裡好殺：

成精豕，作怪牛，兼上偷天得道猴。

禪性自來能戰煉，必當用土合元由。
釘鈀九齒尖還利，寶劍雙鋒快更柔。
鐵棒捲舒為主仗，土神助力結丹頭◆。
三家刑剋相爭競，各展雄才要運籌。
捉牛耕地金錢長，喚豕歸爐木氣收。
心不在焉何作道，神常守舍要拴猴。
胡亂嚷，苦相求，三般兵刃響搜搜。
鈀築劍傷無好意，金箍棒起有因由。
只殺得星不光兮月不皎，一天寒霧黑悠悠。

那魔王奮勇爭強，且行且鬥，鬥了一夜，不分上下，早又天明。前面是他的積雷山摩雲洞口，他三個與土地、陰兵又喧譁振耳，驚動那玉面公主，

◆結心癀——一種牛病，症狀是膽汁凝結成塊粒狀。這裡是詛咒生病的意思。　丹頭——寶物。

喚丫鬟看是哪裡人嚷。只見守門小妖來報：「是我家爺爺與昨日那雷公嘴漢子，並一個長嘴大耳的和尚，同火焰山土地等眾廝殺哩！」

玉面公主聽言，即命外護的大小頭目，各執槍刀助力。前後點起七長八短，有百十餘口。一個個賣弄精神，拈槍弄棒，齊告：「大王爺爺，我等奉奶奶內旨，特來助力也！」

牛王大喜道：「來得好！來得好！」眾妖一齊上前亂砍。

八戒措手不及，倒拽著鈀，敗陣而走。大聖縱觔斗雲，跳出重圍。眾陰兵亦四散奔走。老牛得勝，聚眾妖歸洞，緊閉了洞門不題。

行者道：「這廝驍勇，自昨日申時前後與老孫戰起，直到今夜，未定輸贏。卻得你兩個來接力。如此苦鬥半日一夜，他更不見勞困，才這一夥小妖，卻又莽壯。他將洞門緊閉不出，如之奈何？」

八戒道：「哥哥，你昨日巳時離了師父，怎麼到申時才與他鬥起？你那兩三個時辰在哪裡的？」

行者道：「別你後，頃刻就到這座山上，見一個女子，問訊，原來就是他愛妾玉面公主。被我使鐵棒諕她一諕，她就跑進洞，叫出那牛王來。與老孫劖言劖語◆，嚷了一會。又與他交手，鬥了有一個時辰。「正打處，有人請他赴宴去了。是我跟他到那亂石山碧波潭底，變做一個螃蟹，探了消息，偷了他辟水金睛獸，假變牛王模樣，復至翠雲山芭蕉洞，騙了羅剎女，哄得她扇子。出門試演試演方法，把扇子弄長了，只是不會收小。正掮了走處，被他假變做你的嘴臉，反騙了去。故此耽擱兩三個時辰也。」

八戒道：「這正是俗語云：『大海裡翻了豆腐船——湯裡來，水裡去。』如今難得他扇子，如何保得師父過山？且回去，轉路走他娘罷！」

土地道：「大聖休焦惱，天蓬莫懈怠。但說轉路，就是入了傍門，不成個

◆劖言劖語——刻薄嘲諷玩笑之言。劖音纏。

修行之類。古語云：『行不由徑。』豈可轉走？你那師父在正路上坐著，眼巴巴只望你們成功哩！」

行者發狠道：「正是，正是。呆子莫要胡談，土地說得有理。我們正要與他賭輸贏，弄手段，等我施為地煞變。自到西方無對頭，牛王本是心猿變。今番正好會源流，斷要相持借寶扇。趁清涼，熄火焰，打破頑空參佛面。行滿超升極樂天，大家同赴龍華宴。」

那八戒聽言，便生努力。殷勤道：「是，是，是！去，去，去！管甚牛王會不會，木生在亥配為豬，牽轉牛兒歸土類。申下生金本是猴，無刑無剋多和氣。用芭蕉，為水意，焰火消除成既濟。晝夜休離苦盡功，功完趕赴盂蘭會。」

他兩個領著土地、陰兵一齊上前，使釘鈀，掄鐵棒，乒乒乓乓，把一座摩雲洞的前門打得粉碎。諕得那外護頭目戰戰兢兢，闖入裡邊報道：「大王，孫悟空率眾打破前門也。」

那牛王正與玉面公主備言其事，懊恨孫行者哩。聽說打破前門，十分發怒，急披掛，拿了鐵棍，從裡邊罵出來道：「潑猢猻！你是多大個人兒，敢這等上門撒潑，打破我門扇？」八戒近前亂罵道：「潑老剝皮◆！你是個甚樣人物，敢量哪個大小？不要走，看鈀！」牛王喝道：「你這個饢糟食的夯貨，不見怎的！快叫那猴兒上來！」行者道：「不知好歹的餉草◆！我昨日還與你論兄弟，今日就是仇人了！仔細吃吾一棒！」那牛王奮勇而迎。這場比前番更勝。三個英雄廝混在一處，好殺：

釘鈀鐵棒逞神威，同率陰兵戰老犠。
犠牲獨展凶強性，遍滿同天法力恢。
使鈀築，著棍擂，鐵棒英雄又出奇。

◆老剝皮—罵人的話。表示憎恨別人到了極點。
餉草—罵人的話，吃草的貨，吃草的畜生。餉音溝。

三般兵器叮噹響，隔架遮攔誰讓誰？
他道他為首，我道我奪魁。
土兵為證難分解，木土相煎上下隨。
這兩個說：「你如何不借芭蕉扇？」
那一個道：「你焉敢欺心騙我妻？趕妾害兒仇未報，敲門打戶又驚疑！」
這個說：「你仔細提防如意棒，擦著些兒就破皮！」
那個說：「好生躲避鈀頭齒，一傷九孔血淋漓！」
牛魔不怕施威猛，鐵棍高擎有見機。
翻雲覆雨隨來往，吐霧噴風任發揮。
恨苦這場都拚命，各懷惡念喜相持。
丟架子，讓高低，前迎後擋總無虧。
兄弟二人齊努力，單身一棍獨施為。
卯時戰到辰時後，戰罷牛魔束手回。

他三個捨死忘生◆，又鬥有百十餘合。八戒發起呆性，仗著行者神通，舉鈀亂築。牛王遮架不住，敗陣回頭，就奔洞門。

卻被土地、陰兵攔住洞門，喝道：「大力王，哪裡走！吾等在此！」那老牛不得進洞，急抽身。又見八戒、行者趕來，慌得卸了盔甲，丟了鐵棍，搖身一變，變做一隻天鵝，望空飛走。

行者看見，笑道：「八戒，老牛去了。」那呆子漠然不知，土地亦不能曉，一個個東張西覷，只在積雷山前後亂找。

行者指道：「那空中飛的不是？」八戒道：「那是一隻天鵝。」

行者道：「正是老牛變的。」土地道：「既如此，卻怎麼好？」

行者道：「你兩個打進此門，把群妖盡情剿除，拆了他的窩巢，絕了他的歸路。等老孫與他賭變化去。」那八戒與土地，依言攻破洞門不題。

◆捨死忘生──形容不顧自己的生命安危。

這大聖收了金箍棒，捻訣念咒，搖身一變，變做一個海東青◆。颼的一翅，鑽在雲眼裡，倒飛下來，落在天鵝身上，抱住頸項嗛眼。

那牛王也知是孫行者變化，急忙抖抖翅，變做一隻黃鷹，反來嗛海東青。行者又變做一個烏鳳，專一趕黃鷹。

牛王識得，又變做一隻白鶴，長唳一聲，向南飛去。行者立定，抖抖翎毛，又變做一隻丹鳳，高鳴一聲。那白鶴見鳳是鳥王，諸禽不敢妄動，刷的一翅，淬下山崖，將身一變，變做一隻香獐，乜乜些些◆，在崖前吃草。

行者認得，也就落下翅來，變做一隻餓虎，剪尾跑蹄，要來趕獐作食。魔王慌了手腳，又變做一隻金錢花斑的大豹，要傷餓虎。行者見了，迎著風，把頭一晃，又變做一隻金眼狻猊，聲如霹靂，鐵額銅頭，復轉身要食大豹。

牛王著了急，又變做一個人熊，放開腳，就來擒那狻猊。行者打個滾，就變做一隻賴象◆，鼻似長蛇，牙如竹筍，撒開鼻子，要去捲那人熊。

牛王嘻嘻的笑了一笑，現出原身：一隻大白牛，頭如峻嶺，眼若閃光，兩隻角似兩座鐵塔，牙排利刃，連頭至尾有千餘丈長短，自蹄至背有八百丈高下。對行者高叫道：「潑猢猻！你如今將奈我何？」行者也就現了原身，抽出金箍棒來，把腰一躬，喝聲叫：「長！」長得身高萬丈，頭如泰山，眼如日月，口似血池，牙似門扇，手執一條鐵棒，著頭就打。那牛王硬著頭，使角來觸。這一場，真個是撼嶺搖山，驚天動地。有詩為證。詩曰：

道高一尺魔千丈，奇巧心猿用力降。
若得火山無烈焰，必須寶扇有清涼。
黃婆矢志扶元老，木母留情掃蕩妖。
和睦五行歸正果，煉魔滌垢上西方。

他兩個大展神通，在半山中賭鬥，驚得那過往虛空一切神眾與金頭揭諦、

◆**海東青**——一種凶猛的鵰。色青，為鵰類中最俊者，產於黑龍江一帶，羽毛可製裘，十分珍貴。
乜乜些些——裝痴作呆。　**賴象**——大象。

六甲六丁、一十八位護教伽藍都來圍困魔王。

那魔王公然不懼，你看他東一頭，西一頭，直挺挺、光耀耀的兩隻鐵角，往來抵觸；南一撞，北一撞，毛森森，筋暴暴的一條硬尾，左右敲搖。孫大聖當面迎，眾多神四面打。牛王急了，就地一滾，復本相，便投芭蕉洞去。行者也收了法相，與眾多神隨後追襲。那魔王闖入洞裡，閉門不出。概眾把一座翠雲山圍得水泄不通。

正都上門攻打，忽聽得八戒與土地、陰兵◆嚷嚷而至。

行者見了，問曰：「那摩雲洞事體如何？」

八戒笑道：「那老牛的娘子，被我一鈀築死，剝開衣看，原來是個玉面狸精。那夥群妖，俱是些驢、騾、犢、特◆、獾、狐、狢、獐、羊、虎、麋、鹿等類，已此盡皆剿戮。又將他洞府房廊放火燒了。土地說他還有一處家小，住居此山，故又來這裡掃蕩也。」

行者道：「賢弟有功，可喜！可喜！老孫空與那老牛賭變化，未曾得勝。

他變做無大不大◆的白牛，我變了法天象地的身量。正和他抵觸之間，幸蒙諸神下降，圍困多時，他卻復原身，走進洞去矣。」

八戒道：「那可是芭蕉洞麼？」

行者道：「正是！正是！羅剎女正在此間。」

八戒發狠道：「既是這般，怎麼不打進去，剿除那廝，問他要扇子，倒讓他停留長智，兩口兒敘情？」

好呆子，抖擻威風，舉鈀照門一築，唿辣的一聲，將那石崖連門築倒了一邊。慌得那女童忙報：「爺爺，不知甚人把前門都打壞了！」牛王方跑進去，喘噓噓的，正告訴羅剎女與孫行者奪扇子賭鬥之事。聞報，心中大怒，就口中吐出扇子，遞與羅剎女。羅剎女接扇在手，滿眼垂淚道：「大王，把這扇子送與那猢猻，教他退

◆陰兵—神兵或鬼兵。　特—公牛。　無大不大—指極大。

兵去罷。」

牛王道：「夫人啊，物雖小而恨則深。妳且坐著，等我再和他比並去來！」那魔重整披掛，又選兩口寶劍，走出門來。正遇著八戒使鈀築門，老牛更不打話，掣劍劈臉便砍。八戒舉鈀迎著，向後倒退了幾步，出門來，早有大聖掄棒當頭。那牛魔即駕狂風，跳離洞府，又都在那翠雲山上相持。眾多神四面圍繞，土地兵左右攻擊。

這一場，又好殺哩：

雲迷世界，霧罩乾坤。颯颯陰風砂石滾，巍巍怒氣海波渾。
重磨劍二口，復掛甲全身。結冤深似海，懷恨越生嗔。
你看齊天大聖因功績，不講當年老故人。
八戒施威求扇子，眾神護法捉牛君。
牛王雙手無停息，左遮右擋弄精神。
只殺得那過鳥難飛皆斂翅，游魚不躍盡潛鱗。
鬼泣神嚎天地暗，龍愁虎怕日光昏。

那牛王拚命捐軀，鬥經五十餘合，抵敵不住，敗了陣，往北就走。早有五臺山秘魔巖神通廣大潑法金剛阻住，喝道：「牛魔，你往哪裡去？我等乃釋迦牟尼佛祖差來，布列天羅地網，至此擒汝也！」正說間，隨後有大聖、八戒、眾神趕來。那魔王慌轉身，向南而走，又撞著峨眉山清涼洞法力無量勝至金剛擋住，喝道：「吾奉佛旨，在此正要拿住你也！」

牛王心慌腳軟，急抽身往東便走，卻逢著須彌山摩耳崖毘盧沙門大力金剛迎住，喝道：「你老牛何往！我蒙如來密令，教來捕獲你也！」

牛王又悚然而退，向西就走，又遇著崑崙山金霞嶺不壞尊王永住金剛敵住，喝道：「這廝又將安走？我領西天大雷音寺佛老親言，在此把截，誰放你也！」

那老牛心驚膽戰，悔之不及。見那四面八方都是佛兵天將，真個似羅網高張，不能脫命。正在倉皇之際，又聞得行者帥眾趕來，他就駕雲頭，望上便走。

卻好有托塔李天王並哪吒太子，領魚肚藥叉、巨靈神將，幔住空中，叫道：「慢來，慢來！吾奉玉帝旨意，特來此剿除你也！」牛王急了，依前搖身一變，還變做一隻大白牛，使兩隻鐵角去觸天王。天王使刀來砍。隨後孫行者又到。

哪吒太子厲聲高叫：「大聖，衣甲在身，不能為禮。愚父子昨日見佛如來，發檄奏聞玉帝，言唐僧路阻火焰山，孫大聖難伏牛魔王，玉帝傳旨，特差我父王領眾助力。」

行者道：「這廝神通不小！又變做這等身軀，卻怎奈何？」

太子笑道：「大聖勿疑，你看我擒他。」

這太子即喝一聲：「變！」變得三頭六臂，飛身跳在牛王背上，使斬妖劍望頸項上一揮，不覺的把個牛頭斬下。天王收刀，卻才與行者相見。那牛王腔子裡又鑽出一個頭來，口吐黑氣，眼放金光。被哪吒又砍一劍，頭落處，又鑽出一個頭來。一連砍了十數劍，隨即長出十數個頭。哪吒取出火輪兒掛在那老牛的角上，便吹真火，焰焰烘烘，把牛王燒得張狂哮吼，搖頭擺尾。才要變化脫身，又被托塔天王將照妖鏡照住本相，騰挪不動，無計逃生，只叫：「莫傷我命，情願歸順佛家也！」

哪吒道：「既惜身命，快拿扇子出來！」

牛王道：「扇子在我山妻處收著哩！」

哪吒見說，將縛妖索子解下，跨在他那頸項上，一把拿住鼻頭，將索穿在鼻孔裡，用手牽來。孫行者卻會聚了四大金剛、六丁六甲、護教伽藍、托塔天王、巨靈神將並八戒、土地、陰兵，簇擁著白牛，回至芭蕉洞口。

老牛叫道：「夫人，將扇子出來，救我性命！」羅剎聽叫，急卸了釵環，脫了色服，挽青絲如道姑，穿縞素似比丘，雙手捧那柄丈二長短的芭蕉扇子，走出門。

又見有金剛眾聖與天王父子，慌忙跪在地下，磕頭禮拜道：「望菩薩饒我夫妻之命，願將此扇奉承孫叔叔成功去也！」行者近前接了扇，同大眾共駕祥雲，逕回東路。

卻說那三藏與沙僧立一會，坐一會，盼望行者，許久不回，何等憂慮。忽見祥雲滿空，瑞光滿地，飄飄颻颻，蓋眾神行將近，這長老害怕道：「悟淨，那壁廂是誰神兵來也？」

沙僧認得道：「師父啊，那是四大金剛、金頭揭諦、六甲六丁、護教伽藍與過往眾神。牽牛的是哪吒三太子，拿鏡的是托塔李天王，大師兄執著芭蕉扇，二師兄並土地隨後，其餘的都是護衛神兵。」

三藏聽說，換了毘盧帽，穿了袈裟，與悟淨拜迎眾聖，稱謝道：「我弟子有何德能，敢勞列位尊聖臨凡也。」

四大金剛道：「聖僧喜了，十分功行將完！吾等奉佛旨差來助汝，汝當竭力修持，勿得須臾怠惰。」三藏叩齒叩頭，受身受命。

孫大聖執著扇子，行近山邊，盡氣力揮了一扇，那火焰山平平熄焰，寂寂除光。行者喜喜歡歡，又搧一扇，只聞得習習瀟瀟，清風微動。第三扇，滿天雲漠漠，細雨落霏霏。有詩為證。詩曰：

火焰山遙八百程，火光大地有聲名。
火煎五漏丹難熟，火燎三關道不清。
時借芭蕉施雨露，幸蒙天將助神功。
牽牛歸佛休顛劣，水火相聯性自平。

此時三藏解燥除煩，清心了意。四眾皈依，謝了金剛，各轉寶山。六丁六甲升空保護。過往神祇四散。天王、太子牽牛，逕歸佛地回繳。只有本山土地押著羅剎女，在旁伺候。

行者道：「那羅剎，妳不走路，還立在此等甚？」

羅剎跪道：「萬望大聖垂慈，將扇子還了我罷。」

八戒喝道：「潑賤人，不知高低！饒了妳的性命就夠了，還要討甚麼扇子？我們拿過山去，不會賣錢買點心吃？費了這許多精神力氣，又肯與妳？雨濛濛的，還不回去哩！」

羅刹再拜道：「大聖原說搧熄了火還我，今此一場，誠悔之晚矣！只因不倜儻，致令勞師動眾。我等也修成人道，只是未歸正果，現今真身現相歸西，我再不敢妄作。願賜本扇，從立自新，修身養命去也。」

土地道：「大聖，趁此女深知熄火之法，斷絕火根，還她扇子，小神居此苟安，拯救這方生民，求些血食，誠為恩便。」

行者道：「我當時問著鄉人說：這山扇熄火，只收得一年五穀，便又火發。如何治得除根？」

羅刹道：「要是斷絕火根，只消連搧四十九扇，永遠再不發了。」

行者聞言，執扇子，使盡筋力，望山頭連搧四十九扇，那山上大雨淙淙。果然是寶貝：有火處下雨，無火處天晴。他師徒們立在這無火處，不遭雨濕。

坐了一夜，次早才收拾馬匹、行李，把扇子還了羅剎。又道：「老孫若不與妳，恐人說我言而無信。妳將扇子回山，再休生事。看妳得了人身，饒妳去罷！」那羅剎接了扇子，念個咒語，捏做個杏葉兒，噙在口裡。拜謝了眾聖，隱姓修行，後來也得了正果，經藏中萬古流名。羅剎、土地俱感激謝恩，隨後相送。行者、八戒、沙僧保著三藏，遂此前進，真個是身體清涼，足下滋潤。誠所謂：

坎離既濟真元合，水火均平大道成。

畢竟不知幾年才回東土，且聽下回分解。

◆不倜儻—倜儻，豪爽而無拘束的樣子。這裡衍作不爽快的意思。

第六二回

滌垢洗心惟掃塔
縛魔歸主乃修身

十二時中忘不得，行功百刻全收。
五年十萬八千周。
休教神水涸，莫縱火光愁。
水火調停無損處，五行聯絡如鉤。
陰陽和合上雲樓。
乘鸞登紫府，跨鶴赴瀛洲。

這一篇詞，牌名《臨江仙》，單道唐三藏師徒四眾水火既濟，本性清涼。借得純陰寶扇，搧熄燥火過山。不一日行過了八百之程，師徒們散誕◆逍遙，向西而去。正值秋末冬初時序，見了些：

野菊殘英落，新梅嫩蕊生。

村村納禾稼，處處食香羹。
平林木落遠山現，曲澗霜濃幽壑清。
應鍾氣◈，閉蟄營。
純陰陽，月帝玄溟；盛水德，舜日憐晴。
地氣下降，天氣上升。
虹藏不見影，池沼漸生冰。
懸崖掛索藤花敗，松竹凝寒色更青。

四眾行夠多時，前又遇城池相近。
唐僧勒住馬，叫徒弟：「悟空，你看那廂樓閣崢嶸，是個甚麼去處？」
行者抬頭觀看，乃是一座城池。真個是：
龍蟠形勢，虎踞金城。四垂華蓋近，百轉紫墟平。

◈散誕——優閒、舒散放誕。　鍾氣——指凝聚天地間靈秀之氣。

玉石橋欄排巧獸，黃金臺座列賢明。
真個是神洲都會，天府瑤京。
萬里邦畿固，千年帝業隆。
蠻夷拱服君恩遠，海岳朝元聖會盈。
御階潔淨，輦路清寧。
酒肆歌聲鬧，花樓喜氣生。
未央宮外長春樹，應許朝陽彩鳳鳴。

行者道：「師父，那座城池是一國帝王之所。」
八戒笑道：「天下府有府城，縣有縣城，怎麼就見是帝王之所？」
行者道：「你不知帝王之居，與府縣自是不同。你看他四面有十數座門，周圍有百十餘里，樓臺高聳，雲霧繽紛。非帝京邦國，何以有此壯麗？」
沙僧道：「哥哥眼明，雖識得是帝王之處，卻喚做甚麼名色？」
行者道：「又無牌匾旌號，何以知之？須到城中詢問，方可知也。」

長老策馬，須臾到門。下馬過橋，進門觀看。只見六街三市，貨殖通財；又見衣冠隆盛，人物豪華。正行時，忽見有十數個和尚，一個個披枷戴鎖，沿門乞化，著實的藍褸不堪。

三藏嘆曰：「兔死狐悲，物傷其類。」叫：「悟空，你上前去問他一聲，為何這等遭罪？」

行者依言，即叫：「那和尚，你是哪寺裡的？為甚事披枷戴鎖？」

眾僧跪倒道：「爺爺，我等是金光寺負屈◈的和尚。」

行者道：「金光寺坐落何方？」

眾僧道：「轉過隅頭◈就是。」

行者將他帶在唐僧前，問道：「怎生負屈，你說我聽。」

眾僧道：「爺爺，不知你們是哪方來的，我等似有些面善。此問不敢在此奉告，請到荒山，具說苦楚。」

◈名色——事物的名稱。　負屈——蒙受冤屈。　隅頭——牆角。

長老道：「也是，我們且到他那寺中去，仔細詢問緣由。」同至山門，門上橫寫七個金字：「敕建護國金光寺」。師徒們進得門來觀看，但見那：

古殿香燈冷，虛廊葉掃風。
凌雲千尺塔，養性幾株松。
滿地落花無客過，簷前蛛網任攀籠。
空架鼓，枉懸鐘，繪壁塵多彩像朦。
講座幽然僧不見，禪堂靜矣鳥常逢。
淒涼堪嘆息，寂寞苦無窮。
佛前雖有香爐設，灰冷花殘事事空。

三藏心酸，止不住眼中出淚。眾僧們頂著枷鎖，將正殿推開，請長老上殿拜佛。長老進殿，奉上心香，叩齒◆三匝。卻轉於後面，見那方丈簷柱上又鎖著六七個小和尚，三藏甚不忍見。及到方丈，眾僧俱來叩頭，問道：「列位老爺像貌不一，可是東土大唐來的麼？」

行者笑道：「這和尚有甚未卜先知之法？我們正是。你怎麼認得？」

眾僧道：「爺爺，我等有甚未卜先知之法？只是痛負了屈苦，無處分明，日逐家只是叫天叫地。想是驚動天神，昨日夜間，各人都得一夢：說有個東土大唐來的聖僧，救得我等性命，庶此冤苦可伸。今日果見老爺這般異像，故認得也。」

三藏聞言，大喜道：「你這裡是何地方？有何冤屈？」

眾僧跪告：「爺爺，此城名喚祭賽國，乃西邦大去處。當年有四夷朝貢：南，月陀國；北，高昌國；東，西梁國；西，本鉢國。年年進貢美玉、明珠、嬌妃、駿馬。我這裡不動干戈，不去征討，他那裡自然拜為上邦。」

三藏道：「既拜為上邦，想是你這國王有道，文武賢良。」

◈叩齒——上下齒相擊，表示祈禱虔誠和靈驗。

眾僧道：「爺爺，文也不賢，武也不良，國君也不是有道。我這金光寺，自來寶塔上祥雲籠罩，瑞靄高升，夜放霞光。萬里有人曾見晝噴彩氣，四國無不同瞻。故此以為天府神京，四夷朝貢。

「只是三年之前，孟秋朔日，夜半子時，下了一場血雨。天明時，家家害怕，戶戶生悲。眾公卿奏上國王，不知天公甚事見責。當時延請道士打醮，和尚看經，答天謝地。誰曉得我這寺裡黃金寶塔汙了，這兩年外國不來朝貢。我王欲要征伐，眾臣諫道：我寺裡僧人偷了塔上寶貝，所以無祥雲瑞靄，外國不朝。

「昏君更不察理。那些贓官將我僧眾拿了去，千般拷打，萬樣追求。當時我這裡有三輩和尚，前兩輩已被拷打不過，死了；如今又捉我輩，問罪枷鎖。老爺在上，我等怎敢欺心，盜取塔中之寶！萬望爺爺憐念，方以類聚，物以群分，捨大慈大悲，廣施法力，拯救我等性命！」

三藏聞言，點頭嘆道：「這樁事暗昧難明。一則是朝廷失政，二來是汝等有災。既然天降血雨，汙了寶塔，那時節何不啟本奏君，致令受苦？」眾僧道：「爺爺，我等凡人，怎知天意？況前輩俱未辨得，我等如何處之？」

三藏道：「悟空，今日甚時分了？」行者道：「有申時前後。」三藏道：「我欲面君倒換關文，奈何這眾僧之事不得明白，難以對君奏言。我當時離了長安，在法門寺裡立願：上西方逢廟燒香，遇寺拜佛，見塔掃塔。今日至此，遇有受屈僧人，乃因寶塔之累。你與我辦一把新笤帚◆，待我沐浴了，上去掃掃，即看這汙穢之事何如，不放光之故何如，訪著端的，方好面君奏言，解救他們這苦難也。」

這些枷鎖的和尚聽說，連忙去廚房取把廚刀，遞與八戒道：「爺爺，你將此刀打開那柱子上鎖的小和尚鐵鎖，放他去安排齋飯香湯，服侍老爺進

◆笤帚──竹製的掃帚。笤音條。

齋沐浴。我等且上街化把新笤帚來與老爺掃塔。」

八戒笑道：「開鎖有何難哉？不用刀斧，教我那一位毛臉老爺，他是開鎖的積年◆。」

行者真個近前，使個解鎖法，用手一抹，幾把鎖俱退落下。那小和尚俱跑到廚中，淨刷鍋灶，安排茶飯。三藏師徒們吃了齋，漸漸天昏。只見那枷鎖的和尚拿了兩把笤帚進來，三藏甚喜。

正說處，一個小和尚點了燈來請洗澡。此時滿天星月光輝，譙樓上更鼓齊發。正是那：

四壁寒風起，萬家燈火明。六街關戶牖，三市閉門庭。
釣艇歸深樹，耕犁罷短繩。樵夫柯斧歇，學子誦書聲。

三藏沐浴畢，穿了小袖褊衫，束了環絛，足下換一雙軟公鞋◆，手裡拿一把新笤帚，對眾僧道：「你等安寢，待我掃塔去來。」

行者道：「塔上既被血雨所汙，又況日久無光，恐生惡物；一則夜靜風寒，又沒個伴侶，自去恐有差池，老孫與你同上如何？」

三藏道：「甚好！甚好！」

兩人各持一把，先到大殿上，點起琉璃燈，燒了香，佛前拜道：「弟子陳玄奘奉東土大唐差往靈山參見我佛如來取經，今至祭賽國金光寺，遇本僧言寶塔被汙，國王疑僧盜寶，銜冤取罪，上下難明。弟子竭誠掃塔，望我佛威靈，早示汙塔之原因，莫致凡夫之冤屈。」

祝罷，與行者開了塔門，自下層望上而掃。只見這塔，真是：

崢嶸倚漢，突兀凌空。
正喚做五色琉璃塔，千金舍利峰。
梯轉如穿窟，門開似出籠。
寶瓶影射天邊月，金鐸聲傳海上風。

◆積年—老資格，有經驗的人。　軟公鞋—即長筒皮靴。

但見那虛簷拱斗，絕頂留雲。

虛簷拱斗，作成巧石穿花鳳；絕頂留雲，造就浮屠繞霧龍。

遠眺可觀千里外，高登似在九霄中。

層層門上琉璃燈，有塵無火；步步簷前白玉欄，積垢飛蟲。

塔心裡，佛座上，香煙盡絕；窗櫺外，神面前，蛛網牽朦。

爐中多鼠糞，盞內少油鎔。

只因暗失中間寶，苦殺僧人命落空。

三藏發心將塔掃，管教重見舊時容。

唐僧用帚子掃了一層，又上一層。如此掃至第七層上，卻早二更時分。那長老漸覺困倦，行者道：「困了，你且坐下，等老孫替你掃罷。」三藏道：「這塔是多少層數？」行者道：「怕不有十三層哩。」長老耽著勞倦道：「是必掃了，方趁本願。」又掃了三層，腰酸腿痛，就於十層上坐倒道：「悟空，你替我把那三層掃淨下來罷。」行者抖擻精神，登上第十一層，霎時又上到第十二層。正掃處，只聽得塔頂上有人言語。

行者道：「怪哉！怪哉！這早晚有三更時分，怎麼得有人在這頂上言語？斷乎是邪物也！且看看去。」

好猴王，輕輕的挾著笤帚，撒起衣服，鑽出前門，踏著雲頭觀看。只見第十三層塔心裡坐著兩個妖精，面前放一盤下飯◈、一只碗、一把壺，在那裡猜拳吃酒哩。

行者使個神通，丟了笤帚，掣出金箍棒，攔住塔門，喝道：「好怪物，偷塔上寶貝的原來是你。」兩個怪物慌了，急起身，拿壺拿碗亂摜。被行者橫鐵棒攔住道：「我若打死你，沒人供狀。」只把棒逼將去。那怪貼在壁上，莫想掙扎得動。口裡只叫：「饒命，饒

◈下飯—佐飯的菜餚。

命！不干我事，自有偷寶貝的在那裡也！」

行者使個拿法，一隻手抓將過來，逕拿下第十層塔中，報道：「師父，拿住個偷寶貝之賊了。」

三藏正自盹睡，忽聞此言，又驚又喜道：「是哪裡拿來的？」

行者把怪物揪到面前跪下道：「他在塔頂上猜拳吃酒耍子，是老孫聽得喧譁，一縱雲，跳到頂上攔住。未曾著力，但恐一棒打死，沒人供狀，故此輕輕捉來。師父可取他個口詞，看他是哪裡妖精，偷的寶貝在於何處。」

那怪物戰戰兢兢，口叫「饒命！」遂從實供道：「我兩個是亂石山碧波潭萬聖龍王差來巡塔的。他叫做奔波兒灞，我叫做灞波兒奔；他是鮎魚怪，我是黑魚精。因我萬聖老龍生了一個女兒，就喚做萬聖公主。那公主花容月貌，有二十分人才。招得一個駙馬，喚做九頭駙馬，神通廣大。

「前年與龍王來此，顯大法力，下了一陣血雨，汙了寶塔，偷了塔中的舍利子佛寶。公主又去大羅天上，靈霄殿前，偷了王母娘娘的九葉靈芝草，養在那潭底下，金光霞彩，晝夜光明。近日聞得有個孫悟空往西天取經，說他神通廣大，沿路上專一尋人的不是，所以這些時常差我等來此巡探，若還有那孫悟空到時，好準備也。」

行者聞言，嘻嘻冷笑道：「那孽畜等這等無禮！怪道前日請牛魔王在那裡赴會，原來他結交這夥潑魔，專幹不良之事！」

說未了，只見八戒與兩三個小和尚自塔下提著兩個燈籠，走上來道：「師父，掃了塔不去睡覺，在這裡講甚麼哩？」

行者道：「師弟，你來正好。塔上的寶貝，乃是萬聖老龍偷了去。今著這兩個小妖巡塔，探聽我等來的消息，卻才被我拿住也。」

八戒道：「叫做甚麼名字？甚麼妖精？」

行者道：「才然供了口詞，一個叫做奔波兒灞，一個叫做灞波兒奔；一個是鮎魚怪，一個是黑魚精。」

八戒掣鈀就打，道：「既是妖精，取了口詞，不打死待何時？」

行者道：「你不知，且留著活的，好去見皇帝講話，又好做鑿眼◆去尋賊追寶。」好呆子，真個收了鈀，一家一個，都抓下塔來。那怪只叫：「饒命！」八戒道：「正要你鮎魚、黑魚做些鮮湯，與那負冤屈的和尚吃哩！」

兩三個小和尚喜喜歡歡，提著燈籠，引長老下了塔。一個先跑報眾僧道：「好了，好了，我們得見青天了，偷寶貝的妖怪已是爺爺們捉將來矣。」行者教：「拿鐵索來，穿了琵琶骨，鎖在這裡。汝等看守，我們睡覺去，明日再做理會。」那些和尚都緊緊的守著，讓三藏們安寢。

不覺的天曉。長老道：「我與悟空入朝，倒換關文去來。」長老即穿了錦襴袈裟，戴了毘盧帽，整束威儀，拽步前進。行者也束一束虎皮裙，整一整綿布直裰，取了關文同去。

八戒道：「怎麼不帶這兩個妖賊去？」

行者道：「待我們奏過了，自有駕帖著人來提他。」遂行至朝門外。看不盡那朱雀黃龍，清都絳闕。三藏到東華門，對閣門大使作禮道：「煩大人轉奏，貧僧是東土大唐差去西天取經者，意欲面君，倒換關文。」

那黃門官果與通報，至階前奏道：「外面有兩個異容異服僧人，稱言南贍部洲東土唐朝差往西方拜佛求經，欲朝我王，倒換關文。」

國王聞言，傳旨教宣。長老即引行者入朝。文武百官見了行者，無不驚怕。有的說是猴和尚，有的說是雷公嘴和尚。個個悚然，不敢久視。長老在階前舞蹈山呼的行拜。大聖叉著手，斜立在旁，公然不動。

長老啟奏道：「臣僧乃南贍部洲東土大唐國差來拜西方天竺國大雷音寺佛，求取真經者。路經寶方，不敢擅過，有隨身關文，乞倒驗方行。」

◈鑒眼——眼線。暗中幫助偵察、窺探的人。

那國王聞言大喜，傳旨教宣唐朝聖僧上金鑾殿，安繡墩賜坐。長老獨自上殿，先將關文捧上，然後謝恩敢坐。

那國王將關文看了一遍，心中喜悅道：「似你大唐王有疾，能選高僧，不避路途遙遠，拜佛取經；寡人這裡和尚，專心只是做賊，敗國傾君！」

三藏聞言，合掌道：「怎見得敗國傾君？」

國王道：「寡人這國，乃是西域上邦，常有四夷朝貢，皆因國內有個金光寺，寺內有座黃金寶塔，塔上有光彩沖天。近被本寺賊僧暗竊了其中之寶，三年無有光彩，外國這二年也不來朝，寡人心痛恨之。」

三藏合掌笑道：「萬歲，『差之毫釐，失之千里』矣。貧僧昨晚到於天府，一進城門，就見十數個枷紐之僧。問及何罪，他道是金光寺負冤屈者。因到寺細審，更不干本寺僧人之事。貧僧入夜掃塔，已獲那偷寶之妖賊矣。」

國王大喜道：「妖賊安在？」

三藏道：「現被小徒鎖在金光寺裡。」

那國王急降金牌：「著錦衣衛快到金光寺取妖賊來，寡人親審。」三藏又奏道：「萬歲，雖有錦衣衛，還得小徒去方可。」國王道：「高徒在哪裡？」三藏用手指道：「那玉階旁立者便是。」國王見了，大驚道：「聖僧如此手姿，高徒怎麼這等像貌？」孫大聖聽見了，厲聲高叫道：「陛下，『人不可貌相，海水不可斗量。』若愛手姿者，如何捉得妖賊也？」國王聞言，回驚作喜道：「聖僧說得是。朕這裡不選人材，只要獲賊得寶歸塔為上。」

再著當駕官看車蓋，教錦衣衛好生服侍聖僧去取妖賊來。那當駕官即備大轎一乘、黃傘一柄，錦衣衛點起校尉，將行者八抬八綽，大四聲喝路，逕至金光寺。自此驚動滿城百姓，無處無一人不來看聖僧及那妖賊。

八戒、沙僧聽得喝道，只說是國王差官，急出迎接，原來是行者坐在轎上。呆子當面笑道：「哥哥，你得了本身也。」

行者下了轎，攙著八戒道：「我怎麼得了本身？」

八戒道：「你打著黃傘，抬著八人轎，卻不是猴王之職分？故說你得了本身。」行者道：「且莫取笑。」遂解下兩個妖物，押見國王。

沙僧道：「哥哥，也帶挈小弟帶挈。」

行者道：「你只在此看守行李、馬匹。」

那枷鎖之僧道：「爺爺們都去承受皇恩，等我們在此看守。」

行者道：「既如此，等我去奏過國王，卻來放你。」八戒揪著一個妖賊，沙僧揪著一個妖賊，孫大聖依舊坐了轎，擺開頭搭◆，將兩個妖怪押赴當朝。

須臾，至白玉階對國王道：「那妖賊已取來了。」國王下降龍床，與唐僧及文武多官，同目視之。那怪一個是暴腮烏甲，尖嘴利牙；一個是滑皮大肚，巨口長鬚。雖然是有足能行，大抵是變成的人像。

國王問曰：「你是何方賊怪，哪處妖精？幾年侵吾國土，何年盜我寶貝？

一夥共有多少賊徒，都喚做甚麼名字？從實一一供來。」二怪朝上跪下，頸內血淋淋的，更不知疼痛。

供道：「三載之外，七月初一，有個萬聖龍王，率領許多親戚，住居在本國東南，離此處路有百十。潭號碧波，山名亂石。生女多嬌，妖嬈美色。招贅一個九頭駙馬，神通無敵。他知你塔上珍奇，與龍王合盤做賊，先下血雨一場，後把舍利◆偷訖。現如今照耀龍宮，縱黑夜明如白日。公主施能，寂寂密密，又偷了王母靈芝，在潭中溫養寶物。我兩個不是賊頭，乃龍王差來小卒。今夜被擒，所供是實。」

國王道：「既取了供，如何不供自家名字？」

那怪道：「我喚做奔波兒灞，他喚做灞波兒奔。奔波兒灞是個鮎魚怪，灞波兒奔是個黑魚精。」

國王教錦衣衛好生收監。傳旨：「赦了金光寺眾僧的枷鎖。快教光祿寺

◆頭搭——古代官員出行時，走在前面的儀仗。
舍利——佛教修行者遺體焚化之後，所結成的珠狀或塊狀的顆粒。

排宴，就於麒麟殿上謝聖僧獲賊之功，議請聖僧捕擒賊首。」

光祿寺即時備了葷素兩樣筵席。

國王請唐僧四眾上麒麟殿敘坐，問道：「聖僧尊號？」

唐僧合掌道：「貧僧俗家姓陳，法名玄奘。蒙君賜姓唐，賤號三藏。」

國王又問：「聖僧高徒何號？」

三藏道：「小徒俱無號。第一個名孫悟空，第二個名豬悟能，第三個名沙悟淨，此乃南海觀世音菩薩起的名字。因拜貧僧為師，貧僧又將悟空叫做行者，悟能叫做八戒，悟淨叫做和尚。」

國王聽畢，請三藏坐了上席，孫行者坐了側首左席，豬八戒、沙和尚坐了側首右席。俱是素果、素菜、素茶、素飯。前面一席葷的，坐了國王；下首有百十席葷的，坐了文武多官。眾臣謝了君恩，徒告了師罪，坐定。

國王把盞，三藏不敢飲酒，他三個各受了安席酒。下邊只聽得管弦齊奏，乃是教坊司動樂。你看八戒放開食嗓◆，真個是虎嚥狼吞，將一席果菜之類，吃得罄盡。少頃間，添換湯飯又來，又吃得一毫不剩。巡酒的來，又杯杯不辭。這場筵席，直樂到午後方散。

三藏謝了盛宴。國王又留住道：「這一席聊表聖僧獲怪之功。」教光祿寺：「快翻席◆到建章宮裡，再請聖僧定捕賊首、取寶歸塔之計。」三藏道：「既要捕賊取寶，不勞再宴。貧僧等就此辭王，就擒捉妖怪去也。」國王不肯，一定請到建章宮，又吃了一席。

國王舉酒道：「哪位聖僧率眾出師，降妖捕怪？」三藏道：「教大徒弟孫悟空去。」大聖拱手應承。國王道：「孫長老既去，用多少人馬？幾時出城？」八戒忍不住高聲叫道：「哪裡用甚麼人馬？又哪裡管甚麼時辰？趁如今酒醉飯飽，我共師兄去，手到擒來！」三藏甚喜道：「八戒這一向勤緊◆啊！」

◆**食嗓**——指食道。**翻席**——一席未終，在別處另設一席。**勤緊**——指勤勞、勤快。

行者道：「既如此，著沙僧弟保護師父，我兩個去來。」

那國王道：「二位長老既不用人馬，可用兵器？」

八戒笑道：「你家的兵器，我們用不得，我弟兄自有隨身器械。」國王聞說，即取大觥來，與二位長老送行。

孫大聖道：「酒不吃了，只教錦衣衛把兩個小妖拿來，我們帶了他去做鑿眼。」國王傳旨，即時提出。

二人扯著兩個小妖，駕風頭，使個攝法，逕上東南去了。噫！他那：

君臣一見騰風霧，才識師徒是聖僧。

畢竟不知此去如何擒獲，且聽下回分解。

第六二回

二僧蕩怪鬧龍宮　群聖除邪獲寶貝

卻說祭賽國王與大小公卿見孫大聖與八戒騰雲駕霧，提著兩個小妖飄然而去，一個個朝天禮拜道：「話不虛傳，今日方知有此輩神仙活佛！」

又見他遠去無蹤，卻拜謝三藏、沙僧道：「寡人肉眼凡胎，只知高徒有力量，拿住妖賊便了，豈知乃騰雲駕霧之上仙也。」

三藏道：「貧僧無些法力，一路上多虧這三個小徒。」

沙僧道：「不瞞陛下說，我大師兄乃齊天大聖皈依，他曾大鬧天宮，使一條金箍棒，十萬天兵，無一個對手，只鬧得太上老君害怕，玉皇大帝心驚。

我二師兄乃天蓬元帥果正，他也曾掌管天河八萬水兵大眾。惟我弟子無法力，乃捲簾大將受戒。愚弟兄若幹別事無能，若說擒妖縛怪、拿賊捕亡、伏虎降龍、踢天弄井，以至攪海翻江之類，略通一二。這騰雲駕霧、喚雨呼風，與那換斗移星、擔山趕月，特餘事耳，何足道哉！」

國王聞說，愈十分加敬，請唐僧上坐，口口稱為「老佛」，將沙僧等皆稱為「菩薩」。滿朝文武欣然，一國黎民頂禮不題。

卻說孫大聖與八戒駕著狂風，把兩個小妖攝到亂石山碧波潭，住定雲頭。將金箍棒吹了一口仙氣，叫：「變！」變做一把戒刀，將一個黑魚怪割了耳朵，鮎魚精割了下唇，撇在水裡，喝道：「快早去對那萬聖龍王報知，說我齊天大聖孫爺爺在此，著他即送祭賽國金光寺塔上的原寶貝出來，免他一家性命；若迸半個『不』字，我將這潭水攪淨，教他一門兒老幼遭誅！」

那兩個小妖得了命，負痛逃生，拖著鎖索，淬入水內。諕得那些黿鼉龜鱉，蝦蟹魚精，都來圍住問道：「你兩個為何拖繩帶索？」一個掩著耳，搖頭擺尾；一個捂著嘴，跌腳搥胸。都嚷嚷鬧鬧，逕上龍王宮殿報：「大王，禍事了！」那萬聖龍王正與九頭駙馬飲酒，忽見他兩個來，即停杯問何禍事。

那兩個即告道：「昨夜巡探，被唐僧、孫行者掃塔捉獲，用鐵索拴鎖。今早見國王，又被那行者與豬八戒抓著我兩個，一個割了耳朵，一個割了嘴唇，拋在水中，著我來報，要索那塔頂寶貝。」遂將前後事細說了一遍。

那老龍聽說是孫行者齊天大聖，諕得魂不附體，魄散九霄，戰兢兢對駙馬道：「賢婿啊，別個來還好計較，若果是他，卻不善也！」

駙馬笑道：「太岳◆放心。愚婿自幼學了些武藝，四海之內，也曾會過幾個豪傑，怕他做甚？等我出去與他交戰三合，管取那廝縮首歸降，不敢仰視。」

好妖怪，急縱身披掛了，使一般兵器，叫做月牙鏟，步出宮，分開水道，在水面上叫道：「是甚麼齊天大聖？快上來納命！」

行者與八戒立在岸邊，觀看那妖精怎生打扮：

戴一頂爛銀盔，光欺白雪；貫一副兜鍪甲，亮敵秋霜。

上罩著錦征袍，真個是彩雲籠玉；

腰束著犀紋帶，果然像花蟒纏金。

手執著月牙鏟，霞飛電掣；腳穿著豬皮靴，水利波分。

遠看時一頭一面，近睹處四面皆人。

前有眼，後有眼，八方通見；左也口，右也口，九口言論。

一聲吆喝長空振，似鶴飛鳴貫九宸。

他見無人對答，又叫一聲：「哪個是齊天大聖？」

◆太岳──岳父。

行者按一按金箍，理一理鐵棒道：「老孫便是。」

那怪道：「你家居何處？身出何方？怎生得到祭賽國，與那國王守塔，卻大膽獲我頭目，又敢行凶，上吾寶山索戰？」

行者罵道：「你這賊怪，原來不識你孫爺爺哩！你上前，聽我道：

老孫祖住花果山，大海之間水簾洞。
自幼修成不壞身，玉皇封我齊天聖。
只因大鬧斗牛宮，天上諸神難取勝。
當請如來展妙高，無邊智慧非凡用。
為翻觔斗賭神通，手化為山壓我重。
整到如今五百年，觀音勸解方逃命。
大唐三藏上西天，遠拜靈山求佛頌。
解脫吾身保護他，煉魔淨怪從修行。
路逢西域祭賽城，屈害僧人三代命。
我等慈悲問舊情，乃因塔上無光映。

吾師掃塔探分明，夜至三更天籟靜。
捉住魚精取實供，他言汝等偷寶貝。
合盤為盜有龍王，公主連名稱萬聖。
血雨澆淋塔上光，將他寶貝偷來用。
殿前供狀更無虛，我奉君言馳此境。
所以相尋索戰爭，不須再問孫爺姓。
快將寶貝獻還他，免汝老少全家命。
敢若無知騁勝強，教你水涸山頹都蹭蹬！」

那駙馬聞言，微微冷笑道：「你原來是取經的和尚，沒要緊羅織管事！我偷他的寶貝，你取佛的經文，與你何干，卻來廝鬥！」

行者道：「這賊怪甚不達理！我雖不受國王的恩惠，不食他的水米，不該與他出力；但是你偷他的寶貝，汙他的寶塔，屢年屈苦金光寺僧人，他是我一門同氣，我怎麼不與他出力，辨明冤枉？」

駙馬道：「你既如此，想是要行賭賽。常言道：『武不善作。』但只怕起手處，不得留情，一時間傷了你的性命，誤了你去取經！」

行者大怒，罵道：「這潑賊怪，有甚強能，敢開大口！走上來，吃老爺一棒！」那駙馬更不心慌，把月牙鏟架住鐵棒，就在那亂石山頭，這一場真個好殺：

妖魔盜寶塔無光，行者擒妖報國王。
小怪逃生回水內，老龍破膽各商量。
九頭駙馬施威武，披掛前來展素強。
怒發齊天孫大聖，金箍棒起十分剛。
那怪物，九個頭顱十八眼，前前後後放毫光；
這行者，一雙鐵臂千斤力，靄靄紛紛並瑞祥。
鏟似一陽初現月，棒如萬里遍飛霜。
他說：「你無干休把不平報！」

我道：「你有意偷寶真不良！那潑賊，少輕狂，還他寶貝得安康！」

棒迎鏟架爭高下，不見輸贏練戰場。

他兩個往往來來，鬥經三十餘合，不分勝負。豬八戒立在山前，見他們戰到甜美之處，舉著釘鈀，從妖精背後一築。原來那怪九個頭，轉轉都是眼睛，看得明白。見八戒在背後來時，即使鏟鐏◆架著釘鈀，鏟頭抵著鐵棒。又耐戰五七合，擋不得前後齊掄，他卻打個滾，騰空跳起，現了本相，乃是一個九頭蟲。觀其形像十分惡，見此身模怕殺人。他生得：

毛羽鋪錦，團身結絮。

方圓有丈二規模，長短似黿鼉樣致。

兩隻腳尖利如鈎，九個頭攢環一處。

◆一門同氣──同門兄弟的意思。　鐏──戈柄下端銅製的圓錐形部分。

展開翅極善飛揚，縱大鵬無他力氣；
發起聲遠振天涯，比仙鶴還能高唳。
眼多閃灼晃金光，氣傲不同凡鳥類。

豬八戒看見心驚道：「哥啊！我自為人，也不曾見這等個惡物！是甚血氣生此禽獸也？」

行者道：「真個罕有！真個罕有！等我趕上打去！」

好大聖，急縱祥雲，跳在空中，使鐵棒照頭便打。那怪物大顯身，展翅斜飛，颼的打個轉身，掠到山前，半腰裡又伸出一個頭來，張開口如血盆相似，把八戒一口咬著鬃，半拖半扯，捉下碧波潭水內而去。及至龍宮外，還變做前番模樣，將八戒攛之於地，叫：「小的們何在？」

那裡面鯖鮊鯉鱖之魚精，龜鱉黿鼉之介怪，一擁齊來，道聲：「有！」

駙馬道：「把這個和尚綁在那裡，與我巡探的小卒報仇。」

眾精推推嚷嚷，抬進八戒去時，那老龍王歡喜，迎出道：「賢婿有功，怎生捉他來也？」那駙馬把上項原故說了一遍。老龍即命排酒賀功不題。

卻說孫行者見妖精擒了八戒，心中懼道：「這廝恁般利害。我待回朝見師，恐那國王笑我。待要開言罵戰，曾奈我又單身，況水面之事不慣。且等我變化了進去，看那怪把呆子怎生擺布。若得便，且偷他出來幹事。」好大聖，捻著訣，搖身一變，還變做一個螃蟹，淬於水內，逕至牌樓之前。原來這條路是他前番襲牛魔王盜金睛獸走熟了的。直至那宮闕之下，橫爬過去，又見那老龍王與九頭蟲合家兒歡喜飲酒。行者不敢相近，爬過東廊之下，見幾個蝦精蟹精紛紛紜紜耍子。

行者聽了一會言談，卻就學語學話，問道：「駙馬爺爺拿來的那長嘴和尚，這會死了不曾？」

眾精道：「不曾死，縛在那西廊下哼的不是？」

行者聽說，又輕輕的爬過西廊，真個那呆子綁在柱上哼哩。行者近前道：「八戒，認得我麼？」

八戒聽得聲音，知是行者，道：「哥哥，怎麼了？反被這廝捉住我也！」行者四顧無人，將鉗咬斷索子叫走。那呆子脫了手道：「哥哥，我的兵器被他收了，又奈何？」

行者道：「你可知道收在哪裡？」

八戒道：「當被那怪拿上宮殿去了。」

行者道：「你先去牌樓下等我。」

八戒逃生，悄悄的溜出。行者復身爬上宮殿觀看。左首下有光彩森森，乃是八戒的釘鈀放光。使個隱身法，將鈀偷出，到牌樓下，叫聲：「八戒，接兵器！」

呆子得了鈀，便道：「哥哥，你先走，等老豬打進宮殿。若得勝，就捉住他一家子；若不勝，敗出來，你在這潭岸上救應。」行者大喜，只教仔細。

八戒道：「不怕他！水裡本事，我略有些兒。」行者丟了他，負出水面不題。

這八戒束了皂直裰，雙手纏鈀，一聲喊，打將進去。慌得那大小水族奔奔波波，跑上宮殿，吆喝道：「不好了，長嘴和尚掙斷繩反打進來了。」那老龍與九頭蟲並一家子俱措手不及，跳起來，藏藏躲躲。這呆子不顧死活，闖上宮殿，一路鈀，築破門扇，打破桌椅，把些吃酒的家火之類盡皆打碎。有詩為證。詩曰：

木母遭逢水怪擒，心猿不捨苦相尋。
暗施巧計偷開鎖，大顯神威怒恨深。
駙馬忙攜公主躲，龍王戰慄絕聲音。
水宮絳闕門窗損，龍子龍孫盡沒魂。

這一場，被八戒把玳瑁屏打得粉碎，珊瑚樹摜得凋零。那九頭蟲將公主安藏在內，急取月牙鏟，趕至前宮，喝道：「潑夯豖彘！怎敢欺心驚吾眷族！」

八戒罵道：「這賊怪，你焉敢將我捉來！這場不干我事，是你請我來家打的！快拿寶貝還我，回見國王了事；不然，決不饒你一家命也！」

那怪哪肯容情，咬定牙齒，與八戒交鋒。那老龍才定了神思，領龍子、龍孫各執槍刀，齊來攻取。八戒見事體不諧，虛晃一鈀，撤身便走。那老龍率眾追來。須臾，攛出水中，都到潭面上翻騰。

卻說孫行者立於潭岸等候，忽見他們追趕八戒，出離水中，就半踏雲霧，掣鐵棒，喝聲：「休走！」只一下，把個老龍頭打得稀爛。可憐血濺潭中紅水泛，屍飄浪上敗鱗浮。

諕得那龍子、龍孫各各逃命，九頭駙馬收龍屍，轉宮而去。

行者與八戒且不追襲，回上岸，備言前事。

八戒道：「這廝銳氣挫了！被我那一路鈀打進去時，打得落花流水，魂散魄飛。正與那駙馬廝鬥，卻被老龍王趕著，卻虧了你打死。那廝們回去，一定停喪掛孝，決不肯出來。今又天色晚了，卻怎奈何？」

行者道：「管甚麼天晚，乘此機會，你還下去攻戰。務必取出寶貝，方可回朝。」那呆子意懶情疏，佯佯◆推托。

行者催逼道：「兄弟不必多疑，還像剛才引出來，等我打他。」

兩人正自商量，只聽得狂風滾滾，慘霧陰陰，忽從東方逕往南去。行者仔細觀看，乃二郎顯聖，領梅山六兄弟，架著鷹犬，挑著狐兔，抬著獐鹿，一個個腰挎彎弓，手持利刃，縱風霧踴躍而來。

行者道：「八戒，那是我七聖兄弟，倒好留請他們，與我助戰。若得成功，倒是一場大機會也。」

八戒道：「既是兄弟，極該留請。」

行者道：「但內有顯聖大哥，我曾受他降伏，不好見他。你去攔住雲頭，叫道：『真君，且略住住，齊天大聖在此進拜。』他若聽見是我，斷然住

◆佯佯──裝模作樣。

了。待他安下，我卻好見。」

那呆子急縱雲頭，上山攔住，厲聲高叫道：「真君，且慢車駕，有齊天大聖請見哩！」

那爺爺見說，即傳令，就停住六兄弟，與八戒相見畢，問：「齊天大聖何在？」

八戒道：「現在山下聽呼喚。」二郎道：「兄弟們，快去請來。」六兄弟乃是康、張、姚、李、郭、直，各各出營叫道：「孫悟空哥哥，大哥有請。」行者上前，對眾作禮，遂同上山。

二郎爺爺迎見，攜手相攙，一同相見，道：「大聖，你去脫大難，受戒沙門，刻日◆功完，高登蓮座，可賀，可賀！」

行者道：「不敢。向蒙莫大之恩，未展斯須之報。雖然脫難西行，未知功行何如。今因路遇祭賽國，答救僧災，在此擒妖索寶。偶見兄長車駕，大膽請留一助。未審兄長自何而來，肯見愛否？」

二郎笑道：「我因閒暇無事，同眾兄弟採獵而回。幸蒙大聖不棄留會，足感故舊之情。若命挾力降妖，敢不如命。卻不知此地是何怪賊？」

六聖道：「大哥忘了？此間是亂石山，山下乃碧波潭萬聖之龍宮也。」

二郎驚訝道：「萬聖老龍卻不生事，怎麼敢偷塔寶？」

行者道：「他近日招了一個駙馬，乃是九頭蟲成精。他郎丈兩個做賊，將祭賽國下了一場血雨，把金光寺塔頂舍利佛寶偷來。那國王不解其意，苦拿著僧人拷打。是我師父慈悲，夜來掃塔，當被我在塔上拿住兩個小妖，是他差來巡探的。今早押赴朝中，實實供招了。

「那國王就請我師收降，師命我等到此。先一場戰，被九頭蟲腰裡伸出一個頭來，把八戒啣了去。我卻又變化下水，解了八戒。才然大戰一場，是我把老龍打死，那廝們收屍掛孝去了。我兩個正議索戰，卻見兄長儀仗降臨，故此輕瀆也。」

二郎道：「既傷了老龍，正好與他攻擊，使那廝不能措手，卻不連窩巢

◆刻日—約定或限定日期。也作「剋日」。

都滅絕了？」

八戒道：「雖是如此，奈天晚何。」

二郎道：「兵家云：『征不待時。』何怕天晚！」

康、姚、郭、直道：「大哥莫忙。那廝家眷在此，料無處去。孫二哥也是貴客，豬剛鬣又歸了正果，我們營內有隨帶的酒殽，教小的們取火，就此鋪設：一則與二位賀喜，二來也當敘情。且歡會這一夜，待天明索戰何遲？」

二郎大喜道：「賢弟說得極當。」卻命小校安排。

行者道：「列位盛情，不敢固卻。但自做和尚，都是齋戒，恐葷素不便。」

二郎道：「有素果品，酒也是素的。」眾兄弟在星月光前，幕天席地，舉杯敘舊。

正是寂寞更長，歡娛夜短。早不覺東方發白。那八戒幾鍾酒吃得興抖抖的道：「天將明了，等老豬下水去索戰也。」

二郎道：「元帥仔細，只要引他出來，我兄弟們好下手。」

八戒笑道：「我曉得！我曉得！」

你看他斂衣纏鈀，使分水法，跳將下去，逕至那牌樓下。發聲喊，打入殿內。此時那龍子披了麻，看著龍屍哭；龍孫與那駙馬，在後面收拾棺材哩。

這八戒罵上前，手起處，鈀頭著重，把個龍子夾腦連頭，一鈀築了九個窟窿。諕得那龍婆與眾往裡亂跑，哭道：「長嘴和尚又把我兒打死了！」

那駙馬聞言，即使月牙鏟，帶龍孫往外殺來。這八戒舉鈀迎敵，且戰且退，跳出水中。這岸上齊天大聖與七兄弟一擁上前，槍刀亂扎，把個龍孫剁成幾段肉餅。那駙馬見不停當，在山前打個滾，又現了本相，展開翅，旋繞飛騰。二郎即取金弓，安上銀彈，扯滿弓，往上就打。

那怪急鐵翅，掠到邊前，要咬二郎。半腰裡才伸出一個頭來，被那頭細犬竄上去，汪的一口，把頭血淋淋的咬將下來。那怪物負痛逃生，逕投北海而去。

八戒便要趕去，行者止住道：「且莫趕他，正是『窮寇勿追』。他被細犬咬了頭，必定是多死少生。等我變做他的模樣，你分開水路，趕我進去，尋那公主，詐她寶貝來也。」

二郎與六聖道：「不趕他倒也罷了，只是遺這種類在世，必為後人之害。」至今有個九頭蟲滴血，是遺種也。

那八戒依言，分開水路。行者變做怪像前走，八戒吆吆喝喝後追。漸漸追至龍宮，只見那萬聖公主道：「駙馬，怎麼這等慌張？」行者道：「那八戒得勝，把我趕將進來，覺道不能敵他。妳快把寶貝好生藏了。」

那公主急忙難識真假，即於後殿裡取出一個渾金匣子來，遞與行者道：「這是佛寶。」又取出一個白玉匣子，也遞與行者道：「這是九葉靈芝。你拿這寶貝藏去，等我與豬八戒鬥上兩三合，擋住他。你將寶貝收好了，再出來與他合戰。」

行者將兩個匣兒收在身邊，把臉一抹，現了本相道：「公主，妳看我可是駙馬麼？」公主慌了，便要搶奪匣子。被八戒跑上去，著背一鈀，築倒在地。

還有一個老龍婆撤身就走，被八戒扯住，舉鈀才築，行者道：「且住！莫打死她，留個活的，好去國內見功。」遂將龍婆提出水面。

行者隨後捧著兩個匣子上岸，對二郎道：「感兄長威力，得了寶貝，掃淨妖賊也。」二郎道：「一則是那國王洪福齊天，二則是賢昆玉神通無量，我何功之有！」

兄弟們俱道：「孫二哥既已功成，我們就此告別。」行者感謝不盡，欲留同見國王。諸公不肯，遂率眾回灌口去訖。

行者捧著匣子，八戒拖著龍婆，半雲半霧，頃刻間到了國內。原來那金光寺解脫的和尚都在城外迎接。忽見他兩個雲霧定時，近前磕頭禮拜，接入城中。那國王與唐僧正在殿上講論。

這裡有先走的和尚，仗著膽，入朝門奏道：「萬歲，孫、豬二老爺擒賊獲寶而來也。」那國王聽說，連忙下殿，共唐僧、沙僧迎著，稱謝神功不盡，隨命排筵謝恩。

三藏道：「且不須賜飲，著小徒歸了塔中之寶，方可飲宴。」

三藏又問行者道：「汝等昨日離國，怎麼今日才來？」行者把那戰駙馬，打龍王，逢真君，敗妖精，及變化詐寶貝之事，細說了一遍。

三藏與國王、大小文武，俱喜之不勝。

國王又問：「龍婆能人言語否？」

八戒道：「乃是龍王之妻，生了許多龍子、龍孫，豈不知人言？」

國王道：「既知人言，快早說前後做賊之事。」

龍婆道：「偷佛寶，我全不知，都是我那夫君龍鬼與那駙馬九頭蟲，知你塔上之光乃是佛家舍利子，三年前下了血雨，乘機盜去。」又問：「靈芝草是怎麼偷的？」

龍婆道：「只是小女萬聖公主私入大羅天上靈霄殿前，偷得王母娘娘九葉靈芝之草。那舍利子得這草的仙氣溫養著，千年不壞，萬載生光。去地下或田中掃一掃，即有萬道霞光，千條瑞氣。如今被你奪來，弄得我夫死子絕，婿喪女亡，千萬饒了我的命罷！」

八戒道：「正不饒妳哩！」

行者道：「家無全犯。我便饒妳，只便要妳長遠替我看塔。」

龍婆道：「好死不如惡活。但留我命，憑你教做甚麼。」行者叫取鐵索來。當駕官即取鐵索一條，把龍婆琵琶骨穿了。

教沙僧：「請國王來看我們安塔去。」

那國王即忙排駕，遂同三藏攜手出朝，並文武多官，隨至金光寺。行者上塔，將舍利子安在第十三層塔頂寶瓶中間，把龍婆鎖在塔心柱上。念動真言，喚出本國土地、城隍與本寺伽藍們，每三日送飲食一餐，與這龍婆度口；少有差訛，即行處斬。眾神暗中領諾。行者卻將芝草把十三層塔層層掃過，安在瓶內，溫養舍利子。

這才是整舊如新，霞光萬道，瑞氣千條，依然八方共睹，四國同瞻。下了塔門，國王就謝道：「不是老佛與三位菩薩到此，怎生得明此事也！」

行者道：「陛下，『金光』二字不好，不是久住之物：金乃流動之物，光乃閃灼之氣。貧僧為你勞碌這場，將此寺改作伏龍寺，教你永遠常存。」那國王即命換了字號，懸上新匾，乃是「敕建護國伏龍寺」。一壁廂安排御宴，一壁廂召丹青寫下四眾生形，五鳳樓注了名號。國王擺鑾駕，送唐僧師徒，賜金玉酬答。師徒們堅辭，一毫不受。這真個是：

邪怪剪除諸境靜，寶塔回光大地明。

畢竟不知此去前路如何，且聽下回分解。

第六四回
荊棘嶺悟能努力　木仙庵三藏談詩

話表祭賽國王謝了唐三藏師徒獲寶擒怪之恩，所贈金玉，分毫不受。卻命當駕官照依四位常穿的衣服各做兩套，鞋襪各做兩雙，絛環各做兩條，外備乾糧烘炒，倒換了通關文牒，大排鑾駕，並文武多官、滿城百姓、伏龍寺僧人，大吹大打，送四眾出城。約有二十里，先辭了國王。眾人又送二十里辭回。

伏龍寺僧人送有五、六十里不回：有的要同上西天，有的要修行服侍。行者見都不肯回去，遂弄個手段，把毫毛拔了三、四十根，吹口仙氣，叫：「變！」都變做斑斕猛虎，攔住前路，哮吼踴躍。眾僧方懼，不敢前進。大聖才引師父策馬而去，少時間去得遠了。眾僧人放聲大哭，都喊：「有恩有義的老爺！我等無緣，不肯度我們也！」

且不說眾僧啼哭。卻說師徒四眾走上大路，卻才收回毫毛，一直西去。正是時序易遷，又早冬殘春至，不暖不寒，正好逍遙行路。忽見一條長嶺，嶺頂上是路。三藏勒馬觀看，那嶺上荊棘丫叉，薜蘿牽繞，雖是有道路的痕跡，左右卻都是荊刺棘針。

唐僧叫：「徒弟，這路怎生走得？」

行者道：「怎麼走不得？」

又道：「徒弟啊，路痕在下，荊棘在上，只除是蛇蟲伏地而遊，方可去了；若你們走，腰也難伸，教我如何乘馬？」

八戒道：「不打緊，等我使出鈀柴手來，把釘鈀分開荊棘，莫說騎馬，就抬轎也包你過去。」

三藏道：「你雖有力，長遠難熬，卻不知有多少遠近，怎生費得這許多精神？」

行者道：「不須商量，等我去看看。」將身一縱，跳在半空看時，一望無際。真個是：

匝地遠天，凝煙帶雨。夾道柔茵亂，漫山翠蓋張。
密密搓搓初發葉，攀攀扯扯正芬芳。
遙望不知何所盡，近觀一似綠雲茫。
蒙蒙茸茸，鬱鬱蒼蒼。風聲飄索索，日影映煌煌。
那中間有松有柏還有竹，多梅多柳更多桑。
薜蘿纏古樹，藤葛繞垂楊。盤團似架，聯絡如床。
有處花開真布錦，無端卉發遠生香。
為人誰不遭荊棘，哪見西方荊棘長？

行者看夠多時，將雲頭按下道：「師父，這去處遠哩！」

三藏問：「有多少遠？」行者道：「一望無際，似有千里之遙。」

三藏大驚道：「怎生是好？」

沙僧笑道：「師父莫愁，我們也學燒荒◆的，放上一把火，燒絕了荊棘過去。」

八戒道：「莫亂談。燒荒的須在十來月，草衰木枯，方好引火。如今正是蕃盛◆之時，怎麼燒得？」

行者道：「就是燒得，也怕人了。」三藏道：「這般怎生得度？」

八戒笑道：「要得度，還依我。」

好呆子，捻個訣，念個咒語，把腰躬一躬，叫：「長！」就長了有二十丈高下的身軀。把釘鈀晃一晃，教：「變！」就變了有三十丈長短的鈀柄。拽

◆燒荒—一種古代禦敵方法。守邊將士，每到秋天，出塞縱火，盡燒枯草，以防止敵人來牧馬。

蕃盛—繁茂，興旺。

開步，雙手使鈀，將荊棘左右摟開：「請師父跟我來也。」

三藏見了甚喜，即策馬緊隨後面；沙僧挑著行李；行者也使鐵棒撥開。這一日未曾住手，行有百十里。將次天晚，見有一塊空闊之處。當路上有一通石碣，上有三個大字，乃「荊棘嶺」；下有兩行十四個小字，乃「荊棘蓬攀八百里，古來有路少人行」。

八戒見了，笑道：「等我老豬與他添上兩句：『自今八戒能開破，直透西方路盡平。』」

三藏欣然下馬道：「徒弟啊，累了你也。我們就在此住過了今宵，待明日天光再走。」

八戒道：「師父莫住，趁此天色晴明，我等有興，連夜摟開路走他娘！」那長老只得相從。

八戒上前努力，師徒們人不住手，馬不停蹄，又行了一日一夜，卻又天色晚矣。那前面蓬蓬結結，又聞得風敲竹韻，颯颯松聲。卻好又有一段空地，中間乃是一座古廟。廟門之外，有松柏凝青，桃梅鬥麗。三藏下馬，與三個徒弟同看。只見：

巖前古廟枕寒流，落目荒煙鎖廢丘。
白鶴叢中深歲月，綠蕪臺下自春秋。
竹搖青珮疑聞語，鳥弄餘音似訴愁。
雞犬不通人跡少，閑花野蔓繞牆頭。

行者看了道：「此地少吉多凶，不宜久坐。」沙僧道：「師兄差疑了。似這杳無人煙之處，又無個怪獸妖禽，怕他怎的？」說不了，忽見一陣陰風，廟門後轉出一個老者，頭戴角巾，身穿淡服，手持拐杖，足踏芒鞋。後跟著一個青臉獠牙、紅鬚赤身鬼使，頭頂著一盤麵餅。跪下道：「大聖，小神乃荊棘嶺土地。知大聖到此，無以接待，特備蒸餅一盤，奉上老師父，各請一餐。此地八百里，更無人家，聊吃些兒充飢。」

八戒歡喜，上前舒手◆，就欲取餅。不知行者端詳已久，喝一聲：「且住，這廝不是好人！休得無禮！你是甚麼土地，來誑老孫！看棍！」

那老者見他打來，將身一轉，化作一陣陰風，呼的一聲，把個長老攝將起去，飄飄蕩蕩，不知攝去何所。慌得那大聖沒跟尋處，八戒、沙僧俱相顧失色，白馬亦只自驚吟。三兄弟連馬四口，恍恍惚惚，遠望高張，並無一毫下落，前後找尋不題。

卻說那老者同鬼使，把長老抬到一座煙霞石屋之前，輕輕放下，與他攜手相攙道：「聖僧休怕。我等不是歹人，乃荊棘嶺十八公是也。因風清月霽之宵，特請你來會友談詩，消遣情懷故耳。」那長老卻才定性，睜眼仔細觀看。真個是：

漠漠煙雲去所，清清仙境人家。
正好潔身修煉，堪宜種竹栽花。
每見翠巖來鶴，時聞青沼鳴蛙。

更賽天臺丹灶，仍期華岳明霞。
說甚耕雲釣月，此間隱逸堪誇。
坐久幽懷如海，朦朧月上窗紗。

三藏正自點看，漸覺月明星朗，只聽得人語相談。都道：「十八公請得聖僧來也。」長老抬頭觀看，乃是三個老者：前一個霜姿手采，第二個綠鬢婆娑，第三個虛心黛色。各各面貌、衣服俱不相同，都來與三藏作禮。長老還了禮，道：「弟子有何德行，敢勞列位仙翁下愛。」十八公笑道：「一向聞知聖僧有道，等待多時，今幸一見。如果不吝珠玉◆，寬坐敘懷，足見禪機真派。」三藏躬身道：「敢問仙翁尊號？」

◆舒手──伸手。　不吝珠玉──請對方不要吝惜寶貴的意見，多多指教的客套話。

十八公道：「霜姿者號孤直公，綠鬢者號凌空子，虛心者號拂雲叟，老拙號曰勁節。」

三藏道：「四翁尊壽幾何？」

孤直公道：「我歲今經千歲古，撐天葉茂四時春。香枝鬱鬱龍蛇狀，碎影重重霜雪身。自幼堅剛能耐老，從今正直喜修真。烏棲鳳宿非凡輩，落落森森遠俗塵。」

凌空子笑道：「吾年千載傲風霜，高幹靈枝力自剛。夜靜有聲如雨滴，秋晴蔭影似雲張。盤根已得長生訣，受命尤宜不老方。留鶴化龍非俗輩，蒼蒼爽爽近仙鄉。」

拂雲叟笑道：「歲寒虛度有千秋，老景瀟然清更幽。不雜囂塵終冷淡，飽經霜雪自風流。七賢◆作侶同談道，六逸◆為朋共唱酬。戛玉敲金非瑣瑣，天然情性與仙遊。」

勁節十八公笑道：「我亦千年約有餘，蒼然貞秀自如如。堪憐雨露生成力，借得乾坤造化機。萬壑風煙惟我盛，四時瀟落讓吾疏。蓋張翠影留仙客，博弈調琴講道書。」

三藏稱謝道：「四位仙翁，俱享高壽，但勁節翁又千歲餘矣。高年得道，丰采清奇，得非漢時之『四皓◆』乎？」

四老道：「承過獎，承過獎。吾等非四皓，乃深山之『四操』也。敢問聖僧，妙齡幾何？」

三藏合掌躬身答曰：「四十年前出母胎，未產之時命已災。逃生落水隨波滾，幸遇金山脫本骸。養性看經無懈怠，誠心拜佛敢俄捱。今蒙皇上差西去，路遇仙翁下愛來。」

◆**七賢**—晉朝的山濤、阮籍、嵇康、向秀、劉伶、阮咸、王戎等七人，崇尚老莊之學，輕視禮法，規避塵俗，常集於竹林之下，肆意酣暢，縱情清談，故稱為「竹林七賢」。

六逸—唐朝李白客居山東任城，與孔巢父、韓準、裴政、張叔明、陶沔六人隱居徂來山，日以沉飲酣歌為事，稱為「竹溪六逸」。

四皓—秦末隱士東園公、夏黃公、綺里季、甪里先生四人，因避亂世而隱居商山，年皆八十餘歲，鬚眉皓白，世稱為「商山四皓」。簡稱為「四皓」。甪音路。

四老俱稱道：「聖僧自出娘胎，即從佛教，果然是從小修行，真中正有道之上僧也。我等幸接臺顏，敢求大教。望以禪法指教一二，足慰生平。」

長老聞言，慨然不懼，即對眾言曰：「禪者，靜也；法者，度也。靜中之度，非悟不成。悟者，洗心滌慮，脫俗離塵是也。夫人身難得，中土難生，正法難遇；全此三者，幸莫大焉。至德妙道，渺漠希夷，六根六識，遂可掃除。菩提者，不死不生，無餘無欠，空色包羅，聖凡俱遣。訪真了元始鉗鎚，悟實了牟尼手段。

「發揮象罔，踏碎涅槃。必須覺中覺了悟中悟，一點靈光全保護。放開烈焰照婆娑，法界縱橫獨顯露。至幽微，更守固，玄關口說誰人度？我本元修大覺禪，有緣有志方記悟。」

四老側耳受了，無邊喜悅。一個個稽首皈依，躬身拜謝道：「聖僧乃禪機之悟本也。」

拂雲叟道：「禪雖靜，法雖度，須要性定心誠。縱為大覺真仙，終坐無生之道。我等之玄，又大不同。」

三藏云：「道乃非常，體用合一，如何不同？」

拂雲叟笑云：「我等生來堅實，體用比爾不同。感天地以生身，蒙雨露而滋色。笑傲風霜，消磨日月。一葉不凋，千枝節操。似這話不叩沖虛，你執持梵語。道也者，本安中國，反來求證西方，空費了草鞋，不知尋個甚麼？石獅子剜了心肝，野狐涎灌徹骨髓。忘本參禪，妄求佛果，都似我荊棘嶺葛藤謎語，蘿蓏◆渾言。此般君子，怎生接引？這等規模，如何印授？必須要檢點見前面目，靜中自有生涯。沒底竹籃汲水，無根鐵樹生花。靈寶峰頭牢著腳，歸來雅會上龍華。」三藏聞言，叩頭拜謝。

十八公用手攙扶，孤直公將身扯起，凌空子打個哈哈道：「拂雲之言，分明漏泄。聖僧請起，不可盡信。我等趁此月明，原不為講論修持，且自

◆**希夷**—原指道的本體無聲無色。語本《老子．第一四章》：「視之不見名曰夷，聽之不聞名曰希。」後用以指虛空玄妙。

蘿蓏—這裡泛指藤蔓的牽扯、糾纏。蓏音裸，地上所結的瓜果。

吟哦逍遙，放蕩襟懷也。」

拂雲叟笑指石屋道：「若要吟哦，且入小庵一茶，何如？」長老真個欠身，向石屋前觀看。門上有三個大字，乃「木仙庵」。遂此同入，又敘了坐次。忽見那赤身鬼使，捧一盤茯苓膏，將五盞香湯奉上。四老請唐僧先吃，三藏驚疑，不敢便吃。那四老一齊享用，三藏卻才吃了兩塊。各飲香湯收去。三藏留心偷看，只見那裡玲瓏光彩，如月下一般：

水自石邊流出，香從花裡飄來。

滿座清虛雅致，全無半點塵埃。

那長老見此仙境，以為得意，情樂懷開，十分歡喜，忍不住念了一句道：「禪心似月迥無塵。」

勁節老笑而即聯道：「詩興如天青更新。」

孤直公道：「好句漫裁摶錦繡。」

凌空子道：「佳文不點唾奇珍。」

拂雲叟道：「六朝一洗繁華盡，四始重刪雅頌分。」

三藏道：「弟子一時失口，胡談幾字，誠所謂『班門弄斧』。適聞列仙之言，清新飄逸，真詩翁也。」

勁節老道：「聖僧不必閒敘，出家人全始全終，既有起句，何無結句？望卒成之。」

三藏道：「弟子不能，煩十八公結而成篇為妙。」

勁節道：「你好心腸！你起的句，如何不肯結果？慳吝珠璣，非道理也。」

三藏只得續後二句云：「半枕松風茶未熟，吟懷瀟灑滿腔春。」

十八公道：「好個『吟懷瀟灑滿腔春』！」

孤直公道：「勁節，你深知詩味，所以只管咀嚼。何不再起一篇？」

十八公亦慨然不辭道：「我卻是頂針◈字起：春不榮華冬不枯，雲來霧往只如無。」

凌空子道：「我亦體前頂針二句：無風搖曳婆娑影，有客欣憐福壽圖。」

拂雲叟亦頂針道：「圖似西山堅節老，清如南國沒心夫。」

孤直公亦頂針道：「夫因側葉稱梁棟，臺為橫柯作憲烏。」

長老聽了，讚嘆不已道：「真是陽春白雪，浩氣沖霄！弟子不才，敢再起兩句。」

孤直公道：「聖僧乃有道之士，大養之人也。不必再相聯句，請賜教全篇，庶我等亦好勉強而和。」

三藏無已，只得笑吟一律曰：「杖錫西來拜法王，願求妙典遠傳揚。金芝三秀詩壇瑞，寶樹千花蓮蕊香。百尺竿頭須進步，十方世界立行藏。修成玉像莊嚴體，極樂門前是道場。」四老聽畢，俱極讚揚。

十八公道：「老拙無能，大膽僭越，也勉和一首。」

云：「勁節孤高笑木王，靈椿不似我名揚。山空百丈龍蛇影，泉汲千年琥珀香。解與乾坤生氣概，喜因風雨化行藏。衰殘自愧無仙骨，惟有苓膏結壽場。」

孤直公道：「此詩起句豪雄，聯句有力，但結句自謙太過矣。堪羨！堪羨！老拙也和一首。」云：「霜姿常喜宿禽王，四絕堂前大器揚。露重珠纓蒙翠蓋，風輕石齒碎寒香。長廊夜靜吟聲細，古殿秋陰淡影藏。元日迎春曾獻壽◈，老來寄傲在山場。」

凌空子笑而言曰：「好詩，好詩，真個是月脅◈天心。老拙何能為和？但不可空過，也須扯談幾句。」曰：「梁棟之材近帝王，太清宮外有聲揚◈。晴軒恍若來青氣，暗壁尋常

◈**頂針**─前後接連著。　**憲烏**─御史臺的異稱為憲臺和烏臺。
陽春白雪─樂曲名。傳說為春秋時晉師曠或齊劉涓子所作。　**月脅**─出語驚人，非同尋常。
元日迎春曾獻壽─《漢官儀》記載，正旦以柏葉酒上壽。此處暗示柏樹。

度翠香。壯節凜然千古秀，深根結矣九泉藏。凌雲勢蓋婆娑影，不在群芳豔麗場。」

拂雲叟道：「三公之詩，高雅清淡，正是放開錦繡之囊也。我身無力，我腹無才，得三公之教，茅塞頓開。無已，也打油◆幾句，幸勿哂焉。」

詩曰：「淇澳◆園中樂聖王，渭川千畝◆任分揚。翠筠不染湘娥淚，班籜堪傳漢史香。霜葉自來顏不改，煙梢從此色何藏？子猷去世知音少◆，亙古留名翰墨場。」

三藏道：「眾仙老之詩，真個是吐鳳噴珠，游夏莫贊◆。厚愛高情，感之極矣。但夜已深沉，三個小徒不知在何處等我。弟子不能久留，敢此告回尋訪，尤無窮之至愛也。望老仙指示歸路。」

四老笑道：「聖僧勿慮。我等也是千載奇逢，況天光晴爽，雖夜深卻月明如晝，再寬坐坐，待天曉自當遠送過嶺，高徒一定可相會也。」

正話間，只見石屋之外，有兩個青衣女童，挑一對絳紗燈籠，後引著一個仙女。那仙女拈著一枝杏花，笑吟吟進門相見。那仙女怎生模樣？她生得：

青姿妝翡翠，丹臉賽胭脂。
星眼光還彩，蛾眉秀又齊。
下襯一條五色梅淺紅裙子，上穿一件煙裡火比甲輕衣。
弓鞋彎鳳嘴，綾襪錦拖泥。
妖嬈嬌似天臺女◆，不亞當年俏妲姬。

◆**太清宮外有聲揚**—太清宮在安徽亳縣。據《太清記》，亳州太清宮有八檜，皆老君手植，根株枝幹皆左扭。檜精詩中引用此一事跡。

淇澳—《詩經》篇名。由於篇中提到竹子，所以竹怪在這裡引用此詩。**打油**—打油詩。

渭川千畝—《史記》說：「渭川千畝竹，其人與千戶侯等。」意思說種竹千畝，可以使生活富庶得跟千戶侯一樣。

子猷去世知音少—借用唐羅隱《竹》詩句。晉朝王羲之的兒子王徽之，字子猷。他生平最喜歡竹子，嘗說：「不可一日無此君。」此處即引用這個故事。

游夏莫贊—孔子寫作《春秋》時，要刪要取，或讚美，或批評，他的學生子游、子夏都不能置一詞。後來用此典故作為讚美之詞。**天臺女**—指仙女。

四老欠身問道：「杏仙何來？」

那女子對眾道了萬福，道：「知有佳客在此賡酬，特來相訪，敢求一見。」十八公指著唐僧道：「佳客在此，何勞求見？」

三藏躬身，不敢言語。那女子叫：「快獻茶來。」又有兩個黃衣女童捧一個紅漆丹盤，盤內有六個細磁茶盂，盂內設幾品異果，橫擔著匙兒；提一把白鐵嵌黃銅的茶壺，壺內香茶噴鼻。斟了茶，那女子微露春蔥，捧磁盂先奉三藏，次奉四老，然後一盞，自取而陪。

凌空子道：「杏仙為何不坐？」那女子方才去坐。

茶畢，欠身問道：「仙翁今宵盛樂，佳句請教一二如何？」

拂雲叟道：「我等皆鄙俚之言，惟聖僧真盛唐之作，甚可嘉羨。」

那女子道：「如不吝教，乞賜一觀。」四老即以長老前詩後詩並禪法論，宣了一遍。

那女子滿面春風，對眾道：「妾身不才，不當獻醜。但聆此佳句，似不可虛，勉強將後詩奉和一律如何？」遂朗吟道：「上蓋留名漢武王◆，周時孔子立壇揚◆。董仙愛我成林積◆，孫楚曾憐寒食香◆。雨潤紅姿嬌且嫩，煙蒸翠色顯還藏。自知過熟微酸意，落處年年伴麥場。」

四老聞詩，人人稱賀，都道：「清雅脫塵，句內包含春意。好個『雨潤紅姿嬌且嫩』，『雨潤紅姿嬌且嫩』！」

那女子笑而悄答道：「惶恐，惶恐。適聞聖僧之章，誠然錦心繡口。如不

◆**賡酬**——作詩互相贈答。賡音耕。

上蓋留名漢武王——傳說漢武帝劉徹造訪蓬瀛，有獻給他山杏的，後人叫這種杏為「武帝杏」或「金杏」。上蓋留名，是說上溯到留名開始時。

周時孔子立壇揚——山東曲阜孔廟中有「杏壇」遺跡，傳說孔丘曾在這裡講學。

董仙愛我成林積——傳說三國時吳國的醫學家董奉，在廬山給人看病，不要診費，被治好的重病人給他種杏五株，輕病人種杏一株，因此蔚然成林。

孫楚曾憐寒食香——傳說晉朝孫楚在寒食這一天祭祀介子推時，曾用過杏酪。杏精即引用此故事。

吝珠玉，賜教一闋如何？」

唐僧不敢答應。那女子漸有見愛之情，挨挨軋軋◆，漸近坐邊，低聲悄語，呼道：「佳客莫者，趁此良宵，不耍子待要怎的？人生光景，能有幾何？」

十八公道：「杏仙盡有仰高之情，聖僧豈可無俯就之意？如不見憐，是不知趣了也。」

孤直公道：「聖僧乃有道有名之士，決不苟且行事。如此樣舉措，是我等取罪過了。汙人名，壞人德，非遠達也。果是杏仙有意，可教拂雲叟與十八公做媒，我與淩空子保親，成此姻眷，何不美哉？」

三藏聽言，遂變了顏色，跳起來高叫道：「汝等皆是一類怪物，這般誘我！當時只以低行之言，談玄談道可也；如今怎麼以美人局來騙害貧僧？是何道理？」四老見三藏發怒，一個個咬指擔驚，再不復言。

那赤身鬼使暴躁如雷道：「這和尚好不識抬舉。我這姐姐哪些兒不好？

她人材俊雅，玉質嬌姿，不必說那女工針黹，只這一段詩材，也配得過你。你怎麼這等推辭？休錯過了！孤直公之言甚當，如果不可苟合，待我再與你主婚。」三藏大驚失色，憑他們怎麼胡談亂講，只是不從。鬼使又道：「你這和尚，我們好言好語，你不聽從。若是我們發起村野之性，還把你攝了去，教你和尚不得做，老婆不得娶，卻不枉為人一世也？」那長老心如金石，堅執不從。暗想道：「我徒弟們不知在哪裡尋我哩！」說一聲，止不住眼中墮淚。

那女子陪著笑，挨至身邊，翠袖中取出一個蜜合綾汗巾來，與他揩淚道：「佳客勿得煩惱。我與你倚玉偎香，耍子去來。」長老咄的一聲吆喝，跳起身來就走。被那些人扯扯拽拽，嚷到天明。

忽聽得那裡叫聲：「師父，師父！你在哪方言語也？」

◆挨挨軋軋—同「挨挨擦擦」。

原來那孫大聖與八戒、沙僧牽著馬，挑著擔，一夜不曾住腳，穿荊度棘，東尋西找。卻好半雲半霧的過了八百里荊棘嶺西下，聽得唐僧吆喝，卻就喊了一聲。

那長老掙出門來，叫聲：「悟空，我在這裡哩！快來救我，快來救我！」那四老與鬼使，那女子與女童，晃一晃，都不見了。

須臾間，八戒、沙僧俱到邊前道：「師父，你怎麼得到此也？」三藏扯住行者道：「徒弟啊！多累了你們了。昨日晚間見的那個老者，言說土地送齋一事，是你喝聲要打，他就把我抬到此方。他與我攜手相攙，走入門，又見三個老者，來此會我，俱道我做『聖僧』。一個個言談清雅，極善吟詩。我與他賡和相攀，覺有夜半時候，又見一個美貌女子執燈火，也來這裡會我，吟了一首詩，稱我做『佳客』。「因見我相貌，欲求配偶，我方省悟。正不從時，又被他做媒的做媒，保親的保親，主婚的主婚，我立誓不肯。正欲掙著要走，與他嚷鬧，不期你們到了。一則天明，二來還是怕你，只才還扯扯拽拽，忽然就不見了。」

行者道：「你既與他敘話談詩，就不曾問他個名字？」

三藏道：「我曾問他之號：那老者喚做十八公，號勁節；第二個號孤直公；第三個號凌空子；第四個號拂雲叟；那女子，稱她做杏仙。」

八戒道：「此物在於何處？才往哪方去了？」

三藏道：「去向之方，不知何所；但只談詩之處，去此不遠。」

他三人同師父看處，只見一座石崖，崖上有「木仙庵」三字。

三藏道：「此間正是。」行者仔細觀之，卻原來是一株大檜樹、一株老柏、一株老松、一株老竹，竹後有一株丹楓。再看崖那邊，還有一株老杏、二株蠟梅、二株丹桂。

行者笑道：「你可曾看見妖怪？」八戒道：「不曾。」

行者道：「你不知。就是這幾株樹木在此成精也。」

八戒道：「哥哥怎得知成精者是樹？」

行者道：「十八公乃松樹，孤直公乃柏樹，凌空子乃檜樹，拂雲叟乃竹竿，赤身鬼乃楓樹，杏仙即杏樹，女童即丹桂、蠟梅也。」八戒聞言，不論好歹，一頓釘鈀，三五長嘴，連拱帶築，把兩棵蠟梅、丹桂、老杏、楓樹俱揮倒在地，果然那根下俱鮮血淋漓。三藏近前扯住道：「悟能，不可傷了他。他雖成了氣候，卻不曾傷我。我等找路去罷。」行者道：「師父不可惜他，恐日後成了大怪，害人不淺也。」那呆子索性一頓鈀，將松、柏、檜、竹一齊皆築倒，卻才請師父上馬，順大路一齊西行。

畢竟不知前去如何，且聽下回分解。

第六五回 妖邪假設小雷音 四眾皆遭大厄難

這回因果，勸人為善，切休作惡。一念生，神明照鑒，任他為作。拙蠢乖能君怎學，兩般還是無心藥。趁生前有道正該修，莫浪泊。認根源，脫本殼。訪長生，須把捉。要時時明見，醍醐斟酌。貫徹三關填黑海，管教善者乘鸞鶴。那其間愍故更慈悲，登極樂。

話表唐三藏一念虔誠，且休言天神保護，似這草木之靈，尚來引送，雅會一宵，脫出荊棘針刺，再無蘿蓏攀纏。四眾西進，行夠多時，又值冬殘，正是那三春之日：

物華交泰◈，斗柄回寅。草芽遍地綠，柳眼滿堤青。
一嶺桃花紅錦涴，半溪煙水碧羅明。
幾多風雨，無限心情。日曬花心豔，燕啣苔蕊輕。
山色王維畫濃淡，鳥聲季子舌縱橫◈。
芳菲鋪繡無人賞，蝶舞蜂歌卻有情。

師徒們也自尋芳踏翠，緩隨馬步。正行之間，忽見一座高山，遠望著與天相接。三藏揚鞭指道：「悟空，那座山也不知有多少高，可便似接著青天，透沖碧漢。」

行者道：「古詩不云：『只有天在上，更無山與齊。』但言山之極高，無可與他比並，豈有接天之理？」

◈交泰——語本《易經．泰卦．象曰》：「天地交，泰。」指天地之氣融和貫通，萬物生生不息。

鳥聲季子舌縱橫——戰國時縱橫家蘇秦號季子，以舌辯聞名於世。這裡形容鳥舌像蘇秦一樣。

八戒道：「若不接天，如何把崑崙山號為天柱？」

行者道：「你不知。自古『天不滿西北』。崑崙山在西北乾位上，故有頂天塞空之意，遂名天柱。」

沙僧笑道：「大哥把這好話兒莫與他說，他聽了去，又降別人。我們且走路，等上了那山，就知高下也。」

那呆子趕著沙僧，廝耍廝鬥，老師父馬快如飛。須臾，到那山崖之邊，一步步往上行來。只見那山：

林中風颯颯，澗底水潺潺。
鴉雀飛不過，神仙也道難。
千崖萬壑，億曲百灣。
塵埃滾滾無人到，怪石森森不厭看。
有處有雲如水滉◆，是方是樹鳥聲繁。
鹿啣芝去，猿摘桃還。

狐貉往來崖上跳，麖◆獐出入嶺頭頑。
忽聞虎嘯驚人膽，斑豹蒼狼把路攔。

唐三藏一見心驚。孫行者神通廣大，你看他一條金箍棒，哮吼一聲，嚇過了狼蟲虎豹，剖開路，引師父直上高山。行過嶺頭，下西平處，忽見祥光靄靄，彩霧紛紛，有一所樓臺殿閣，隱隱的鐘磬悠揚。三藏道：「徒弟們，看是個甚麼去處？」行者抬頭，用手搭涼篷，仔細觀看，那壁廂好個所在。真個是：

珍樓寶座，上刹名方。谷虛繁地籟，境寂散天香。
青松帶雨遮高閣，翠竹留雲護講堂。
霞光縹緲龍宮顯，彩色飄颻沙界長。
朱欄玉戶，畫棟雕梁。談經香滿座，語籙月當窗。

◆滉—音恍。泛指光影之搖晃。　麖—音京。一種體型高大的鹿。

鳥啼丹樹內，鶴飲石泉旁。
四圍花發琪園秀，三面門開舍衛光。
樓臺突兀門迎嶂，鐘磬虛徐聲韻長。
窗開風細，簾捲煙茫。有僧情散淡，無俗意和昌。
紅塵不到真仙境，靜土招提好道場。

行者看罷，回覆道：「師父，那去處便是座寺院，卻不知禪光瑞靄之中，又有些凶氣何也。觀此景象，也似雷音，卻又路道差池。我們到那廂，決不可擅入，恐遭毒手。」

唐僧道：「既有雷音之景，莫不就是靈山？你休誤了我誠心，耽擱了我來意。」

行者道：「不是，不是。靈山之路，我也走過幾遍，哪是這路途？」

八戒道：「縱然不是，也必有個好人居住。」

沙僧道：「不必多疑，此條路未免從那門首過，是不是一見可知也。」

行者道：「悟淨說得有理。」

那長老策馬加鞭，至山門前，見「雷音寺」三個大字，慌得滾下馬來，倒在地下，口裡罵道：「潑猢猻！害殺我也！現是雷音寺，還哄我哩！」

行者陪笑道：「師父莫惱，你再看看。山門上乃四個字，你怎麼只念出三個來，倒還怪我？」長老戰兢兢的爬起來再看，真個是四個字，乃「小雷音寺」。

三藏道：「就是小雷音寺，必定也有個佛祖在內。經上言三千諸佛，想是不在一方；似觀音在南海，普賢在峨眉，文殊在五臺。這不知是哪一位佛祖的道場。古人云：『有佛有經，無方無寶。』我們可進去來。」

行者道：「不可進去，此處少吉多凶。若有禍患，你莫怪我。」

三藏道：「就是無佛，也必有個佛像。我弟子心願，遇佛拜佛，如何怪你？」

即命八戒取袈裟，換僧帽，結束了衣冠，舉步前進。只聽得山門裡有人叫道：「唐僧，你自東土來拜見我佛，怎麼還這等怠慢？」

三藏聞言，即便下拜；八戒也磕頭，沙僧也跪倒。惟大聖牽馬，收拾行李在後。方入到二層門內，就見如來大殿。殿門外寶臺之下，擺列著五百羅漢、三千揭諦、四金剛、八菩薩、比丘尼、優婆塞，無數的聖僧、道者。真個也香花豔麗，瑞氣繽紛。慌得那長老與八戒、沙僧一步一拜，拜上靈臺之間。行者公然不拜。

又聞得蓮臺座上厲聲高叫道：「那孫悟空，見如來怎麼不拜？」

不知行者又仔細觀看，見得是假，遂丟了馬匹、行囊，掣棒在手，喝道：「你這夥孽畜，十分膽大！怎麼假倚佛名，敗壞如來清德！不要走！」

雙手掄棒，上前便打。只聽得半空中叮噹一聲，撇下一副金鐃，把行者連頭帶足，合在金鐃之內。慌得個豬八戒、沙和尚連忙使起鈀杖，就被些阿羅、揭諦、聖僧、道者一擁近前圍繞，他兩個措手不及，盡被拿了。將三藏捉住，一齊都繩纏索綁，緊縛牢拴。

原來那蓮花座上裝佛祖者乃是個妖王，眾阿羅等都是些小怪。遂收了佛祖體像，依然現出妖身。將三眾抬入後邊收藏。把行者合在金鐃之中，永不開放，只擱在寶臺之上，限三晝夜化為膿血。化後，才將鐵籠蒸他三個受用。這正是：

碧眼獼兒識假真，禪機見像拜金身。
黃婆盲目同參禮，木母痴心共話論。
邪怪生強欺本性，魔頭懷惡詐天人。
誠為道小魔頭大，錯入傍門枉費身。

那時群妖將唐僧三眾收藏在後；把馬拴在後邊；把他的袈裟、僧帽安在行李擔內，亦收藏了。一壁廂嚴緊不題。

卻說行者合在金鐃裡，黑洞洞的，燥得滿身流汗，左拱右撞，不能得出。急得他使鐵棒亂打，莫想得動分毫。他心裡沒了算計，將身往外一掙，卻要掙破那金鐃。遂捻著一個訣，就長有千百丈高；那金鐃也隨他身長，全無一些瑕縫光明。卻又捻訣把身子往下一小，小如芥菜子兒；那鐃也就隨身小了，更無些些孔竅。

他又把鐵棒，吹口仙氣，叫：「變！」即變做幡竿一樣，撐住金鐃。他卻把腦後毫毛，選長的拔下兩根，叫：「變！」即變做梅花頭五瓣鑽兒，挨著棒下，鑽有千百下，只鑽得蒼蒼響亮，再不鑽動一些。

行者急了，卻捻個訣，念一聲「唵嚂靜法界，乾元亨利貞」的咒語，拘得那五方揭諦、六丁六甲、一十八位護教伽藍，都在金鐃之外道：「大聖，我等俱保護著師父，不教妖魔傷害，你又拘喚我等做甚？」

行者道：「我那師父不聽我勸解，就弄死他也不虧！但只你等怎麼快作法將這鐃鈸掀開，放我出來，再作處治。這裡面不通光亮，滿身暴躁，卻不悶殺我也？」眾神真個掀鐃，就如長就的一般，莫想揭動分毫。

金頭揭諦道：「大聖，這鐃鈸不知是件甚麼寶貝，連上帶下，合成一塊。小神力薄，不能掀動。」

行者道：「我在裡面，不知使了多少神通，也不得動。」

揭諦聞言，即著六丁神保護著唐僧，六甲神看守著金鐃，眾伽藍前後照察。他卻縱起祥光，須臾間，闖入南天門裡。不待宣召，直上靈霄寶殿之下，見玉帝，俯伏啟奏道：「主公，臣乃五方揭諦使。今有齊天大聖保唐僧取經，路遇一山，名小雷音寺。唐僧錯認靈山進拜，原來是妖魔假設，困陷他師徒，將大聖合在一副金鐃之內，進退無門，看看至死，特來啟奏。」即傳旨：「差二十八宿星辰，快去釋厄降妖。」

那星宿不敢少緩，隨同揭諦，出了天門，至山門之內，有二更時分。那些大小妖精，因獲了唐僧，老妖俱犒賞了，各去睡覺。眾星宿更不驚張，

◈嚂——音喊。「唵嚂」是梵文真言。

都到鐃鈸之外，報道：「大聖，我等是玉帝差來二十八宿，到此救你。」行者聽說大喜，便教：「動兵器打破，老孫就出來了。」

眾星宿道：「不敢打。此物乃渾金之寶，打著必響，響時驚動妖魔，卻難救拔。等我們用兵器捎他，你那裡但見有一些光處就走。」

行者道：「正是。」你看他們使槍的使槍，使劍的使劍，使刀的使刀，使斧的使斧；扛的扛，抬的抬，掀的掀，捎的捎。弄到有三更天氣，漠然不動，就是鑄成了囫圇的一般。那行者在裡邊東張張，西望望，爬過來，滾過去，莫想看見一些光亮。

亢金龍道：「大聖啊，且休焦躁。觀此寶定是個如意之物，斷然也能變化。你在那裡面，於那合縫之處，用手摸著，等我使角尖兒拱進來，你可變化了，順鬆處脫身。」

行者依言，真個在裡面亂摸。這星宿把身變小了，那角尖兒就似個針尖一樣，順著鈸合縫口上伸將進去。可憐用盡千斤之力，方能穿透裡面。

卻將本身與角使法像，叫：「長！長！長！」角就長有碗來粗細。那鈸口倒也不像金鑄的，好似皮肉長成的，順著亢金龍的角，緊緊噙住，四下裡更無一絲拔縫◈。

行者摸著他的角，叫道：「不濟事！上下沒有一毫鬆處。沒奈何，你忍著些兒疼，帶我出去。」

好大聖，即將金箍棒變做一把鋼鑽兒，將他那角尖上鑽了一個孔竅，把身子變得似個芥菜子兒，拱在那鑽眼裡蹲著，叫：「扯出角去！扯出角去！」這星宿又不知費了多少力，方才拔出，使得力盡筋柔，倒在地下。

行者卻自他角尖鑽眼裡鑽出，現了原身，掣出鐵棒，照鐃鈸噹的一聲打去，就如崩倒銅山，咋開金鐃。可惜把個佛門之器，打做個千百塊散碎之金。諕得那二十八宿驚張，五方揭諦髮豎，大小群妖皆夢醒。老妖王睡裡

◈拔縫——器物接縫處脫開。

慌張，急起來，披衣擂鼓，聚點群妖，各執器械。此時天將黎明。一擁趕到寶臺之下，只見孫行者與列宿圍在碎破金鐃之外，大驚失色。即令：「小的們！緊關了前門，不要放出人去！」行者聽說，即攜星眾，駕雲跳在九霄空裡。那妖王收了碎金，排開妖卒，列在山門外。妖王懷恨，沒奈何披掛了，使一根短軟狼牙棒，出營高叫：「孫行者！好男子不可遠走高飛，快向前與我交戰三合！」行者忍不住，即引星眾，按落雲頭，觀看那妖精怎生模樣。但見他：

蓬著頭，勒一條扁薄金箍；
光著眼，簇兩道黃眉的竪。
懸膽鼻，孔竅開查；四方口，牙齒尖利。
穿一副叩結連環鎧，勒一條生絲攢穗絲。
腳踏烏喇鞋◆一對，手執狼牙棒一根。
此形似獸不如獸，相貌非人卻似人。

行者挺著鐵棒喝道：「你是個甚麼怪物！擅敢假裝佛祖，侵占山頭，虛設小雷音寺！」

那妖王道：「這猴兒是也不知我的姓名，故來冒犯仙山。此處喚做小西天，因我修行，得了正果，天賜與我的寶閣珍樓。我名乃是黃眉老佛，這裡人不知，但稱我為黃眉大王、黃眉爺爺。一向久知你往西去，有些手段，故此設像顯能，誘你師父進來，要和你打個賭賽。如若鬥得過我，饒你師徒，讓汝等成個正果；如若不能，將汝等打死，等我去見如來取經，果正中華也！」

行者笑道：「妖精！不必海口，既要賭，快上來領棒！」那妖王喜孜孜，使狼牙棒抵住。這一場好殺：

兩條棒，不一樣，說將起來有形狀：

一條短軟佛家兵，一條堅硬藏海藏。

◆烏喇鞋——用熟牛皮縫的靴子。

都有隨心變化功，今番相遇爭強壯。
短軟狼牙雜錦妝，堅硬金箍蛟龍像。
若粗若細實可誇，要短要長甚停當。
猴與魔，齊打仗，這場真個無虛誑。
馴猴秉教作心猿，潑怪欺天弄假像。
嗔嗔恨恨各無情，惡惡凶凶都有樣。
那一個當頭手起不放鬆，這一個架丟劈面難推讓。
噴雲照日昏，吐霧遮峰嶂。
棒來棒去兩相迎，忘生忘死因三藏。

看他兩個鬥經五十回合，不見輸贏。那山門口鳴鑼擂鼓，眾妖精吶喊搖旗。這壁廂有二十八宿天兵共五方揭諦眾聖，各掮器械，吆喝一聲，把那魔頭圍在中間，唬得那山門外群妖難擂鼓，戰兢兢手軟不敲鑼。老妖魔公然不懼，一隻手使狼牙棒，架著眾兵；一隻手去腰間解下一條舊白布搭包兒，往上一抛，滑的一聲響亮，把孫大聖、二十八宿與五方揭諦，一搭包兒通裝將去，挎在肩上，拽步回身。眾小妖各各歡然得勝而回。老妖教小的們取了三、五十條麻索，解開搭包，拿一個，捆一個。一個個都骨軟筋麻，皮膚窊皺◆。捆了抬去後邊，不分好歹，俱擲之於地。妖王又命排筵暢飲，自旦至暮方散，各歸寢處不題。

卻說孫大聖與眾神捆至夜半，忽聞有悲泣之聲。側耳聽時，卻原來是三藏聲音，哭道：「悟空啊！我自恨當時不聽伊，致令今日受災危。金鐃之內傷了你，麻繩捆我有誰知。四人遭逢緣命苦，三千功行盡傾頹。何由解得迍邅難，坦蕩西方去復歸？」行者聽言，暗自憐憫道：「那師父雖是未聽吾言，今遭此害，然於患難之中，還有憶念老孫之意。趁此夜靜妖眠，無人防備，且去解脫眾等逃生

◆窊皺——皺癟。形容皮膚凹陷下去的樣子。窊音挖。

也。」

好大聖，使了個遁身法，將身一小，脫下繩來，走近唐僧身邊，叫聲：「師父。」長老認得聲音，叫道：「你為何到此？」行者悄悄的把前項事告訴了一遍。

長老甚喜道：「徒弟，快救我一救！向後事，但憑你處，再不強了！」行者才動手，先解了師父，放了八戒、沙僧，又將二十八宿、五方揭諦，個個解了。又牽過馬來，教快先走出去。方出門，卻不知行李在何處，又來找尋。

亢金龍道：「你好重物輕人。既救了你師父就夠了，又還尋甚行李？」

行者道：「人固要緊，衣鉢尤要緊。包袱中有通關文牒、錦襴袈裟、紫金鉢盂，俱是佛門至寶，如何不要？」

八戒道：「哥哥，你去找尋，我等先去路上等你。」你看那星眾簇擁著唐僧，使個攝法，共弄神通，一陣風，撮出垣圍，奔大路，下了山坡，卻屯於平處等候。

約有三更時分，孫大聖輕挪慢步，走入裡面，原來一層層門戶甚緊。他就爬上高樓看時，窗牖皆關。欲要下去，又恐怕窗櫺兒響，不敢推動。捻著訣，搖身一變，變做一個仙鼠，俗名蝙蝠。你道他怎生模樣：

頭尖還似鼠，眼亮亦如之。有翅黃昏出，無光白晝居。
藏身穿瓦穴，覓食撲蚊兒。偏喜晴明月，飛騰最識時。

他順著不封瓦口椽子之下，鑽將進去，越門過戶，到了中間看時，只見那第三重樓窗之下，閃灼灼一道毫光，也不是燈燭之光、螢火之光，又不是飛霞之光、掣電之光。他半飛半跳，近於窗前看時，卻是包袱放光。

那妖精把唐僧的袈裟脫了，不曾摺，就亂亂的揌在包袱之內。

那袈裟本是佛寶，上邊有如意珠、摩尼珠、紅瑪瑙、紫珊瑚、舍利子、夜明珠，所以透得光彩。他見了此衣鉢，心中一喜，就現了本相，拿將過來，也不管擔繩偏正，抬上肩，往下就走。不期脫了一頭，撲地落在樓板上，唿喇的一聲響亮。

噫！有這般事！可可的老妖精在樓下睡覺，一聲響，把他驚醒，跳起來，亂叫道：「有人了！有人了！」

那些大小妖都起來，點燈打火，一齊吆喝，前後去看。有的來報道：「唐僧走了！」又有的來報道：「行者眾人俱走了！」老妖急傳號令，教：「各門上謹慎。」行者聽言，恐又遭他羅網，挑不成包袱，縱觔斗，就跳出樓窗外走了。

那妖精前前後後尋不著唐僧等，又見天色將明，取了棒，率眾來趕，只見那二十八宿與五方揭諦等神雲霧騰騰，屯住山坡之下。妖王喝了一聲：「哪裡去？吾來也！」

角木蛟急喚：「兄弟們，怪物來了。」亢金龍、女土蝠、房日兔、心月狐、尾火虎、箕水豹、斗木獬、牛金牛、氐土貉、虛日鼠、危月燕、室火豬、壁水㺄、奎木狼、婁金狗、胃土彘、昴日雞、畢月烏、觜火猴、參水猿、井木犴、鬼金羊、柳土獐、星日馬、張月鹿、翼火蛇、軫水蚓，領著金頭揭諦、銀頭揭諦、六甲六丁等神、護教伽藍，同八戒、沙僧——不領唐三藏，丟了白龍馬——各執兵器，一擁而上。

這妖王見了，呵呵冷笑，叫一聲哨子，有四五千大小妖精，一個個威強力勝，渾戰在西山坡上。好殺：

魔頭潑惡欺真性，真性溫柔怎奈魔。
百計施為難脫苦，千方妙用不能和。
諸天來擁護，眾聖助干戈。
留情虧木母，定志感黃婆。
渾戰驚天並振地，強爭設網與張羅。
那壁廂搖旗吶喊，這壁廂擂鼓篩鑼。
槍刀密密寒光蕩，劍戟紛紛殺氣多。
妖卒凶還勇，神兵怎奈何。
愁雲遮日月，慘霧罩山河。
苦掤苦拽來相戰，皆因三藏拜彌陀。

那妖精倍加勇猛，率眾上前掩殺。正在那不分勝敗之際，只聞得行者叱吒一聲道：「老孫來了！」

八戒迎著道：「行李如何？」

行者道：「老孫的性命幾乎難免，卻便說甚麼行李！」

沙僧執著寶杖道：「且休敘話，快去打妖精也！」

那星宿、揭諦、丁甲等神，被群妖圍在垓心渾殺，老妖使棒來打他三個。這行者、八戒、沙僧丟開棍杖，掄著釘鈀抵住。真個是地暗天昏，不能取勝。只殺得太陽星西沒山根，太陰星東生海嶠。那妖見天晚，打個哨子，教群妖各各留心，他卻取出寶貝。孫行者看得分明。

那怪解下搭包，拿在手中。行者道聲：「不好了，走啊！」他就顧不得八戒、沙僧、諸天等眾，一路觔斗，跳上九霄空裡。

眾神、八戒、沙僧不解其意，被他抛起去，又都裝在裡面，只是走了行者。那妖王收兵回寺，又教取出繩索，照舊綁了。將唐僧、八戒、沙僧懸梁高吊，白馬拴在後邊，諸神亦俱綁縛，抬在地窖子內，封鎖了蓋。那眾妖遵依，一一收了不題。

卻說孫行者跳在九霄，全了性命。見妖兵回轉，不張旗號，已知眾等遭擒。他卻按下祥光，落在那東山頂上，咬牙恨怪物，滴淚想唐僧，仰面朝天望，悲嗟忽失聲。叫道：「師父啊！你是哪世裡造下這迍邅難，今世裡步步遇妖精！似這般苦楚難逃，怎生是好？」

獨自一個，嗟嘆多時，復又寧神思慮，以心問心道：「這妖魔不知是個甚麼搭包子，那般裝得許多物件？如今將天神、天將，許多人又都裝進去了。我待求救於天，奈恐玉帝見怪。我記得有個北方真武，號曰蕩魔天尊，他如今現在南贍部洲武當山上，等我去請他來搭救師父一難。」正是：

仙道未成猿馬散，心神無主五行枯。

畢竟不知此去端的如何，且聽下回分解。

第六六回
諸神遭毒手
彌勒縛妖魔

話表孫大聖無計可施，縱一朵祥雲，駕觔斗，逕轉南贍部洲去拜武當山，參請蕩魔天尊，解釋三藏、八戒、沙僧、天兵等眾之災。

他在半空裡無停止，不一日，早望見祖師仙境，輕輕按落雲頭，定睛觀看，好去處：

巨鎮東南，中天神岳。
芙蓉峰竦傑，紫蓋嶺巍峨。
九江水盡荊揚遠，百越山連翼軫多。
上有太虛之寶洞，朱陸之靈臺。
三十六宮金磬響，百千萬客進香來。
舜巡禹禱，玉簡金書。
樓閣飛青鳥，幢幡擺赤裾。

地設名山雄宇宙，天開仙境透空虛。
幾樹梛梅花正放，滿山瑤草色皆舒。
龍潛澗底，虎伏崖中。幽含如訴語，馴鹿近人行。
白鶴伴雲棲老檜，青鸞丹鳳向陽鳴。
玉虛師相真仙地，金闕仁慈治世門。

上帝祖師乃淨樂國王與善勝皇后夢吞日光，覺而有孕，懷胎一十四個月，於開皇元年甲辰之歲三月初一日午時降誕於王宮。那爺爺：

幼而勇猛，長而神靈。不統王位，惟務修行。
父母難禁，棄捨皇宮。參玄入定，在此山中。
功完行滿，白日飛升。玉皇敕號，真武之名。
玄虛上應，龜蛇合形。周天六合，皆稱萬靈。
無幽不察，無顯不成。劫終劫始，剪伐魔精。

孫大聖玩著仙境景致，早來到一天門、二天門、三天門。卻至太和宮外，忽見那祥光瑞氣之間，簇擁著五百靈官。

那靈官上前迎著道：「那來的是誰？」

大聖道：「我乃齊天大聖孫悟空，要見師相。」眾靈官聽說，隨報。祖師即下殿，迎到太和宮。

行者作禮道：「我有一事奉勞。」問：「何事？」

行者道：「保唐僧西天取經，路遭險難。至西牛賀洲，有座山喚小西天，小雷音寺有一妖魔。我師父進得山門，見有阿羅、揭諦、比丘、聖僧排列，以為真佛，倒身才拜，忽被他拿住綁了。我又失於防閑，被他拋一副金鐃，將我罩在裡面，無纖毫之縫，口合如鉗。甚虧金頭揭諦請奏玉帝，欽差二十八宿，當夜下界，掀揭不起。幸得亢金龍將角透入鐃內，將我度出，被我打碎金鐃，驚醒怪物。

「趕戰之間，又被撒一個白布搭包兒，將我與二十八宿並五方揭諦，盡皆裝去，復用繩捆了。是我當夜脫逃，救了星辰等眾與我唐僧等。後為找尋衣鉢，又驚醒那怪，與天兵趕戰。那怪又拿出搭包兒，理弄之時，我卻知道前音，遂走了，眾等被他依然裝去。我無計可施，特來拜求師相一助力也。」

祖師道：「我當年威鎮北方，統攝真武之位，剪伐天下妖邪，乃奉玉帝敕旨。後又披髮跣足◆，踏騰蛇神龜，領五雷神將、巨虯獅子、猛獸毒龍，收降東北方黑氣妖氛，乃奉元始天尊符召。今日靜享武當山，安逸太和殿，一向海岳平寧，乾坤清泰。

「奈何我南贍部洲並北俱蘆洲之地，妖魔剪伐，邪鬼潛蹤，今蒙大聖下降，不得不行。只是上界無有旨意，不敢擅動干戈。假若法遣眾神，又恐玉帝見罪；十分卻了大聖，又是我逆了人情。我諒著那西路上縱有妖邪，也不為大害。我今著龜、蛇二將並五大神龍與你助力，管教擒妖精，救你

◆披髮跣足──披散頭髮，光着腳。

師之難。」

行者拜謝了祖師，即同龜、蛇、龍神各帶精銳之兵，復轉西洲之界。不一日，到了小雷音寺，按下雲頭，逕至山門外叫戰。

卻說那黃眉大王聚眾怪在寶閣下說：「孫行者這兩日不來，又不知往何方去借兵也。」說不了，只見前門上小妖報道：「行者引幾個龍、蛇、龜相，在門外叫戰。」

妖魔道：「這猴兒怎麼得個龍、蛇、龜相？此等之類，卻是何方來者？」隨即披掛，走出山門高叫：「汝等是哪路龍神，敢來造吾仙境？」

五龍、二將相貌崢嶸，精神抖擻，喝道：「那潑怪！我乃武當山太和宮混元教主蕩魔天尊之前五位龍神、龜蛇二將。今蒙齊天大聖相邀，我天尊符召，到此捕你。你這妖精，快送唐僧與天星等出來，免你一死；不然，將這一山之怪碎劈其屍，幾間之房燒為灰燼！」

那怪聞言，心中大怒道：「這畜生，有何法力，敢出大言？不要走，吃吾一棒！」

這五條龍翻雲使雨，那兩員將播土揚沙，各執槍刀劍戟，一擁而攻；孫大聖又使鐵棒隨後。這一場好殺：

凶魔施武，行者求兵。
凶魔施武，擅據珍樓施佛像；行者求兵，遠參寶境借龍神。
龜蛇生水火，妖怪動刀兵。
五龍奉旨來西路，行者因師在後收。
劍戟光明搖彩電，槍刀晃亮閃霓虹。
這個狼牙棒，強能短軟；那個金箍棒，隨意如心。
只聽得扢撲響聲如爆竹，叮噹音韻似敲金。
水火齊來征怪物，刀兵共簇繞精靈。
喊殺驚狼虎，喧譁振鬼神。
渾戰正當無勝處，妖魔又取寶和珍。

行者率五龍、二將，與妖魔戰經半個時辰，那妖精即解下搭包在手。行者見了心驚，叫道：「列位仔細！」那龍神、蛇、龜不知甚麼仔細，一個個都停住兵，近前抵擋。那妖精晃的一聲，把搭包兒撇將起去。孫大聖顧不得五龍二將，駕觔斗，跳在九霄逃脫。他把個龍神、龜、蛇一搭包子又裝將去了。妖精得勝回寺，也將繩捆了，抬在地窖子裡蓋住不題。

你看那大聖落下雲頭，斜敧指在山巔之上，沒精沒采，懊恨道：「這怪物十分利害！」不覺的合著眼，似睡一般。猛聽得有人叫道：「大聖，休推睡，快早上緊求救。你師父性命只在須臾間矣！」行者急睜睛跳起來看，原來是日值功曹。行者喝道：「你這毛神，一向在哪方貪圖血食，不來點卯，今日卻來驚我！伸過孤拐來，讓老孫打兩棒解悶！」功曹慌忙施禮道：「大聖，你是人間之喜仙，何悶之有？我等早奉菩薩旨令，教我等暗中護祐唐僧，乃同土地等神，不敢暫離左右，是以不得常來參見，怎麼反見責也？」

行者道：「你既是保護，如今那眾星、揭諦、伽藍並我師等，被妖精困在何方，受甚罪苦？」

功曹道：「你師父、師弟都吊在寶殿廊下，星辰等眾都收在地窖之間受罪。這兩日不聞大聖消息，卻才見妖精又拿了神龍、龜、蛇，又送在地窖裡去了，方知是大聖請來的兵。小神特來尋大聖，大聖莫辭勞倦，千萬再急急去求救援。」

行者聞言及此，不覺對功曹滴淚道：「我如今愧上天宮，羞臨海藏；怕問菩薩之原由，愁見如來之玉像。才拿去者，乃真武師相之龜、蛇、五龍聖眾。教我再無方求救，奈何？」

功曹笑道：「大聖寬懷。小神想起一處精兵，請來斷然可降。適才大聖至武當，是南贍部洲之地。這枝兵也在南贍部洲盱眙山蠙城，即今泗洲是也。那裡有個大聖國師王菩薩，神通廣大；他手下有一個徒弟，喚名小張太子，還有四大神將，昔年曾降伏水母娘娘。你今親去請他，他來施恩相助，準可捉怪救師也。」

行者心喜道：「你且去保護我師父，勿令傷他，待老孫去請也！」

行者縱起觔斗雲，躲離怪處，直奔盱眙山，不一日早到。細觀，真好去處：

南近江津，北臨淮水，東通海嶠，西接封浮。
山頂上有樓觀崢嶸，山凹裡有澗泉浩湧。
嵯峨怪石，槃秀喬松。
百般果品應時新，千樣花枝迎日放。
人如蟻陣往來多，船似雁行歸去廣。
上邊有瑞巖觀、東岳宮、五顯祠、龜山寺，鐘韻香煙沖碧漢；
又有玻璃泉、五塔峪、八仙臺、杏花園，山光樹色映蠙城。

白雲橫不度，幽鳥倦還鳴。
說甚泰嵩衡華秀，此間仙景若蓬瀛。

大聖觀玩不盡，逕過了淮河，入蠙城之內，到大聖禪寺山門外。又見那殿宇軒昂，長廊彩麗，有一座寶塔崢嶸。真是：

插雲倚漢高千丈，仰視金瓶透碧空。
上下有光凝宇宙，東西無影映簾櫳。
風吹寶鐸聞天樂，日映冰虯對梵宮。
飛宿靈禽時訴語，遙瞻淮水渺無窮。

行者且觀且走，直至二層門下。那國師王菩薩早已知之，即與小張太子出門迎迓。相見敘禮畢，行者道：「我保唐僧西天取經，路上有個小雷音寺，那裡有個黃眉怪，假充佛祖，我師父不辨真偽就下拜，被他拿了。又將金鐃把我罩住，幸虧天降星辰救出。是我打碎金鐃，與他賭鬥，又將一個布搭包兒，把天神、揭諦、伽藍與我師父、師弟盡皆裝了進去。

「我前去武當山請玄天上帝救援，他差五龍、龜、蛇拿怪，又被他一搭包子裝去。弟子無依無倚，故來拜請菩薩，大展威力，將那收水母之神通，拯生民之妙用，同弟子去救師父一難。取得經回，永傳中國，揚我佛之智慧，興般若之波羅也。」

國師王道：「你今日之事，誠我佛教之興隆，理當親去。奈時值初夏，正淮水泛漲之時。新收了水猿大聖，那廝遇水即興，恐我去後，他乘空生頑，無神可治。今著小徒領四將和你去助力，煉魔收伏罷。」

行者稱謝，即同四將並小張太子，又駕雲回小西天，直至小雷音寺。小張太子使一條楮白槍，四大將掄四把鋸鋘劍，和孫大聖上前罵戰。

小妖又去報知，那妖王復率群妖鼓噪而出道：「猢猻！你今又請得何人來也？」

說不了，小張太子指揮四將，上前喝道：「潑妖精！你面上無肉，不認得我等在此？」

妖王道：「是哪方小將，敢來與他助力？」

太子道：「吾乃泗州大聖國師王菩薩弟子，率領四大神將，奉令擒你！」

妖王笑道：「你這孩兒有甚武藝，擅敢到此輕薄？」

太子道：「你要知我武藝，等我道來：

祖居西土流沙國，我父原為沙國王。
自幼一身多疾苦，命干華蓋惡星妨。
因師遠慕長生訣，有分相逢捨藥方。
半粒丹砂袪病退，願從修行不為王。
學成不老同天壽，容顏永似少年郎。
也曾趕赴龍華會，也曾騰雲到佛堂。
捉霧拿風收水怪，擒龍伏虎鎮山場。
撫民高立浮屠塔，靜海深明舍利光。

　　楮白槍尖能縛怪，淡緇衣袖把妖降。
　　如今靜樂蠙城內，大地揚名說小張！」

妖王聽說，微微冷笑道：「那太子，你捨了國家，從那國師王菩薩，修的是甚麼長生不老之術？只好收捕淮河水怪。卻怎麼聽信孫行者誑謬之言，千山萬水，來此納命？看你可長生可不老也！」

小張聞言，心中大怒，纏槍當面便刺，四大將一擁齊攻，孫大聖使鐵棒上前又打。好妖精，公然不懼，掄著他那短軟狼牙棒，左遮右架，直挺橫衝。這場好殺：

　　小太子，楮白槍，四柄錕鋘劍更強。
　　悟空又使金箍棒，齊心圍繞殺妖王。
　　妖王其實神通大，不懼分毫左右搪。
　　狼牙棒是佛中寶，劍砍槍掄莫可傷。
　　只聽狂風聲吼吼，又觀惡氣混茫茫。

那個有意思凡弄本事，這個專心拜佛取經章。
幾番馳騁，數次張狂。
噴雲霧，閉三光，奮怒懷嗔各不良。
多時三乘無上法，致令百藝苦相將。

概眾爭戰多時，不分勝負。那妖精又解搭包兒。行者又叫：「列位仔細！」太子並眾等不知「仔細」之意。那怪滑的一聲，把四大將與太子，一搭包又裝將進去。只是行者預先知覺走了。那妖王得勝回寺，又教取繩捆了，送在地窖，牢封固鎖不題。

這行者縱觔斗雲，起在空中，見那怪回兵閉門，才按下祥光，立於西山坡上，悵望悲啼道：「師父啊！我自從秉教入禪林，感荷菩薩脫難深。保你西來求大道，相同輔助上雷音。只言平坦羊腸路，豈料崔巍怪物侵。百計千方難救你，東求西告枉勞心！」

大聖正當悽慘之時，忽見那西南上一朵彩雲墜地，滿山頭大雨繽紛，有人叫道：「悟空，認得我麼？」行者急走前看處，那個人：

大耳橫頤方面相，肩查腹滿身軀胖。
一腔春意喜盈盈，兩眼秋波光蕩蕩。
敞袖飄然福氣多，芒鞋灑落精神壯。
極樂場中第一尊，南無彌勒笑和尚。

行者見了，連忙下拜道：「東來佛祖，哪裡去？弟子失迴避了。萬罪！萬罪！」

佛祖道：「我此來，專為這小雷音妖怪也。」

行者道：「多蒙老爺盛德大恩。敢問那妖是哪方怪物，何處精魔？不知他那搭包兒是件甚麼寶貝？煩老爺指示指示。」

佛祖道：「他是我面前司磬的一個黃眉童兒。三月三日，我因赴元始會去，留他在宮看守，他把我這幾件寶貝拐出，假佛成精。那搭包兒是我的後天袋子，俗名喚做『人種袋』。那條狼牙棒是個敲磬的槌兒。」

行者聽說，高叫一聲道：「好個笑和尚！你走了這童兒，教他誑稱佛祖，陷害老孫，未免有個家法不謹之過！」

彌勒道：「一則是我不謹，走失人口；二則是你師徒們魔障未完，故此百靈下界，應該受難。我今來與你收他去也。」

行者道：「這妖精神通廣大，你又無些兵器，何以收之？」

彌勒笑道：「我在這山坡下設一草庵，種一田瓜果在此。你去與他索戰，交戰之時許敗不許勝，引他到我這瓜田裡。我別的瓜都是生的，你卻變做一個大熟瓜。他來定要瓜吃，我卻將你與他吃。吃下肚中，任你怎麼在內擺布他。那時等我取了他的搭包兒，裝他回去。」

行者道：「此計雖妙，你卻怎麼認得變的熟瓜？他怎麼就肯跟我來此？」

彌勒笑道：「我為治世之尊，慧眼高明，豈不認得你？憑你變做甚物，我皆知之。但恐那怪不肯跟來耳，我卻教你一個法術。」

行者道：「他斷然是以搭包兒裝我，怎肯跟來？有何法術可來也？」

彌勒笑道：「你伸手來。」

行者即舒左手，遞將過去。彌勒將右手食指蘸著口中神水，在行者掌上寫了一個「禁」字，教他捏著拳頭，見妖精當面放手，他就跟來。

行者揝拳，欣然領教。一隻手掄著鐵棒，直至山門外，高叫道：「妖魔，你孫爺爺又來了！可快出來，與你見個上下！」小妖又忙忙奔告。

妖王問道：「他又領多少兵來叫戰？」

小妖道：「別無甚兵，只他一個。」

妖王笑道：「那猴兒計窮力竭，無處求人，斷然是送命來也。」

隨又結束整齊，帶了寶貝，舉著那輕軟狼牙棒，走出門來，叫道：「孫悟空，今番掙挫不得了！」

行者罵道：「潑怪物！我怎麼掙挫不得？」

妖王道：「我見你計窮力竭，無處求人，獨自個強來支持，如今拿住，再沒個甚麼神兵救拔，此所以說你掙挫不得也。」

行者道：「這怪不知死活。莫說嘴，吃吾一棒！」

那妖王見他一隻手掄棒，忍不住笑道：「這猴兒，你看他弄巧，怎麼一隻手使棒支吾？」

行者道：「兒子，你禁不得我兩隻手打；若是不使搭包子，再著三五個，也打不過老孫這一隻手。」

妖王聞言，道：「也罷，也罷，我如今不使寶貝，只與你實打，比個雌雄。」即舉狼牙棒，上前來鬥。孫行者迎著面，把拳頭一放，雙手掄棒。那妖精著了禁，不思退步，果然不弄搭包，只顧使棒來趕。行者虛晃一下，敗陣就走。那妖精直趕到西山坡下。

行者見有瓜田，打個滾，鑽入裡面，即變做一個大熟瓜，又熟又甜。那妖精停身四望，不知行者哪方去了。他卻趕至庵邊叫道：「瓜是誰人種的？」

彌勒變做一個種瓜叟，出草庵答道：「大王，瓜是小人種的。」

妖王道：「可有熟瓜麼？」

彌勒道：「有熟的。」妖王叫：「摘個熟的來，我解渴。」

彌勒即把行者變的那瓜，雙手遞與妖王。妖王更不察情，到此接過手，張口便啃。那行者乘此機會，一轂轆鑽入咽喉之下，等不得好歹，就弄手腳：抓腸蒯◆腹，翻跟頭，豎蜻蜓，任他在裡面擺布。那妖精疼得咨牙倈嘴，眼淚汪汪，把一塊種瓜之地，滾得似個打麥之場。

口中只叫：「罷了！罷了！誰人救我一救！」

彌勒卻現了本相，嘻嘻笑笑，叫道：「孽畜，認得我麼？」

那妖抬頭看見，慌忙跪倒在地，雙手揉著肚子，磕頭撞腦，只叫：「主人公，饒我命罷！饒我命罷！再不敢了！」

彌勒上前，一把揪住，解了他的後天袋兒，奪了他的敲磬槌兒。叫：「孫悟空，看我面上，饒他命罷。」

行者十分恨苦，卻又左一拳，右一腳，在裡面亂掏亂搗。那怪萬分疼痛難忍，倒在地下。

彌勒又道：「悟空，他也夠了，你饒他罷。」

行者才叫：「你張大口，等老孫出來。」

那怪雖是肚腹絞痛，還未傷心。俗語云：「人未傷心不得死，花殘葉落是根枯。」

他聽見叫張口，即便忍著疼，把口大張。行者方才跳出，現了本相，急掣棒還要打時，早被佛祖把妖精裝在袋裡，斜挎在腰間。手執著磬槌，罵道：「孽畜！金鐃偷了哪裡去了？」

那怪卻只要憐生，在後天袋內哼哼唧唧的道：「金鐃是孫悟空打破了。」

佛祖道：「鐃破，還我金來。」

那怪道：「碎金堆在殿蓮臺上哩！」

那佛祖提著袋子，執著磬槌，嘻嘻笑笑，叫道：「悟空，我和你去尋金

◈蒯──抓、搔。蒯音快三聲。

還我。」

行者見此法力，怎敢違誤，只得引佛上山，回至寺內，收取碎金。只見那山門緊閉，佛祖使槌一指，門開，入裡看時，那些小妖已得知老妖被擒，各自收拾囊底，都要逃生四散。被行者見一個打一個，見兩個打兩個，把五七百個小妖盡皆打死。各現原身，都是些山精樹怪，獸孽禽魔。佛祖將金收攢一處，吹口仙氣，念聲咒語，即時返本還原，復得金鐃一副。別了行者，駕祥雲，逕轉極樂世界。

這大聖卻才解下唐僧、八戒、沙僧。那呆子吊了幾日，餓得慌了，且不謝大聖，卻就蝦著腰，跑到廚房尋飯吃。原來那怪正安排了午飯，因行者索戰，還未得吃。這呆子看見，即吃了半鍋。卻拿出兩缽頭叫師父、師弟們各吃了兩碗，然後才謝了行者。問及妖怪原由，行者把先請祖師、龜、蛇，後請大聖借太子，並彌勒收降之事，細陳了一遍。

三藏聞言，謝之不盡，頂禮了諸天，道：「徒弟，這些神聖，困於何所？」

行者道：「昨日日值功曹對老孫說，都在地窖之內。」叫：「八戒，我與你去解脫他等。」

那呆子得食力壯，抖擻精神，尋著他的釘鈀，即同大聖到後面，打開地窖，將眾等解了繩，請出珍樓之下。三藏披了袈裟，朝上一一拜謝。這大聖才送五龍、二將回武當，送小張太子與四將回蠙城，後送二十八宿歸天府，發放揭諦、伽藍各回境。

師徒們卻寬住了半日。餵飽了白馬，收拾行囊，至次早登程。臨行時，放上一把火，將那些珍樓、寶座、高閣、講堂，俱盡燒為灰燼。這裡才：

無罣無牽逃難去，消災消障脫身行。

畢竟不知幾時才到大雷音，且聽下回分解。

第六七回

拯救駝羅禪性穩　脫離穢汙道心清

話說三藏四眾躲離了小西天，欣然上路。行經個月程途，正是春深花放之時，見了幾處園林皆綠暗，一番風雨又黃昏。

三藏勒馬道：「徒弟啊，天色晚矣，往哪條路上求宿去？」

行者笑道：「師父放心。若是沒有借宿處，我三人都有些本事，叫八戒砍草，沙和尚扳松，老孫會做木匠，就在那路上搭個蓬庵，好道也住得年把，你忙怎的？」

八戒道：「哥呀，這個所在豈是住場！滿山多虎豹狼蟲，遍地有魑魅魍魎，白日裡尚且難行，黑夜裡怎生敢宿？」

行者道：「呆子！越發不長進了！不是老孫海口，只這條棒子揝在手裡，就是塌下天來，也撐得住！」

師徒們正然講論，忽見一座山莊不遠。行者道：「好了，有宿處了。」長老問：「在何處？」

行者指道：「那樹叢裡不是個人家？我們去借宿一宵，明早走路。」長老欣然促馬，至莊門外下馬，只見那柴扉緊閉。

長老敲門道：「開門，開門。」裡面有一老者，手拖藜杖，足踏蒲鞋，頭頂烏巾，身穿素服，開了門，便問：「是甚人在此大呼小叫？」

三藏合掌當胸，躬身施禮道：「老施主，貧僧乃東土差往西天取經者。適到貴地，天晚，特造尊府借宿一宵，萬望方便方便。」

老者道：「和尚，你要西行，卻是去不得啊！此處乃小西天，若到大西天，路途甚遠。且休道前去艱難，只這個地方，已此難過。」

三藏問：「怎麼難過？」

老者用手指道：「我這莊村西去三十餘里，有一條稀柿衕◆，山名七絕。」

三藏道：「何為『七絕』？」

老者道：「這山徑過有八百里，滿山盡是柿果。古云：『柿樹有七絕：一，益壽；二，多陰；三，無鳥巢；四，無蟲；五，霜葉可玩；六，嘉實；七，枝葉肥大。』故名七絕山。

「我這敝處地闊人稀，那深山亙古無人走到。每年家熟爛柿子落在路上，將一條夾石衚衕盡皆填滿，又被雨露雪霜經霉過夏，作成一路汙穢，這方人家俗呼為『稀屎衕』。但刮西風，有一股穢氣，就是淘東圊◆也不似這般惡臭。如今正值春深，東南風大作，所以還不聞見也。」三藏心中煩悶不言。

行者忍不住，高叫道：「你這老兒甚不通便！我等遠來投宿，你就說出這許多話來諕人！十分你家窄逼沒處睡，我等在此樹下蹲一蹲，也就過了此宵，何故這般絮聒？」

那老者見了他相貌醜陋，便也擰住口，驚嚗嚗◆的硬著膽，喝了一聲，用藜杖指定道：「你這廝骨撾臉，磕額頭，塌鼻子，凹頡腮，毛眼毛睛，癆病鬼，不知高低，尖著個嘴，敢來衝撞我老人家？」

行者陪笑道：「老官兒，你原來有眼無珠，不識我這癆病鬼哩！相法云：『形容古怪，石中有美玉之藏。』你若以言貌取人，乾淨差了。我雖醜便醜，卻倒有些手段。」

老者道：「你是哪方人氏？姓甚名誰？有何手段？」

行者笑道：「我祖居東勝大神洲，花果山前自幼修。身拜靈臺方寸祖，學成武藝甚全周。也能攪海降龍母，善會擔山趕日頭；縛怪擒魔稱第一，移星換斗鬼神愁。偷天轉地英名大，我是變化無窮美石猴！」

◆衕——小巷道。音同。**東圊**——圊即廁所。舊時建築，廁所多在屋子東角，故稱東圊。圊音清。

驚嚗嚗——驚慌緊張的樣子。

老者聞言，回嗔作喜，躬著身，便教：「請！請入寒舍安置。」遂此四眾牽馬挑擔，一齊進去。

只見那荊針棘刺，鋪設兩邊。二層門是磚石壘的牆壁，又是荊棘苫蓋◆。入裡才是三間瓦房。老者便扯椅安坐待茶，又叫辦飯。少頃，移過桌子，擺著許多麵筋、豆腐、芋苗、蘿白、辣芥、蔓菁、香稻米飯、醋燒葵湯，師徒們盡飽一餐。

吃畢，八戒扯過行者，背云：「師兄，這老兒始初不肯留宿，今反設此盛齋，何也？」

行者道：「這個能值多少錢？到明日，還要他十果十菜的送我們哩！」

八戒道：「不羞。憑你那幾句大話，哄他一頓飯吃了，明日卻要跑路，他又管待送你怎的？」

行者道：「不要忙，我自有個處治。」

不多時，漸漸黃昏，老者又叫掌燈。

行者躬身問道：「公公高姓？」老者道：「姓李。」

行者道：「貴地想就是李家莊了？」

老者道：「不是，這裡喚做駝羅莊，共有五百多人家居住。別姓俱多，惟我姓李。」

行者道：「李施主，府上有何善意，賜我等盛齋？」

那老者起身道：「才聞得你說會拿妖怪，我這裡卻有個妖怪，累你替我們拿拿，自有重謝。」

行者就朝上唱個喏道：「承照顧了！」

八戒道：「你看他惹禍！聽見說拿妖怪，就是他外公也不這般親熱，預先就唱個喏！」

◈**苫蓋**——茅草編的覆蓋物，亦特指草衣、茅屋。苫音山。

行者道：「賢弟，你不知，我唱個喏就是下了個定錢◈，他再不去請別人了。」

三藏聞言道：「這猴兒，凡事便要自專◈。倘或那妖精神通廣大，你拿他不住，可不是我出家人打誑語麼？」

行者笑道：「師父莫怪，等我再問了看。」

那老者道：「還問甚？」

行者道：「你這貴處，地勢清平，又許多人家居住，更不是偏僻之方，有甚麼妖精敢上你這高門大戶？」

老者道：「實不瞞你說，我這裡久矣康寧。只這三年六月間，忽然一陣風起。那時人家甚忙，打麥的在場上，插秧的在田裡，俱著了忙，只說是天變了。誰知風過處，有個妖精，將人家牧放的牛馬吃了，豬羊吃了，見雞鵝囫圇咽，遇男女夾活吞。自從那次，這二年常來傷害。長老啊，你若有手段，拿了他，掃淨此土，我等決然重謝，不敢輕慢。」

行者道：「這個卻是難拿。」

八戒道：「真是難拿，難拿！我們乃行腳僧，借宿一宵，明日走路，拿甚麼妖精！」

老者道：「你原來是騙飯吃的和尚！初見時誇口弄舌，說會換斗移星，降妖縛怪，及說起此事，就推卻難拿。」

行者道：「老兒，妖精好拿，只是你這方人家不齊心，所以難拿。」

老者道：「怎見得人心不齊？」

行者道：「妖精攪擾了三年，也不知傷害了多少生靈。我想著每家只出銀一兩，五百家可湊五百兩銀子，不拘到哪裡，也尋一個法官把妖拿了，卻怎麼就甘受他三年磨折？」

老者道：「若論說使錢，好道也羞殺人，我們哪家不花費三五兩銀子？

◆**定錢**——定金。　**自專**——自誇、自耀。

前年曾訪著山南裡有個和尚，請他到此拿妖，未曾得勝。」

行者道：「那和尚怎的拿來？」

老者道：「那個僧伽，披領袈裟。先談《孔雀》，後念《法華》。香焚爐內，手把鈴拿。正然念處，驚動妖邪。風生雲起，逕至莊家。僧和怪鬥，其實堪誇：一遞一拳搗，一遞一把抓。和尚還相應，相應沒頭髮。須臾妖怪勝，徑直返煙霞。原來曬乾疤。我等近前看，光頭打的似個爛西瓜！」

行者笑道：「這等說，吃了虧也。」

老者道：「他只拚得一命，還是我們吃虧：與他買棺木殯葬，又把些銀子與他徒弟。那徒弟心還不歇，至今還要告狀，不得乾淨。」

行者道：「可曾再請甚麼人拿他？」

老者道：「舊年又請了一個道士。」行者道：「那道士怎麼拿他？」

老者道：「那道士頭戴金冠，身穿法衣。令牌敲響，符水施為。驅神使將，拘到妖魑。狂風滾滾，黑霧迷迷。即與道士，兩個相持。鬥到天晚，怪返雲霓。乾坤清朗朗，我等眾人齊。出來尋道士，淹死在山溪。撈得上來大家看，卻如一個落湯雞！」

行者笑道：「這等說，也吃虧了。」

老者道：「他也只捨得一命，我們又使夠悶數錢糧◈。」

行者道：「不打緊，不打緊，等我替你拿他來。」

老者道：「你若果有手段拿得他，我請幾個本莊長者與你寫個文書：若得勝，憑你要多少銀子相謝，半分不少；如若有虧，切莫和我等放賴，各聽天命。」

行者笑道：「這老兒被人賴怕了。我等不是那樣人，快請長者去。」

那老者滿心歡喜，即命家僮請幾個左鄰、右舍、表弟、姨兄、親家、朋

◈**悶數錢糧**——這裡是花冤枉錢的意思。

友，共有八九位老者，都來相見，會了唐僧，言及拿妖一事，無不欣然。

眾老問：「是哪一位高徒去拿？」行者叉手道：「是我小和尚。」

眾老悚然道：「不濟！不濟！那妖精神通廣大，身體狼犺；你這個長老瘦瘦小小，還不夠他填牙齒縫哩！」

行者笑道：「老官兒，你估不出人來。我小自小，結實，都是『吃了磨刀水的秀氣在內』哩！」

眾老見說，只得依從道：「長老，拿住妖精，你要多少謝禮？」

行者道：「何必說要甚麼謝禮？俗語云：『說金子晃眼，說銀子傻白，說銅錢腥氣。』我等乃積德的和尚，決不要錢。」

眾老道：「既如此說，都是受戒的高僧。既不要錢，豈有空勞之理？我等各家俱以魚田為活，若果降了妖孽，淨了地方，我等每家送你兩畝良田，共湊一千畝，坐落一處，你師徒們在上起蓋寺院，打坐參禪，強似方上雲遊。」

行者又笑道：「越不停當！但說要了田，就要養馬當差，納糧辦草，黃昏不得睡，五鼓不得眠，好倒弄殺人也！」
眾老道：「諸般不要，卻將何謝？」
行者道：「我出家人，但只是一茶一飯，便是謝了。」
眾老喜道：「這個容易。但不知你怎麼拿他？」
行者道：「他但來，我就拿住他。」
眾老道：「那妖大著哩！上拄天，下拄地；來時風，去時霧。你卻怎生近得他？」
行者笑道：「若論呼風駕霧的妖精，我把他當孫子罷了；若說身體長大，有那手段打他！」
正講處，只聽得呼呼風響。慌得那八九個老者戰戰兢兢道：「這和尚鹽醬口◆！說妖精，妖精就來了！」

◆叉手——拱手。十指交錯放在胸前，為一種表示恭敬的姿勢。 **鹽醬口**——指說不吉利的話甚為應驗。

那老李開了腰門，把幾個親戚連唐僧，都叫：「進來！進來！妖怪來了！」諕得那八戒也要進去，沙僧也要進去。行者兩隻手扯住兩個道：「你們忒不循理！出家人，怎麼不分內外！站住，不要走！跟我去天井裡，看看是個甚麼妖精？」八戒道：「哥啊，他們都是經過帳的，風響便是妖來。他都去躲，我們又不與他有親，又不相識，又不是交契故人，看他做甚？」原來行者力量大，不容說，一把拉在天井裡站下。那陣風越發大了，好風：

倒樹摧林狼虎憂，播江攪海鬼神愁。
掀翻華岳三峰石，提起乾坤四部洲。
村舍人家皆閉戶，滿莊兒女盡藏頭。
黑雲漠漠遮星漢，燈火無光遍地幽。

慌得那八戒戰戰兢兢，伏之於地，把嘴拱開土，埋在地下，卻如釘了釘一般。沙僧蒙著頭臉，眼也難睜。

行者聞風認怪，一霎時，風頭過處，只見那半空中隱隱的兩盞燈來，即低頭叫道：「兄弟們！風過了，起來看！」

那呆子扯出嘴來，抖抖灰土，仰著臉，朝天一望，見有兩盞燈光，忽失聲笑道：「好耍子！好耍子！原來是個有行止的妖精！該和他做朋友！」

沙僧道：「這般黑夜，又不曾覿面相逢，怎麼就知好歹？」

八戒道：「古人云：『夜行以燭，無燭則止。』你看他打一對燈籠引路，必定是個好的。」

沙僧道：「你錯看了，那不是一對燈籠，是妖精的兩隻眼亮。」

這呆子就諕矮了三寸，道：「爺爺呀！眼有這般大啊，不知口有多少大哩！」

行者道：「賢弟莫怕。你兩個護持著師父，待老孫上去討他個口氣，看他是甚妖精。」

八戒道：「哥哥，不要供出我們來。」

好行者，縱身打個唿哨，跳到空中，執鐵棒，厲聲高叫道：「慢來！慢來！有吾在此！」那怪見了，挺住身軀，將一根長槍亂舞。

行者執了棍勢，問道：「你是哪方妖怪？何處精靈？」那怪更不答應，只是舞槍。行者又問，又不答，只是舞槍。

行者暗笑道：「好是耳聾口啞！不要走，看棍！」

那怪更不怕，亂舞槍遮攔。在那半空中，一來一往，一上一下，鬥到三更時分，未見勝敗。八戒、沙僧在李家天井裡看得明白。原來那怪只是舞槍遮架，更無半分兒攻殺。行者一條棒不離那怪的頭上。

八戒笑道：「沙僧，你在這裡護持，讓老豬去幫打幫打，莫教那猴子獨幹這功，領頭一鍾酒。」

好呆子，就跳起雲頭，趕上就築。那怪物又使一條槍抵住。兩條槍就如飛蛇掣電。

八戒誇獎道：「這妖精好槍法！不是山後槍，乃是纏絲槍；也不是馬家槍，卻叫做個軟柄槍。」

行者道：「呆子莫胡說！哪裡有個甚麼軟柄槍？」

八戒道：「你看他使出槍尖來架住我們，不見槍柄，不知收在何處。」

行者道：「或者是個軟柄槍；但這怪物還不會說話，想是還未歸人道，陰氣還重。只怕天明時陽氣盛，他必要走；但走時，一定趕上，不可放他。」

八戒道：「正是！正是！」

又鬥多時，不覺東方發白。那怪不敢戀戰，回頭就走。行者與八戒一齊趕來，忽聞得汙穢之氣逼人，乃是七絕山稀柿衕也。

八戒道：「是那家淘毛廁哩！哏！臭氣難聞！」

行者捂著鼻子，只叫：「快快趕妖精！快快趕妖精！」那怪物攛過山去，現了本相，乃是一條紅鱗大蟒。你看他：

眼射曉星，鼻噴朝霧。密密牙排鋼劍，彎彎爪曲金鈎。

頭戴一條肉角，好便似千千塊瑪瑙攢成；
身披一派紅鱗，卻就如萬萬片胭脂砌就。
盤地只疑為錦被，飛空錯認作虹霓。
歇臥處有腥氣沖天，行動時有赤雲罩體。
大不大，兩邊人不見東西；長不長，一座山跨占南北。

八戒道：「原來是這般一個長蛇！若要吃人啊，一頓也得五百個，還不飽足！」

行者道：「那軟柄槍乃是兩條信椂◆。我們趕他軟了，從後打出去！」

這八戒縱身趕上，將鈀便築。那怪物一頭鑽進窟裡，還有七八尺長尾巴丟在外邊。八戒放下鈀，一把撾住道：「著手！著手！」盡力氣往外亂扯，莫想扯得動一毫。

行者笑道：「呆子，放他進去，自有處置，不要這等倒扯蛇。」八戒真個撒了手，那怪縮進去了。

八戒怨道：「才不放手時，半截子已是我們的了；是這般縮了，卻怎麼得他出來？這不是叫做沒蛇弄了？」

行者道：「這廝身體狼犺，窟穴窄小，斷然轉身不得，一定是個照直攛的，定有個後門出頭。你快去後門外攔住，等我在前門外打。」

那呆子真個一溜煙跑過山去，果見有個孔窟，他就扎定腳。還不曾站穩，不期行者在前門外使棍子往裡一搗，那怪物護疼，逕往後門攛出。八戒未曾防備，被他一尾巴打了一跌，莫能掙挫得起，睡在地下忍疼。行者見窟中無物，搴著棒，跑過來叫趕妖怪。

那八戒聽得吆喝，自己害羞，忍著疼，爬起來，使鈀亂撲。行者見了，笑道：「妖怪走了，你還撲甚的了？」

八戒道：「老豬在此打草驚蛇哩！」行者道：「活呆子，快趕上！」

◆信椂──蛇的舌頭。

二人趕過澗去，見那怪盤做一團，豎起頭來，張開巨口，要吞八戒。八戒慌得往後便退。這行者反迎上前，被他一口吞之。

八戒搥胸跌腳，大叫道：「哥耶！傾了你也！」

行者在妖精肚裡支著鐵棒道：「八戒莫愁，我叫他搭個橋兒你看！」那怪物躬起腰來，就似一道路東虹。

八戒道：「雖是像橋，只是沒人敢走。」

行者道：「我再叫他變做個船兒你看！」在肚裡將鐵棒撐著肚皮。那怪物肚皮貼地，翹起頭來，就似一隻贛保船◆，八戒道：「雖是像船，只是沒有桅篷，不好使風。」

行者道：「你讓開路，等我叫他使個風你看！」又在裡面盡著力把鐵棒從脊背上搠將出去，約有五七丈長，就似一根桅杆。那廝忍疼掙命，往前一攛，比使風更快，攛回舊路，下了山，有二十餘里，卻才倒在塵埃，動蕩不得，嗚呼喪矣。八戒隨後趕上來，又舉鈀亂築。

行者把那物穿了一個大洞，鑽將出來道：「呆子，他死也死了，你還築他怎的？」

八戒道：「哥啊，你不知我老豬一生好打死蛇。」遂此收了兵器，抓著尾巴，倒拉將來。

卻說那駝羅莊上李老兒與眾等對唐僧道：「你那兩個徒弟一夜不回，斷然傾了命也。」

三藏道：「決不妨事。我們出去看看。」須臾間，只見行者與八戒拖著一條大蟒，吆吆喝喝前來。眾人卻才歡喜。滿莊上老幼男女，都來跪拜道：「爺爺，正是這個妖精在此傷人。今幸老爺施法，斬怪除邪，我輩庶各得安生也。」眾家都是感激，東請西邀，各各酬謝。師徒們被留住五七日，苦辭無奈，方肯放行。又各家見他不要錢物，都辦些乾糧果品，騎騾押馬，花紅

◆贛保船——此處石印本疑有字誤，應為「官保船」或「宮寶船」。

彩旗，盡來餞行。此處五百人家，倒有七八百人相送。

一路上喜喜歡歡，不時到了七絕山稀柿衕口。三藏聞得那般惡穢，又見路道填塞，道：「悟空，似此怎生過得？」

行者捂著鼻子道：「這個卻難也。」三藏見行者說難，便就眼中垂淚。

李老兒與眾上前道：「老爺勿得心焦。我等送到此處，都已約定意思了：令高徒與我們降了妖精，除了一莊禍害，我們各辦虔心，另開一條好路，送老爺過去。」

行者笑道：「你這老兒，俱言之欠當。你初然說這山徑過有八百里，你等又不是大禹的神兵，哪裡會開山鑿路？若要我師父過去，還得我們著力，你們都成不得。」

三藏下馬，道：「悟空，怎生著力麼？」

行者笑道：「眼下就要過山，卻也是難；若說再開條路，卻又難也。須是還從舊衕衕過去，只恐無人管飯。」

李老兒道：「長老說哪裡話，憑你四位耽擱多少時，我等俱養得起，怎麼說無人管飯。」

行者道：「既如此，你們去辦得兩石米的乾飯，再做些蒸餅、饝饝來。等我那長嘴和尚吃飽了，變了大豬，拱開舊路，我師父騎在馬上，我等扶持著，管情過去了。」

八戒聞言道：「哥哥，你們都要圖個乾淨，怎麼獨教老豬出臭？」

三藏道：「悟能，你果有本事拱開衚衕，領我過山，注你這場頭功。」

八戒笑道：「師父在上，列位施主們都在此，休笑話。我老豬本來有三十六般變化，若說變輕巧華麗飛騰之物，委實不能；若說變山，變樹，變石塊，變土墩，變賴象、科豬、水牛、駱駝，真個全會。只是身體變得大，肚腸越發大。須是吃得飽了，才好幹事。」

眾人道：「有東西，有東西，我們都帶得有乾糧、果品、燒餅、餶飿在此，原要開山相送的，且都拿出來，憑你受用。待變化了，行動之時，我們再著人回去做飯送來。」

八戒滿心歡喜，脫了皂直裰，丟了九齒鈀，對眾道：「休笑話，看老豬幹這場臭功。」

好呆子，捻著訣，搖身一變，果然變做一個大豬。真個是：

嘴長毛短半脂膘◆，自幼山中食藥苗。
黑面環睛如日月，圓頭大耳似芭蕉。
修成堅骨同天壽，煉就粗皮比鐵牢。
齆齆◆鼻音呱詁叫，喳喳喉響噴喁哮◆。
白蹄四隻高千尺，劍鬣長身百丈饒。
從見人間肥豕彘，未觀今日老豬魈◆。
唐僧等眾齊稱讚，羨美天蓬法力高。

孫行者見八戒變得如此，即命那些相送人等快將乾糧等物推攢一處，叫八戒受用。那呆子不分生熟，一澇食之，卻上前拱路。行者叫沙僧脫了腳，好生挑擔；請師父穩坐雕鞍。他也脫了鞝鞋，吩咐眾人回去：「若有情，快早送些飯來與我師弟接力。」

那些人有七八百相送隨行，多一半有騾馬的，飛星回莊做飯；還有三百人步行的，立於山下遙望他行。原來此莊至山有三十餘里，待回取飯來又三十餘里，往回擔擱約有百里之遙，他師徒們已此去得遠了。眾人不捨，催趲騾馬，進衚衕，連夜趕至，次日方才趕上。叫道：「取經的老爺，慢行，慢行，我等送飯來也！」長老聞言，謝之不盡，道：「真是善信之人！」叫八戒住了，再吃些飯食壯神。那呆子拱了兩日，正在飢餓之際，那許多人何止有七八石飯食，他也不論米飯、麵飯，收積來一澇用之，飽餐一頓，卻又上前拱路。三藏

◆臕—肥肉或肥厚的脂肪。臕音標。 齆齆—形容鼻孔阻塞不通氣。齆音翁。
喁哮—獸類喘息的聲音。 魈—鬼怪。魈音銷。

與行者、沙僧謝了眾人，分手兩別。正是：

駝羅莊客回家去，八戒開山過衕來。
三藏心誠神力擁，悟空法顯怪魔衰。
千年稀柹今朝淨，七絕衚衕此日開。
六欲塵情皆剪絕，平安無阻拜蓮臺。

這去不知還有多少路程，還遇甚麼妖怪，且聽下回分解。

第六八回

朱紫國唐僧論前世
孫行者施為三折肱◆

善正萬緣收，名譽傳揚四部洲。
智慧光明登彼岸，
颼颼，靉靆雲生天際頭。
諸佛共相酬，永住瑤臺萬萬秋。
打破人間蝴蝶夢◆，
休休，滌淨塵氛不惹愁。

話表三藏師徒洗汙穢之衚衕，上逍遙之道路，光陰迅速，又值炎天。正是：

海榴◆舒錦彈，荷葉綻青盤。
兩路綠楊藏乳燕，行人避暑扇搖紈。

進前行處，忽見有一城池相近。

三藏勒馬叫：「徒弟們，你看那是甚麼去處？」

行者道：「師父原來不識字，虧你怎麼領唐王旨意離朝也！」

三藏道：「我自幼為僧，千經萬典皆通，怎麼說我不識字？」

行者道：「既識字，怎麼那城頭上杏黃旗，明書三個大字，就不認得，卻問是甚去處何也？」

三藏喝道：「這潑猴胡說！那旗被風吹得亂擺，縱有字也看不明白！」

行者道：「老孫偏怎看見？」

八戒、沙僧道：「師父，莫聽師兄搗鬼。這般遙望，城池尚不明白，如何就見是甚字號？」

行者道：「卻不是『朱紫國』三字？」

三藏道：「朱紫國必是西邦王位，卻要倒換關文。」

◆**三折肱**—比喻閱歷深，取得豐富的經驗，自然造詣精深。肱音公。
蝴蝶夢—戰國時莊周說他曾在夢中夢見自己化為蝴蝶。 **海榴**—即山茶花。又名海石榴。

行者道：「不消講了。」

不多時，至城門下馬，過橋，入進三層門裡，真個好個皇州，但見：

門樓高聳，垛疊齊排。周圍活水通流，南北高山相對。
六街三市貨資多，萬戶千家生意盛。
果然是個帝王都會處，天府大京城。
絕域梯航◆至，遐方◆玉帛盈。形勝連山遠，宮垣接漢清。
三關嚴鎖鑰，萬古樂昇平。

師徒們在那大街市上行時，但見人物軒昂，衣冠齊整，言語清朗，真不亞大唐世界。那兩邊做買做賣的，忽見豬八戒相貌醜陋，沙和尚面黑身長，孫行者臉毛額廓，丟了買賣，都來爭看。

三藏只叫：「不要撞禍◆，低著頭走。」

八戒遵依，把個蓮蓬嘴揣在懷裡，沙僧不敢仰視，惟行者東張西望，緊隨唐僧左右。那些人有知事的，看看兒就回去了。有那遊手好閒的，並那頑童們，哄哄笑笑，都上前拋瓦丟磚，與八戒作戲。

唐僧捏著一把汗，只教：「莫要生事。」那呆子不敢抬頭。

不多時，轉過隅頭，忽見一座門牆，上有「會同館◆」三字。唐僧道：「徒弟，我們進這衙門去也。」行者道：「進去怎的？」唐僧道：「會同館乃天下通會通同之所，我們也打攪得。且到裡面歇下，待我見駕，倒換了關文，再趕出城走路。」八戒聞言，掣出嘴來，把那些隨看的人諕倒了數十個。他上前道：「師父說的是，我們且到裡邊藏下，免得這夥鳥人吵嚷。」遂進館去。那些人方漸漸而退。

◆**梯航**—梯山航海。比喻歷經險阻的長途跋涉。　**遐方**—遠方。
撞禍—闖禍、惹禍。　**會同館**—明代接待各國使者的地方。

卻說那館中有兩個大使，乃是一正一副，都在廳上查點人夫，要往那裡接官。忽見唐僧來到，個個心驚，齊道：「是甚麼人？是甚麼人？往哪裡走？」

三藏合掌道：「貧僧乃東土大唐駕下差往西天取經者。今到寶方，不敢私過，有關文欲倒驗放行，權借高衙暫歇。」

那兩個館使聽言，屏退左右，一個個整冠束帶，下廳迎上相見。即命打掃客房安歇，教辦清素支應。三藏謝了。二官帶領人夫，出廳而去。手下人請老爺客房安歇，三藏便走。

行者恨道：「這廝憊懶，怎麼不讓老孫在正廳？」

三藏道：「他這裡不伏我大唐管屬，又不與我國相連，況不時又有上司過客來往，所以不好留此相待。」

行者道：「這等說，我偏要他相待！」

正說處，有管事的送支應來，乃是一盤白米、一盤白麵、兩把青菜、四塊豆腐、兩個麵筋、一盤乾筍、一盤木耳。三藏教徒弟收了，謝了管事的。

管事的道：「西房裡有乾淨鍋灶，柴火方便，請自去做飯。」

三藏道：「我問你一聲，國王可在殿上麼？」

管事的道：「我萬歲爺爺久不上朝，今日乃黃道良辰，正與文武多官議出黃榜。你若要倒換關文，趁此急去，還趕上；到明日，就不能夠了，不知還有多少時伺候哩！」

三藏道：「悟空，你們在此安排齋飯，等我急急去驗了關文回來，吃了走路。」八戒急取出袈裟關文。三藏整束了進朝，只是吩咐徒弟，不可出外去生事。

不一時，已到五鳳樓前。說不盡那殿閣崢嶸，樓臺壯麗。直至端門外，煩奏事官轉達天廷，欲倒驗關文。

◈人夫——受徵召服勞役的人。

那黃門官果至玉階前啟奏道：「朝門外有東土大唐欽差一員僧，前往西天雷音寺拜佛求經，欲倒換通關文牒，聽宣。」

國王聞言，喜道：「寡人久病，不曾登基。今上殿出榜招醫，就有高僧來國。」即傳旨宣至階下。三藏即禮拜俯伏。國王又宣上金殿賜坐，命光祿寺辦齋。三藏謝了恩，將關文獻上。

國王看畢，十分歡喜道：「法師，你那大唐，幾朝君正？幾輩臣賢？至於唐王，因甚作疾回生，著你遠涉山川求經？」

這長老因問，即欠身合掌道：「貧僧那裡三皇治世，五帝分倫。堯舜正位，禹湯安民。成周子眾，各立乾坤。倚強欺弱，分國稱君。邦君十八，分野邊塵。後成十二，宇宙安淳。因無車馬，卻又相吞。七雄爭勝，六國歸秦。天生魯沛，各懷不仁。江山屬漢，約法欽遵。

「漢歸司馬，晉又紛紜。南北十二，宋齊梁陳。列祖相繼，大隋紹真。賞花無道，塗炭多民。我王李氏，國號唐君。高祖晏駕，當今世民。河清海晏◆，大德寬仁。茲因長安城北，有個怪水龍神，刻減甘雨，應該損身。夜間托夢，告王救迍。王言准赦，早召賢臣。款留殿內，慢把棋輪。時當日午，那賢臣夢斬龍身。」

國王聞言，忽作呻吟之聲，問道：「法師，那賢臣是哪邦來者？」

三藏道：「就是我王駕前丞相，姓魏名徵。他識天文，知地理，辨陰陽，乃安邦立國之大宰輔也。因他夢斬了涇河龍王，那龍王告到陰司，說我王許救又殺之，故我王遂得促病◆，漸覺身危。魏徵又寫書一封，與我王帶至陰司，寄與酆都城判官崔珏。

「少時，唐王身死，至三日復得回生。虧了魏徵，感崔判官改了文書，加王二十年壽。今要做水陸大會，故遣貧僧遠涉道途，詢求諸國，拜佛祖，取《大乘經》三藏，超度孽苦升天也。」

◆河清海晏—黃河的水清澈，大海平靜沒有風浪。比喻太平盛世。
促病—急病。

那國王又呻吟嘆道：「誠乃是天朝大國，君正臣賢。似我寡人久病多時，並無一臣拯救。」長老聽說，偷睛觀看，見那皇帝面黃肌瘦，形脫神衰。長老正欲啟問，有光祿寺官奏請唐僧奉齋。王傳旨，教：「在披香殿，連朕之膳擺下，與法師同享」。三藏謝了恩，與王同進膳進齋不題。

卻說行者在會同館中，著沙僧安排茶飯，並整治素菜。沙僧道：「茶飯易煮，蔬菜不好安排。」行者問道：「如何？」沙僧道：「油、鹽、醬、醋俱無也。」行者道：「我這裡有幾文襯錢，教八戒上街買去。」那呆子躲懶道：「我不敢去，嘴臉欠俊，恐惹下禍來，師父怪我。」行者道：「公平交易，又不化他，又不搶他，何禍之有！」八戒道：「你才不曾看見獐智◆。在這門前扯出嘴來，把人諕倒了十來個；若到鬧市叢中，也不知諕殺多少人哩。」行者道：「你只知鬧市叢中，你可曾看見那市上賣的是甚麼東西？」

八戒道：「師父只教我低著頭，莫撞禍，實是不曾看見。」

行者道：「酒店、米鋪、磨坊並綾羅雜貨不消說，著然又好茶房、麵店、大燒餅、大饝饝，飯店又有好湯飯、好椒料、好蔬菜，與那異品的糖糕、蒸酥、點心、饊子、油食、蜜食……無數好東西，我去買些兒請你如何？」

那呆子聞說，口內流涎，喉嚨裡嘓嘓的嚥唾，跳起來道：「哥哥！這遭我擾你，待下次攢錢，我也請你回席◆。」

行者暗笑道：「沙僧，好生煮飯，等我們去買調和◆來。」

沙僧也知是耍呆子，只得順口應承道：「你們去，須是多買些，吃飽了來。」那呆子撈個碗盞拿了，就跟行者出門。

有兩個在官人問道：「長老哪裡去？」行者道：「買調和。」

那人道：「這條街往西去，轉過拐角鼓樓，那鄭家雜貨店，憑你買多少，油、鹽、醬、醋、薑、椒、茶葉俱全。」

◆獐智─聰明靈便。 回席─回請酒席。 調和─調味佐料。

他二人攜手相攙，逕上街西而去。行者過了幾處茶房，幾家飯店，當買的不買，當吃的不吃。八戒叫道：「師兄，這裡將就買些用罷。」那行者原是耍他，哪裡肯買，道：「賢弟，你好不經紀◆，再走走，揀大的買吃。」兩個人說說話兒，又領了許多人跟隨爭看。不時到了鼓樓邊，只見那樓下無數人喧嚷，擠擠挨挨，填街塞路。

八戒見了道：「哥哥，我不去了。那裡人嚷得緊，只怕是拿和尚的，又況是面生可疑之人，拿了去，怎的了？」

行者道：「胡談！和尚又不犯法，拿我怎的？我們走過去，到鄭家店買些調和來。」

八戒道：「罷！罷！罷！我不撞禍。這一擠到人叢裡，把耳朵捽了兩拄，諕得他跌跌爬爬，跌死幾個，我倒償命哩！」

行者道：「既然如此，你在這壁根下站定，等我過去買了回來，與你買素麵、燒餅吃罷。」那呆子將碗盞遞與行者，把嘴拄著牆根，背著臉，死也不動。

這行者走至樓邊，果然擠塞。直挨入人叢裡聽時，原來是那皇榜張掛樓下，故多人爭看。行者擠到近處，閃開火眼金睛，仔細看時，那榜上卻云：

朕西牛賀洲朱紫國王，自立業以來，四方平服，百姓清安。
近因國事不祥，沉痾伏枕，淹延◈日久難痊。
本國太醫院屢選良方，未能調治。
今出此榜文，普招天下賢士。
不拘北往東來，中華外國，若有精醫藥者，請登寶殿，療理朕躬。
稍得病愈，願將社稷平分，決不虛示。
為此出給張掛。須至榜者。

覽畢，滿心歡喜道：「古人云：『行動有三分財氣。』早是不在館中呆坐。即此不必買甚調和，且把取經事寧耐一日，等老孫做個醫生耍耍。」

◈經紀—此指聰明。　淹延—長久。

好大聖，彎倒腰，丟了碗盞，拈一撮土，往上灑去，念聲咒語，使個隱身法，輕輕的上前揭了榜。朝著巽地上吸口仙氣吹來，立起一陣旋風，將人都吹散。他卻回身，逕到八戒站處，只見那呆子嘴拄著牆根，卻是睡著了一般。行者更不驚他，將榜文摺了，輕輕揣在他懷裡，拽轉步，先往會同館去了不題。

卻說那樓下眾人見風起時，各各蒙頭閉眼。不覺風過時，沒了皇榜，眾皆悚懼。那榜原有十二個太監、十二個校尉早朝領出，才掛不上三個時辰，被風吹去，戰兢兢左右追尋，忽見豬八戒懷中露出個紙邊兒來。眾人近前道：「你揭了榜來耶？」那呆子猛抬頭，把嘴一揪，諕得那幾個校尉踉踉蹡蹡，跌倒在地。

他卻轉身要走，又被面前幾個膽大的扯住道：「你揭了招醫的皇榜，還不進朝醫治我萬歲去，卻待何往？」

那呆子慌慌張張道：「你兒子便揭了皇榜！你孫子便會醫治！」

校尉道：「你懷中揣的是甚？」呆子卻才低頭看時，真個有一張字紙。展開一看，咬著牙罵道：「那猢猻害殺我也！」恨一聲，便要扯破。早被眾人架住道：「你是死了！此乃當今國王出的榜文，誰敢扯壞？你既揭在懷中，必有醫國之手，快同我去！」

八戒喝道：「汝等不知。這榜不是我揭的，是我師兄孫悟空揭的。他暗揣在我懷中，他卻丟下我去了。若得此事明白，我與你尋他去。」

眾人道：「說甚麼亂話！現鐘不打打鑄鐘◈？你現揭了榜文，教我們尋誰？不管你，扯了去見主上！」那夥人不分清白，將呆子推推扯扯。這呆子立定腳，就如生了根一般，十來個人也弄他不動。

八戒道：「汝等不知高低，再扯一會，扯得我呆性子發了，你卻休怪！」

不多時，鬧動了街人，將他圍繞。內有兩個年老的太監道：「你這相貌稀

◈**現鐘不打打鑄鐘**—現成的鐘不敲，等着另鑄一個鐘再敲。比喻做事捨近求遠，走彎路。

奇，聲音不對，是哪裡來的，這般村強？」

八戒道：「我們是東土差往西天取經的。我師父乃唐王御弟法師，卻才入朝，倒換關文去了。我與師兄來此買辦調和，我見樓下人多，未曾敢去，是我師兄教我在此等候。他原來見有榜文，弄陣旋風揭了，暗揣我懷內，先去了。」

那太監道：「我頭前見個白面胖和尚，逕奔朝門而去，想就是你師父？」

八戒道：「正是，正是。」太監道：「你師兄往哪裡去了？」

八戒道：「我們一行四眾，師父去倒換關文，我三眾並行囊、馬匹俱歇在會同館。師兄弄了我，他先回館中去了。」

太監道：「校尉不要扯他，我等同到館中，便知端的。」

八戒道：「你這兩個奶奶知事。」

眾校尉道：「這和尚委不識貨！怎麼趕著公公叫起奶奶來耶？」

八戒笑道：「不羞！你這反了陰陽的！他二位老媽媽兒，不叫他做婆婆、奶奶，倒叫他做公公？」

眾人道：「莫弄嘴！快尋你師兄去。」

那街上人吵吵鬧鬧，何止三五百，共扛到館門首。八戒道：「列位住了。我師兄卻不比我任你們作戲。他卻是個猛烈認真之士。汝等見了，須要行個大禮，叫他聲孫老爺，他就招架了；不然啊，他就變了嘴臉，這事卻弄不成也。」

眾太監、校尉俱道：「你師兄果有手段，醫好國王，他也該有一半江山，我等合該下拜。」

那些閒雜人都在門外喧譁。八戒領著一行太監、校尉，逕入館中。只聽得行者與沙僧在客房裡正說那揭榜之事耍笑哩。八戒上前扯住，亂嚷道：「你可成個人！哄我去買素麵、燒餅、饝饝我

◆村強—既愚蠢又倔強。強音匠。

吃，原來都是空頭。又弄旋風，揭了甚麼皇榜，暗暗的揣在我懷裡，拿我裝胖◆。這可成個弟兄！」

行者笑道：「你這呆子，想是錯了路，走向別處去。我過鼓樓，買了調和，急回來尋你不見，我先來了。在哪裡揭甚皇榜？」

八戒道：「現在看榜的官員在此。」

說不了，只見那幾個太監、校尉朝上禮拜道：「孫老爺，今日我王有緣，天遣老爺下降是必大展經綸手◆，微施三折肱，治得我王病愈，江山有分，社稷平分也。」

行者聞言，正了聲色，接了八戒的榜文，對眾道：「你們想是看榜的官麼？」太監叩頭道：「奴婢乃司禮監內臣。這幾個是錦衣校尉。」

行者道：「這招醫榜，委是我揭的，故遣我師弟引見。既然你主有病，常言道：『藥不輕賣，病不討醫。』你去教那國王親來請我，我有手到病除之功。」

太監聞言，無不驚駭。校尉道：「口出大言，必有度量。我等著一半在此趶請，著一半入朝啟奏。」

當分了四個太監、六個校尉，更不待宣召，逕入朝，當階奏道：「主公萬千之喜！」

那國王正與三藏膳畢清談，忽聞此奏，問道：「喜自何來？」太監奏道：「奴婢等早領出招醫皇榜，鼓樓下張掛。有東土大唐遠來取經的一個聖僧孫長老揭了，現在會同館內，要王親自去請他，他有手到病除之功。故此特來啟奏。」

國王聞言，滿心歡喜，就問唐僧道：「法師有幾位高徒？」三藏合掌答曰：「貧僧有三個頑徒。」國王問：「哪一位高徒善醫？」三藏道：「實不瞞陛下說，我那頑徒，俱是山野庸才，只會挑包背馬，轉澗尋波，帶領貧僧登山涉嶺，或者到峻險之處，可以伏魔擒怪，捉虎降龍

◆裝胖──充數、裝幌子。 經綸手──治國的良才。

而已，更無一個能知藥性者。」

國王道：「法師何必太謙？朕當今日登殿，幸遇法師來朝，誠天緣也。高徒既不知醫，他怎肯揭我榜文，教寡人親迎？斷然有醫國之能也。」叫：「文武眾卿，寡人身虛力怯，不敢乘輦。汝等可替寡人，俱到朝外，敦請孫長老，看朕之病。汝等見他，切不可輕慢，稱他做『神僧孫長老』，皆以君臣之禮相見。」

那眾臣領旨，與看榜的太監、校尉逕至會同館，排班參拜。諕得那八戒躲在廂房，沙僧閃於壁下。那大聖，看他坐在當中，端然不動。八戒暗地裡怨惡道：「這猢猻活活的折殺也！怎麼這許多官員禮拜，更不還禮，也不站將起來！」

不多時，禮拜畢，分班啟奏道：「上告神僧孫長老：我等俱朱紫國王之臣，今奉王旨，敬以潔禮參請神僧，入朝看病。」

行者方才立起身來，對眾道：「你王如何不來？」

眾臣道：「我王身虛力怯，不敢乘輦，特令臣等行代君之禮，拜請神僧也。」

行者道：「既如此說，列位請前行，我當隨至。」眾臣各依品從，作隊而走。行者整衣而起。

八戒道：「哥哥，切莫攀出我們來。」

行者道：「我不攀你，只要你兩個與我收藥。」沙僧道：「收甚麼藥？」

行者道：「凡有人送藥來與我，照數收下，待我回來取用。」二人領諾不題。

這行者即同多官頃間便到。眾臣先走，奏知那國王，高捲珠簾，閃龍睛鳳目，開金口御言，便問：「哪一位是神僧孫長老？」

行者進前一步，厲聲道：「老孫便是。」那國王聽得聲音凶狠，又見相貌刁鑽，諕得戰兢兢，跌在龍床之上。

慌得那女官內宦，急扶入宮中。道：「諕殺寡人也！」

眾官都嗔怨行者道：「這和尚怎麼這等粗鹵村疏？怎敢就擅揭榜！」

行者聞言，笑道：「列位錯怪了我也。若像這等慢人，你國王之病，就是一千年也不得好。」

眾臣道：「人生能有幾多陽壽？就一千年也還不好？」

行者道：「他如今是個病君，死了是個病鬼，再轉世也還是個病人，卻不是一千年也還不好？」

眾臣怒曰：「你這和尚甚不知禮，怎麼敢這等滿口胡柴？」

行者笑道：「不是胡柴，你都聽我道來：

醫門理法至微玄，大要心中有轉旋。
望聞問切◆四般事，缺一之時不備全。
第一望他神氣色，潤枯肥瘦起和眠；
第二聞聲清與濁，聽他真語及狂言；
三問病原經幾日，如何飲食怎生便；

四才切脈明經絡，浮沉表裡是何般。
我不望聞並問切，今生莫想得安然。」

那兩班文武叢中，有太醫院官，一聞此言，對眾稱揚道：「這和尚也說得有理。就是神仙看病，也須望、聞、問、切，謹合著神聖功巧也。」眾官依此言，著近侍傳奏道：「長老要用望、聞、問、切之理，方可認病用藥。」

那國王睡在龍床上，聲聲喚道：「叫他去罷！寡人見不得生人面哩！」近侍的出宮來道：「那和尚，我王旨意，教你去罷，見不得生人面哩。」行者道：「若見不得生人面啊，我會懸絲診脈。」

◈望聞問切——望，觀察氣色。聞，診聽聲息。問，詢問症狀。切，摸脈象。望聞問切是中醫診病的四種方法。

眾官暗喜道：「懸絲診脈◆，我等耳聞，不曾眼見。再奏去來。」那近侍的又入宮奏道：「主公，那孫長老不見主公之面，他會懸絲診脈。」國王心中暗想道：「寡人病了三年，未曾試此，宣他進來。」近侍的即忙傳出道：「主公已許他懸絲診脈，快宣孫長老進宮診視。」

行者卻就上了寶殿。唐僧迎著罵道：「你這潑猴，害了我也！」行者笑道：「好師父，我倒與你壯觀，你反說我害你？」三藏喝道：「你跟我這幾年，哪曾見你醫好誰來？你連藥性也不知，醫書也未讀，怎麼大膽撞這個大禍？」行者笑道：「師父，你原來不曉得。我有幾個草頭方兒◆，能治大病，管情醫得他好便了。就是醫殺了，也只問得個庸醫殺人罪名，也不該死，你怕怎的！不打緊，不打緊！你且坐下，看我的脈理如何？」長老又道：「你哪曾見《素問》、《難經》、《本草》、《脈訣》是甚般章句，怎生注解？就這等胡說亂道，會甚麼懸絲診脈？」

行者笑道：「我有金線在身，你不曾見哩。」即伸手下去，尾上拔了三根毫毛，捻一把，叫聲：「變！」即變做三條絲線，每條各長二丈四尺，按二十四氣，托於手內，對唐僧道：「這不是我的金線？」近侍宦官在旁道：「長老且休講口◆，請入宮中診視去來。」行者別了唐僧，隨著近侍入宮看病。正是那：

心有祕方能治國，內藏妙訣注長生。

畢竟這去不知看出甚麼病來，用甚麼藥品。欲知端的，且聽下回分解。

◆懸絲診脈——醫生憑借着從懸絲傳來的手感猜測、感覺脈象，診斷疾病。
草頭方兒——醫藥偏方。 講口——吵鬧。

第六九回

心主夜間修藥物　君王筵上論妖邪

話表孫大聖同近侍宦官到於皇宮內院，直至寢宮門外立定。將三條金線與宦官拿入裡面，吩咐：「教內宮妃后，或近侍太監，先繫在聖躬左手腕下，按寸、關、尺三部上，卻將線頭從窗櫺兒穿出與我。」真個那宦官依此言，請國王坐在龍床，按寸、關、尺，以金線一頭繫了，一頭理出窗外。行者接了線頭，以自己右手大指先托著食指，看了寸脈；次將中指按大指，看了關脈；又將大指托定無名指，看了尺脈。

調停自家呼吸，分定四氣、五鬱、七表、八裡、九候、浮中沉、沉中浮，辨明了虛實之端。又教解下左手，依前繫在右手腕下部位。

行者即以左手指，一一從頭診視畢，卻將身抖了一抖，把金線收上身來。厲聲高呼道：「陛下左手寸脈◆強而緊，關脈◆濇◆而緩，尺脈◆芤◆且沉；右手寸脈浮而滑，關脈遲而結，尺脈數而牢。

「夫左寸強而緊者，中虛心痛也；關濇而緩者，汗出肌麻也；尺芤而沉者，小便赤而大便帶血也。右手寸脈浮而滑者，內結經閉也；關遲而結者，宿食留飲也；尺數而牢者，煩滿虛寒相持也。診此貴恙，是一個驚恐憂思，號為『雙鳥失群』之症。」

那國王在內聞言，滿心歡喜，打起精神，高聲應道：「指下明白！指下明白！果是此疾！請出外面用藥來也。」

◆濇——中醫上稱脈象枯澀遲滯。濇音色。
寸脈、關脈、尺脈——「關」為手腕橈骨突起的位置，「關」之前為「寸」，「關」之後則為「尺」。這個位置的脈動分別稱為寸脈、關脈及尺脈。
芤——脈浮大而軟，按之中央空，兩邊實，即寬大而中間有空虛感的脈搏。芤音摳。

大聖卻才緩步出宮。早有在旁聽見的太監，已先對眾報知。須臾，行者出來，唐僧即問如何。行者道：「診了脈，如今對症製藥哩。」

眾官上前道：「神僧長老適才說『雙鳥失群』之症，何也？」

行者笑道：「有雌雄二鳥，原在一處同飛，忽被暴風驟雨驚散，雌不能見雄，雄不能見雌，雌乃想雄，雄亦想雌：這不是『雙鳥失群』也？」

眾官聞說，齊聲喝采道：「真是神僧！真是神醫！」稱讚不已。

當有太醫官問道：「病勢已看出矣，但不知用何藥治之？」

行者道：「不必執方，見藥就要。」

醫官道：「經云：『藥有八百八味，人有四百四病。』病不在一人之身，藥豈有全用之理！如何見藥就要？」

行者道：「古人云：『藥不執方，合宜而用。』故此全徵藥品，而隨便加減也。」

那醫官不復再言，即出朝門之外，差本衙當值之人，遍曉滿城生熟藥鋪，即將藥品，每味各辦三斤，送與行者。

行者道：「此間不是製藥處，可將諸藥之數並製藥一應器皿，都送入會同館，交與我師弟二人收下。」醫官聽命，即將八百八味每味三斤及藥碾、藥磨、藥羅、藥乳並乳缽、乳槌之類都送至館中，一一交付收訖。

行者往殿上請師父同至館中製藥。那長老正自起身，忽見內宮傳旨，教閣下留住法師，同宿文華殿。待明朝服藥之後，病痊酬謝，倒換關文送行。三藏大驚道：「徒弟啊，此意是留我做當頭◆哩。若醫得好，歡喜起送；若醫不好，我命休矣！你須仔細上心，精虔◆制度也。」

行者笑道：「師父放心在此受用，老孫自有醫國之手。」

好大聖，別了三藏，辭了眾臣，逕至館中。

◆**當頭**—可以典押的東西。當音蕩。頭音投輕聲。　**精虔**—誠敬的樣子。

八戒迎著笑道：「師兄，我知道你了。」行者道：「你知甚麼？」八戒道：「知你取經之事不果，欲作生涯無本，今日見此處富庶，設法要開藥鋪哩。」

行者喝道：「莫胡說！醫好國王，得意處辭朝走路，開甚麼藥鋪！」八戒道：「終不然，這八百八味藥，每味三斤，共計二千四百二十四斤，只醫一人，能用多少？不知多少年代方吃得了哩！」

行者道：「哪裡用得許多？他那太醫院官都是些愚盲之輩，所以取這許多藥品，教他沒處捉摸，不知我用的是那幾味，難識我神妙之方也。」

正說處，只見兩個館使當面跪下道：「請神僧老爺進晚齋。」行者道：「早間那般待我，如今卻跪而請之，何也？」館使叩頭道：「老爺來時，下官有眼無珠，不識尊顏。今聞老爺大展三折之肱，治我一國之主，若主上病愈，老爺江山有分，我輩皆臣子也，禮當拜請。」行者見說，欣然登堂上坐。八戒、沙僧分坐左右。

擺上齋來，沙僧便問道：「師兄，師父在哪裡哩？」行者笑道：「師父被國王留住作當頭哩。只待醫好了病，方才酬謝送行。」沙僧又問：「可有些受用麼？」行者道：「國王豈無受用？我來時，他已有三個閣老陪侍左右，請入文華殿去也。」八戒道：「這等說，還是師父大哩，他倒有閣老陪侍，我們只得兩個館使奉承。且莫管他，讓老豬吃頓飽飯也。」兄弟們遂自在受用一番。天色已晚。行者叫館使：「收了家火，多辦些油蠟，我等到夜靜時，方好製藥。」館使果送若干油蠟，各命散訖。

至半夜，天街人靜，萬籟無聲。八戒道：「哥哥，製何藥？趕早幹事，我瞌睡了。」行者道：「你將大黃取一兩來，碾為細末。」沙僧乃道：「大黃味苦，性寒無毒；其性沉而不浮，其用走而不守；奪諸鬱而無壅滯，定禍亂而致太平；名之曰『將軍』。此行藥餌，但恐久病虛弱，不可用此。」

行者笑道：「賢弟不知。此藥利痰順氣，蕩肚中凝滯之寒熱。你莫管我。你去取一兩巴豆，去殼去膜，捶去油毒，碾為細末來。」

八戒道：「巴豆味辛，性熱，有毒；削堅積，蕩肺腑之沉寒；通閉塞，利水穀之道路，乃斬關奪門之將，不可輕用。」

行者道：「賢弟，你也不知。此藥破結宣腸，能理心膨水脹。快製來，我還有佐使之味輔之也。」

他二人即時將二藥碾細道：「師兄，還用哪幾十味？」

行者道：「不用了。」

八戒道：「八百八味，每味三斤，只用此二兩，誠為起奪◆人了。」

行者將一個花磁盞子，道：「賢弟莫講，你拿這個盞兒，將鍋臍灰◆刮半盞過來。」

八戒道：「要怎的？」行者道：「藥內要用。」

沙僧道：「小弟不曾見藥內用鍋灰。」

行者道：「鍋灰名為『百草霜』，能調百病，你不知道。」那呆子真個刮了半盞，又碾細了。

行者又將盞子遞與他道：「你再去把我們的馬尿等半盞來。」

八戒道：「要他怎的？」行者道：「要丸藥。」

沙僧又笑道：「哥哥，這事不是耍子。馬尿腥臊，如何入得藥品？我只見醋糊為丸，陳米糊為丸，煉蜜為丸，或只是清水為丸，哪曾見馬尿為丸？那東西腥腥臊臊，脾虛的人，一聞就吐；再服巴豆、大黃，弄得人上吐下瀉，可是耍子？」

行者道：「你不知就裡。我那馬不是凡馬，他本是西海龍身。若得他肯去便溺，憑你何疾，服之即愈。但急不可得耳。」

◈**起奪**——拿人開玩笑、耍人的意思。　**鍋臍灰**——鍋底因長期煙薰而生的煙垢。

八戒聞言，真個去到邊前，那馬斜伏地下睡哩。呆子一頓腳踢起，襯在肚下，等了半會，全不見撒尿。他跑將來，對行者說：「哥啊，且莫去醫皇帝，且快去醫醫馬來。那亡人乾結了，莫想尿得出一點兒。」行者笑道：「我和你去。」沙僧道：「我也去看看。」

三人都到馬邊，那馬跳將起來，口吐人言，厲聲高叫道：「師兄，你豈不知？我本是西海飛龍，因為犯了天條，觀音菩薩救了我，將我鋸了角，退了鱗，變做馬，馱師父往西天取經，將功折罪。我若過水撒尿，水中游魚食了成龍；過山撒尿，山中草頭得味變做靈芝，仙童採去長壽。我怎肯在此塵俗之處輕拋卻也？」

行者道：「兄弟謹言。此間乃西方國王，非塵俗也，亦非輕拋棄也。常言道：『眾毛攢裘。』要與本國之王治病哩。醫得好時，大家光輝；不然，恐俱不得善離此地也。」

那馬才叫聲：「等著。」你看他往前撲了一撲，往後蹲了一蹲，咬得那滿口牙齕支支的響亮，僅努出幾點兒，將身立起。

八戒道：「這個亡人，就是金汁子，再撒些兒也罷。」

那行者見有少半盞，道：「夠了！夠了！拿去罷。」沙僧方才歡喜。

三人回至廳上，把前項藥餌攪和一處，搓了三個大丸子。

行者道：「兄弟，忒大了。」

八戒道：「只有核桃大，若論我吃，還不夠一口哩！」遂此收在一個小盒兒裡，兄弟們連衣睡下。一夜無詞，早是天曉。

卻說那國王耽病設朝，請唐僧見了，即命眾官快往會同館參拜神僧孫長老取藥去。多官隨至館中，對行者拜伏於地道：「我王特命臣等拜領妙劑。」

行者叫八戒取盒兒，揭開蓋子，遞與多官。

多官啟問：「此藥何名？好見王回話。」行者道：「此名烏金丹。」八戒二人暗中作笑道：「鍋灰拌的，怎麼不是烏金？」

多官又問道：「用何引子？」

行者道：「藥引兒兩般都下得。有一般易取者，乃六物煎湯送下。」

多官問：「是何六物？」

行者道：「半空飛的老鴉屁，緊水負的鯉魚尿，王母娘娘搽臉粉，老君爐裡煉丹灰，玉皇戴破的頭巾要三塊，還要五根困龍鬚。六物煎湯送此藥，你王憂病等時除。」

多官聞言道：「此物乃世間所無者。請問那一般引子是何？」

行者道：「用無根水送下。」眾官笑道：「這個易取。」

行者道：「怎見得易取？」

多官道：「我這裡人家俗論：若用無根水，將一個碗盞，到井邊或河下，舀了水，急轉步，更不落地，亦不回頭，到家與病人吃藥，便是。」

行者道：「井中河內之水，俱是有根的。我這無根水，非此之論，乃是天上落下者，不沾地就吃，才叫做無根水。」

多官又道：「這也容易。等到天陰下雨時，再吃藥便罷了。」

遂拜謝了行者，將藥持回獻上。

國王大喜，即命近侍接上來，看了道：「此是甚麼丸子？」

多官道：「神僧說是『烏金丹』，用無根水送下。」國王便教宮人取無根水。眾官道：「神僧說，無根水不是井、河中者，乃是天上落下不沾地的才是。」國王即喚當駕官傳旨，教請法官求雨。眾官遵依出榜不題。

卻說行者在會同館廳上，叫豬八戒道：「適間允他天落之水，才可用藥，此時急忙，怎麼得個雨水？我看這王倒也是個大賢大德之君，我與你助他些兒雨下藥，如何？」

八戒道：「怎麼樣助？」

行者道：「你在我左邊立下，做個輔星。」

又叫沙僧：「你在我右邊立下，做個弼宿。等老孫助他些無根水兒。」好大聖，步了罡訣，念聲咒語，早見那正東上一朵烏雲，漸近於頭頂上。叫道：「大聖，東海龍王敖廣來見。」

行者道：「無事不敢捻煩，請你來助些無根水與國王下藥。」

龍王道：「大聖呼喚時，不曾說用水，小龍隻身來了，不曾帶得雨器，亦未有風雲雷電，怎生降雨？」

行者道：「如今用不著風雲雷電，亦不須多雨，只要些須引藥之水便了。」

龍王道：「既如此，待我打兩個噴涕，吐些涎津溢，與他吃藥罷。」

行者大喜道：「最好，最好！不必遲疑，趁早行事。」

那老龍在空中漸漸低下烏雲，直至皇宮之上，隱身潛像，噀一口津唾，遂化作甘霖。

那滿朝官齊聲喝采道：「我主萬千之喜，天公降下甘雨來也！」國王即傳旨，教：「取器皿盛著，不拘宮內外及官大小，都要等貯仙水，拯救寡人。」

你看那文武多官並三宮六院妃嬪與三千綵女、八百嬌娥，一個個擎杯托盞，舉碗持盤，等接甘雨。那老龍在半空運化津涎，不離了王宮前後。將有一個時辰，龍王辭了大聖回海。眾臣將杯盂碗盞收來，也有等著一點兩點者，也有等著三點五點者，也有一點不曾等著者，共合一處，約有三盞之多，總獻至御案。真個是異香滿襲金鑾殿，佳味熏飄天子庭。

那國王辭了法師，將著烏金丹並甘雨至宮中，先吞了一丸，吃了一盞甘雨；再吞了一丸，又飲了一盞甘雨；三次，三丸俱吞了，三盞甘雨俱送下。不多時，腹中作響，如轆轤之聲不絕。即取淨桶，連行了三五次。服了些米飲，攲倒在龍床之上。有兩個妃子將淨桶檢看，說不盡那穢汙痰涎，內有糯米飯塊一團。

◆**輔星**——主星以外，用來輔助整個命盤的星星。

妃子近龍床前來報：「病根都行下來也。」國王聞此言，甚喜，又進一次米飯。

少頃，漸覺胸心寬泰，氣血調和，就精神抖擻，腳力強健。下了龍床，穿上朝服，即登寶殿，見了唐僧，輒倒身下拜。那長老忙忙還禮。拜畢，以御手攙著，便教閣下：「快具簡帖，帖上寫朕『再拜頓首』字樣，差官奉請法師高徒三位。一壁廂大開東閣，光祿寺排宴酬謝。」多官領旨，具簡的具簡，排宴的排宴，正是國家有倒山之力，霎時俱完。

卻說八戒見官投簡，喜不自勝道：「哥啊，果是好妙藥！今來酬謝，乃兄長之功。」

沙僧道：「二哥說哪裡話！常言道：『一人有福，帶挈一屋。』我們在此合藥，俱是有功之人。只管受用去，再休多話。」咦！你看他弟兄們俱歡歡喜喜，逕入朝來。

眾官接引，上了東閣，早見唐僧、國王、閣老，已都在那裡安排筵宴哩。這行者與八戒、沙僧對師父唱了個喏。隨後眾官都至。只見那上面有四張素桌面，都是吃一看十的筵席。前面有一張葷桌面，也是吃一看十的珍饈。左右有四五百張單桌面，真個排得齊整：

古云：「珍饈百味，美祿千鍾。瓊膏酥酪，錦縷肥紅。」

寶妝花彩豔，果品味香濃。
斗糖龍纏列獅仙◈，餅錠拖爐擺鳳侶。
葷有豬羊雞鵝魚鴨般般肉，素有蔬餚筍芽木耳並蘑菇。
幾樣香湯餅，數次透糖酥。
滑軟黃粱飯，清新菰米糊。
色色粉湯香又辣，般般添換美還甜。
君臣舉盞方安席，名分品級慢傳壺。

◈獅仙——獅子、八仙形狀的糖果。現在叫糖人兒、糖獅子。

那國王御手擎杯，先與唐僧安坐。

三藏道：「貧僧不會飲酒。」國王道：「素酒，法師飲此一杯何如？」

三藏道：「酒乃僧家第一戒。」

國王甚不過意道：「法師戒飲，卻以何物為敬？」

三藏道：「頑徒三眾代飲罷。」國王卻才歡喜，轉金卮，遞與行者。行者接了酒，對眾禮畢，吃了一杯。國王見他吃得爽利，又奉一杯。行者不辭，又吃了。

國王笑道：「吃個三寶鍾兒。」行者不辭，又吃了。國王又叫斟上，吃個四季杯兒。

八戒在旁，見酒不到他，忍得他嘓嘓嚥唾。又見那國王苦勸行者，他就叫將起來道：「陛下，吃的藥也虧了我，那藥裡有馬……」這行者聽說，恐怕呆子走了消息，卻將手中酒遞與八戒。八戒接著就吃，卻不言語。

國王問道：「神僧說藥裡有馬，是甚麼馬？」

行者接過口來道：「我這兄弟，是這般口敞。他有個經驗的好方兒，他就要說與人。陛下早間吃藥，內有馬兜鈴。」

國王問眾官道：「馬兜鈴是何品味？能醫何症？」

時有太醫院官在旁道：「主公：兜鈴味苦寒無毒，定喘消痰大有功。通氣最能除血蠱，補虛寧嗽又寬中。」

國王笑道：「用得當，用得當。豬長老再飲一杯。」呆子亦不言語，卻也吃了個三寶鍾。國王又遞了沙僧酒，也吃了三杯，卻俱敘坐。

飲宴多時，國王又擎大爵，奉與行者。

行者道：「陛下請坐。老孫依巡痛飲，決不敢推辭。」

國王道：「神僧恩重如山，寡人酬謝不盡。好歹進此一巨觥，朕有話說。」

行者道：「有甚話說了，老孫好飲。」

國王道：「寡人有數載憂疑病，被神僧一貼靈丹打通，所以就好了。」

行者笑道：「昨日老孫看了陛下，已知是憂疑之疾，但不知憂疑何事？」國王道：「古人云：『家醜不可外談。』奈神僧是朕恩主，惟不笑，方可告之。」

行者道：「怎敢笑話？請說無妨。」

國王道：「神僧東來，不知經過幾個邦國？」

行者道：「經有五六處。」又問：「他國之后，不知是何稱呼。」

行者道：「國王之后，都稱為正宮、東宮、西宮。」

國王道：「寡人不是這等稱呼，將正宮稱為金聖宮，東宮稱為玉聖宮，西宮稱為銀聖宮。現今只有銀、玉二后在宮。」

行者道：「金聖宮因何不在宮中？」國王滴淚道：「不在已三年矣。」

行者道：「向哪廂去了？」

國王道：「三年前，正值端陽之節，朕與嬪后都在御花園海榴亭下解粽插艾，飲菖蒲雄黃酒，看鬥龍舟。忽然一陣風至，半空中現出一個妖精，自稱賽太歲，說他在麒麟山獬豸洞居住，洞中少個夫人，訪得我金聖宮生得貌美嬌姿，要做個夫人，教朕快早送出；如若三聲不獻出來，就要先吃寡人，後吃眾臣，將滿城黎民盡皆吃絕。

「那時節，朕卻憂國憂民，無奈，將金聖宮推出海榴亭外，被那妖響一聲攝將去了。寡人為此著了驚恐，吃那粽子，凝滯在內；況又晝夜憂思不息，所以成此苦疾三年。今得神僧靈丹服後，行了數次，盡是那三年前積滯之物，所以這會體健身輕，精神如舊。今日之命，皆是神僧所賜，豈但如泰山之重而已乎！」

行者聞得此言，滿心喜悅，將那巨觥之酒，兩口吞之，笑問國王曰：「陛下原來是這等驚憂！今遇老孫，幸而獲愈。但不知可要金聖宮回國？」

那國王滴淚道：「朕切切思思，無晝無夜，但只是沒一個能獲得妖精的，豈有不要她回國之理！」

行者道：「我老孫與你去伏妖邪，何如？」

國王跪下道：「若救得朕后，朕願領三宮九嬪，出城為民，將一國江山，盡付神僧，讓你為帝。」

八戒在旁，見出此言，行此禮，忍不住呵呵大笑道：「這皇帝失了體統！怎麼為老婆就不要江山，跪著和尚？」

行者急上前，將國王攙起道：「陛下，那妖精自得金聖宮去後，這一向可曾再來？」

國王道：「他前年五月節攝了金聖宮，至十月間來，要兩個宮娥，說是服侍娘娘，朕即獻出兩個；至舊年三月間，又來要兩個宮娥；七月間，又要去兩個；今年二月裡，又要去兩個。不知到幾時又要來也。」

行者道：「似他這等頻來，你們可怕他麼？」

國王道：「寡人見他來得多遭，一則懼怕，二來又恐有傷害之意。舊年四月內，是朕命工起了一座避妖樓，但聞風響，知是他來，即與二后、九嬪入樓躲避。」

行者道：「陛下不棄，可攜老孫去看那避妖樓一番，何如？」那國王即將左手攜著行者出席。眾官一齊起身。

豬八戒道：「哥哥，你不達理。這般御酒不吃，搖席破坐的，且去看甚麼哩？」國王聞說，情知八戒是為嘴，即命當駕官抬兩張素桌面看酒，在避妖樓外伺候。

呆子卻才不嚷，同師父、沙僧笑道：「翻席◆去也。」

一行文武官引導，那國王並行者相攙，穿過皇宮，到了御花園後，更不見樓臺殿閣。

行者道：「避妖樓何在？」說不了，只見兩個太監拿兩根紅漆扛子，往那空地上掬起一塊四方石板。

國王道：「此間便是。這底下有三丈多深，窐◆成的九間朝殿。內有四個大缸，缸內滿注清油，點著燈火，晝夜不息。寡人聽得風響，就入裡邊躲避，外面著人蓋上石板。」

行者笑道：「那妖精還是不害你；若要害你，這裡如何躲得？」

◆搖席破坐──宴會未結束就中途離席。 窐──同「挖」。 翻席──一席未終，在別處另設一席。

正說間，只見那正南上，呼呼的吹得風響，播土揚塵。諕得那多官齊聲報怨道：「這和尚鹽醬口，講甚麼妖精，妖精就來了！」慌得那國王丟了行者，即鑽入地穴。唐僧也就跟入。眾官亦躲個乾淨。八戒、沙僧也都要躲，被行者左右手扯住他兩個道：「兄弟們不要怕得。我和你認他一認，看是個甚麼妖精。」八戒道：「可是扯淡！認他怎的？眾官躲了，師父藏了，國王避了，我們不去了罷，炫的是哪家世！」那呆子左掙右掙，掙不得脫手。被行者拿定多時，只見那半空裡閃出一個妖精。你看他怎生模樣：

九尺長身多惡獰，一雙環眼閃金燈。
兩輪查耳如撐扇，四個鋼牙似插釘。
鬢繞紅毛眉豎焰，鼻垂糟準孔開明。
髭髯幾縷朱砂線，顴骨崚嶒滿面青。

兩臂紅筋藍靛手，十條尖爪把槍拏。
豹皮裙子腰間繫，赤腳蓬頭若鬼形。

行者見了道：「沙僧，你可認得他？」沙僧道：「我又不曾與他相識，哪裡認得？」又問：「八戒，你可認得他？」八戒道：「我又不曾與他會茶會酒，又不是賓朋鄰里，我怎麼認得他？」行者道：「他卻像東岳天齊手下把門的那個醮面金睛鬼。」八戒道：「不是！不是！」行者道：「你怎知他不是？」八戒道：「鬼乃陰靈也，一日至晚，交申酉戌亥時方出。今日還在巳時，哪裡有鬼敢出來？就是鬼，也不會駕雲。縱會弄風，也只是一陣旋風耳，有這等狂風？或者他就是賽太歲也。」

◆炫的是那家世──炫，誇耀。家世，門閥、世胄。這裡意指充好漢。

行者笑道：「好呆子！倒也有些論頭◈。既如此說，你兩個護持在此，等老孫去問他個名號，好與國王救取金聖宮來朝。」

八戒道：「你去自去，切莫供出我們來。」行者昂然不答，急縱祥光，跳將上去。咦！正是：

安邦先卻君王病，守道須除愛惡心。

畢竟不知此去到於空中，勝敗如何，怎麼擒得妖怪，救得金聖宮，且聽下回分解。

◈論頭——道理、見解。

第七〇回

妖魔寶放煙沙火
悟空計盜紫金鈴

卻說那孫行者抖擻神威，持著鐵棒，踏祥光，起在空中，迎面喝道：「你是哪裡來的邪魔，待往何方猖獗！」

那怪物厲聲高叫道：「吾黨不是別人，乃麒麟山獬豸洞賽太歲大王爺爺部下先鋒，今奉大王令，到此取宮女二名，服侍金聖娘娘。你是何人，敢來問我！」

行者道：「吾乃齊天大聖孫悟空。因保東土唐僧西天拜佛，路過此國，知你這夥邪魔欺主，特展雄才，治國祛邪。正沒處尋你，卻來此送命！」

那怪聞言，不知好歹，展長槍就刺行者。行者舉鐵棒劈面相迎。在半空裡這一場好殺：

棍是龍宮鎮海珍，槍乃人間轉煉鐵。
凡兵怎敢比仙兵，擦著些兒神氣泄。
大聖原來太乙仙，妖精本是邪魔孽。
鬼祟焉能近正人，一正之時邪就滅。
那個弄風播土唬皇王，這個踏霧騰雲遮日月。
丟開架子賭輸贏，無能誰敢誇豪傑！
還是齊天大聖能，乒乓一棍槍先折。

那妖精被行者一鐵棒把根槍打做兩截，慌得顧性命，撥轉風頭，逕往西方敗走。行者且不趕他，按下雲頭，來至避妖樓地穴之外，叫道：「師父，請同陛下出來，怪物已趕去矣！」

那唐僧才扶著君王，同出穴外。見滿天清朗，更無妖邪之氣。那皇帝即至酒席前，自己拿壺把盞，滿斟金杯，奉與行者道：「神僧，權謝！權謝！」

這行者接杯在手，還未回言，只聽得朝門外有官來報：「西門上火起了。」行者聞說，將金杯連酒望空一撇，噹的一聲響亮，那個金杯落地。君王著了忙，躬身施禮道：「神僧，恕罪！恕罪！是寡人不是了。禮當請上殿拜謝，只因有這方便酒在此，故就奉耳。神僧卻把杯子撇了，卻不是有見怪之意？」

行者笑道：「不是這話，不是這話。」

少頃間，又有官來報：「好雨呀，才西門上起火，被一場大雨，把火滅了。滿街上流水，盡都是酒氣。」

行者又笑道：「陛下，你見我撇杯，疑有見怪之意，非也。那妖敗走西方，我不曾趕他，他就放起火來。這一杯酒，卻是我滅了妖火，救了西城裡外人家，豈有他意！」

國王更十分歡喜加敬。即請三藏四眾，同上寶殿，就有推位讓國之意。

行者笑道：「陛下，才那妖精，他稱是賽太歲部下先鋒，來此取宮女的。他如今戰敗而回，定然報與那廝，那廝定要來與我相爭。我恐他一時興師率眾，未免又驚傷百姓，恐諕陛下，欲去迎他一迎，就在那半空中擒了他，取回聖后。但不知向哪方去？這裡到他那山洞有多少遠近？」

國王道：「寡人曾差夜不收◈軍馬到那裡探聽聲息，往來要行五十餘日。坐落南方，約有三千餘里。」

行者聞言，叫：「八戒、沙僧護持在此，老孫去來。」

國王扯住道：「神僧且從容一日，待安排些乾糧烘炒，與你些盤纏銀兩，選一匹快馬，方才可去。」

行者笑道：「陛下說得是巴山轉嶺步行之話。我老孫不瞞你說，似這三千里路，斟酒在鍾不冷，就打個往回。」

國王道：「神僧，你不要怪我說。你這尊貌，卻像個猿猴一般，怎生有

◈夜不收——從前軍中司巡邏、偵察之事的人。

這等法力會走路也？」

行者道：「我身雖是猿猴數，自幼打開生死路。遍訪明師把道傳，山前修煉無朝暮。倚天為頂地為爐，兩般藥物團烏兔。採取陰陽水火交，時間頓把玄關悟。全仗天罡搬運功，也憑斗柄遷移步。退爐進火最依時，抽鉛添汞相交顧。攢簇五行造化生，合和四象分時度。二氣歸於黃道間，三家會在金丹路。悟通法律歸四肢，本來觔斗如神助。一縱縱過太行山，一打打過凌雲渡。何愁峻嶺幾千重，不怕長江百十數。只因變化沒遮攔，一打十萬八千路！」

那國王見說，又驚又喜，笑吟吟捧著一杯御酒遞與行者道：「神僧遠勞，進此一杯引意。」這大聖一心要去降妖，哪裡有心吃酒，只叫：「且放下，等我去了回來再飲。」好行者，說聲去，唿哨一聲，寂然不見。那一國君臣，皆驚訝不題。

卻說行者將身一縱，早見一座高山阻住霧角。即按雲頭，立在那巔峰之上，仔細觀看，好山：

沖天占地，凝日生雲。
沖天處，尖峰矗矗；占地處，遠脈迢迢。
凝日的，乃嶺頭松鬱鬱；生雲的，乃崖下石磷磷。
松鬱鬱，四時八節常青；石磷磷，萬載千年不改。
林中每聽夜猿啼，澗內常聞妖蟒過。
山禽聲咽咽，山獸吼呼呼。
山獐山鹿，成雙作對紛紛走；
山鴉山鵲，打陣◆攢群密密飛。
山草山花看不盡，山桃山果映時新。
雖然倚險不堪行，卻是妖仙隱逸處。

◆打陣──禽、獸在天空、陸地成群密集。

這大聖看看不厭，正欲找尋洞口，只見那山凹裡烘烘火光飛出，霎時間，撲天紅焰，紅焰之中冒出一股惡煙，比火更毒。好煙！但見那：

火光迸萬點金燈，火焰飛千條紅虹。
那煙不是灶筒煙，不是草木煙，煙卻有五色：青紅白黑黃。
熏著南天門外柱，燎著靈霄殿上梁。
燒得那窩中走獸連皮爛，林內飛禽羽盡光。
但看這煙如此惡，怎入深山伏怪王？

孫大聖正自恐懼，又見那山中迸出一道沙來。好沙，真個是遮天蔽日！你看：

紛紛絯絯遍天涯，鄧鄧渾渾大地遮。
細塵到處迷人目，粗灰滿谷滾芝麻。
採藥仙童迷失伴，打柴樵子沒尋家。
手中就有明珠現，時間刮得眼生花。

這行者只顧看玩，不覺沙灰飛入鼻內，癢斯斯的，打了兩個噴嚏。即回頭，伸手在岩下摸了兩個鵝卵石，塞住鼻子。搖身一變，變做一個攢火◆的鷂子，飛入煙火中間，驀◆了幾驀，卻就沒了沙灰，煙火也息了。急現本相下來，又看時，只聽得丁丁東東的一個銅鑼聲響。卻道：「我走錯了路也！這裡不是妖精住處。鑼聲似鋪兵◆之鑼，想是通國的大路，有鋪兵去下文書。且等老孫去問他一問。」

正走處，忽見是個小妖兒，擔著黃旗，背著文書，敲著鑼兒，急走如飛而來。

行者笑道：「原來是這廝打鑼。他不知送的是甚麼書信，等我聽他一聽。」好大聖，搖身一變，變做個猛蟲兒，輕輕的飛在他書包之上。

◆絯絯—形容叢聚。絯音該。　**鄧鄧渾渾**—形容混沌不清的樣子。
攢火—古代的一種守城器具。用以燒敵。　**驀**—突然穿入。　**鋪兵**—巡邏的士兵。

只聽得那妖精敲著鑼，絮絮聒聒的自念自誦道：「我家大王忒也心毒。三年前到朱紫國強奪了金聖皇后，一向無緣，未得沾身，只苦了要來的宮女頂缸。兩個來弄殺了，四個來也弄殺了。前年要了，去年又要，今年又要，如今還要。卻撞個對頭來了，那個要宮女的先鋒被個甚麼孫行者打敗了，不發宮女。

「我大王因此發怒，要與他國爭持，教我去下甚麼戰書。這一去，那國王不戰則可，戰必不利。我大王使煙火飛沙，那國王君臣百姓等，莫想一個得活。那時我等占了他的城池，大王稱帝，我等稱臣。雖然也有個大小官爵，只是天理難容也！」

行者聽了，暗喜道：「妖精也有存心好的。似他後邊這兩句話，說『天理難容』，卻不是個好的？但只說金聖皇后一向無緣，未得沾身，此話卻不解其意。等我問他一問。」

嚶的一聲，一翅飛離了妖精，轉向前路，有十數里地，搖身一變，又變做一個道童：

頭挽雙丫髻，身穿百衲衣。手敲魚鼓簡◈，口唱道情詞。

轉山坡，迎著小妖，打個起手道：「長官，哪裡去？送的是甚麼公文？」那妖物就像認得他的一般，住了鑼槌，笑嘻嘻的還禮道：「我大王差我到朱紫國下戰書的。」

行者接口問道：「朱紫國那話兒，可曾與大王配合哩？」小妖道：「自前年攝得來，當時就有一個神仙，送一件五彩仙衣與金聖宮妝新。她自穿了那衣，就渾身上下都生了針刺，我大王摸也不敢摸她一摸。但挽著些兒，手心就痛，不知是甚緣故。自始至今，尚未沾身。早間差先鋒去要宮女服侍，被一個甚麼孫行者戰敗了。大王奮怒◈，所以教我去下戰書，明日與他交戰也。」

◈**魚鼓簡**—樂器名。截竹為筒，一端蒙已魚皮，以右手拍之；另以二竹片對敲以和之。為江湖唱道情者常用的樂器。 **奮怒**—震怒、盛怒。

行者道：「怎的大王卻著惱呵？」

小妖道：「正在那裡著惱哩。你去與他唱個道情詞兒，解解悶也。」

好行者，拱手抽身就走。那妖依舊敲鑼前行。行者就行起凶來，掣出棒，復轉身，望小妖腦後一下，可憐，就打得頭爛血流漿迸出，皮開頸折命傾之。收了棍子，卻又自悔道：「急了些兒！不曾問他叫做甚麼名字。罷了。」卻去取下他的戰書，藏於袖內。將他黃旗、銅鑼藏在路旁草裡。因扯著腳要往澗下摔時，只聽噹的一聲，腰間露出一個鑲金的牙牌。牌上有字，寫道：「心腹小校一名，有來有去。五短身材，扢撻臉，無鬚。長川◆懸掛，無牌即假。」

行者笑道：「這廝名字叫做有來有去，這一棍子，打得有去無來！」將牙牌解下，帶在腰間。欲要摔下屍骸，卻又思量起煙火之毒。且不敢尋他洞府，即將棍子舉起，著小妖胸前搗了一下，挑在空中，逕回本國，且當報一個頭功。你看他自思自念，唿哨一聲，到了國界。

那八戒在金鑾殿前正護持著王、師，忽回頭看見行者半空中將個妖精挑來，他卻怨道：「噯！不打緊的買賣。早知老豬去拿來，卻不算我一功？」說未畢，行者按落雲頭，將妖精摔在階下。

八戒跑上去，就築了一鈀道：「此是老豬之功！」

行者道：「是你甚功？」

八戒道：「莫賴我，我有證見，你不看一鈀築了九個眼子哩！」

行者道：「你看看可有頭沒頭。」

八戒笑道：「原來是沒頭的！我道如何築他也不動動兒。」

行者道：「師父在哪裡？」八戒道：「在殿裡與王敘話哩。」

行者道：「你且去請他出來。」八戒急上殿，點點頭。三藏即便起身下殿，迎著行者。

行者將一封戰書揣在三藏袖裡道：「師父收下，且莫與國王看見。」

◆長川──永遠、長久。

說不了，那國王也下殿，迎著行者道：「神僧長老來了！拿妖之事如何？」

行者用手指道：「那階下不是妖精？被老孫打殺了也。」

國王見了道：「是便是個妖屍，卻不是賽太歲。賽太歲，寡人親見他兩次，身長丈八，膊闊五停；面似金光，聲如霹靂。哪裡是這般鄙矮？」

行者笑道：「陛下認得，果然不是。這是一個報事的小妖，撞見老孫，卻先打死，挑回來報功。」

國王大喜道：「好！好！好！該算頭功。寡人這裡常差人去打探，更不曾得個的實。似神僧一出，就捉了一個回來，真神通也！」叫：「看暖酒來！與長老賀功。」

行者道：「吃酒還是小事。我問陛下，金聖宮別時，可曾留下個甚麼表記？你與我些兒。」

那國王聽說「表記」二字，卻似刀劍剜心，忍不住失聲淚下，說道：「當年佳節慶朱明，太歲凶妖發喊聲。強奪御妻為壓寨，寡人獻出為蒼生。更無會話並離話，哪有長亭共短亭？表記香囊全沒影，至今撇我苦伶仃。」

行者道：「陛下在邇，何以為惱？那娘娘既無表記，她在宮內可有甚麼心愛之物？與我一件也罷。」

國王道：「你要怎的？」

行者道：「那妖王實有神通，我見他放煙、放火、放沙，果是難收。縱收了，又恐娘娘見我面生，不肯跟我回國。須是得她平日心愛之物一件，她方信我，我好帶她回來。為此故要帶去。」

國王道：「昭陽宮裡梳妝閣上，有一雙黃金寶串，原是金聖宮手上戴的。只因那日端午要縛五色彩線，故此褪下，不曾戴上。此乃是她心愛之物，如今現收在減妝盒◆裡。寡人見她遭此離別，更不忍見；一見即如見

◆減妝盒——古代婦女梳妝盒。

她玉容，病又重幾分也。」

行者道：「且休題這話，且將金串取來。如捨得，都與我拿去；如不捨，只拿一只去也。」國王遂命玉聖宮取出。取出即遞與國王。

國王見了，叫了幾聲「知疼著熱的娘娘」，遂遞與行者。行者接了，套在肐膊上。

好大聖，不吃得功酒，且駕觔斗雲，唿哨一聲，又至麒麟山上。無心玩景，逕尋洞府而去。正行時，只聽得人語喧嚷，即佇立凝睛觀看。原來那獬豸洞口把門的大小頭目，約摸有五百名，在那裡：

森森羅列，密密挨排。
森森羅列執干戈，映日光明；密密挨排展旌旗，迎風飄閃。
虎將熊師能變化，豹頭彪帥弄精神。
蒼狼多猛烈，獺象更驍雄。
狡兔乖獐掄劍戟，長蛇大蟒挎刀弓。

猩猩能解人言語，引陣安營識汛風。

行者見了，不敢前進，抽身逕轉舊路。你道他抽身怎麼？不是怕他。他卻至那打死小妖之處，尋出黃旗、銅鑼，迎風捏訣，想像騰挪，即搖身一變，變做那有來有去的模樣，乒乓敲著鑼，大踏步，一直前來，逕撞至獬豸洞。正欲看看洞景，只聞得猩猩出語道：「有來有去，你回來了？」

行者只得答應道：「來了。」

猩猩道：「快走，大王爺爺正在剝皮亭上等你回話哩。」

行者聞言，拽開步，敲著鑼，逕入前門裡看處，原來是懸崖削壁，石屋虛堂，左右有琪花瑤草，前後多古柏喬松。不覺又至二門之內，忽抬頭，見一座八窗明亮的亭子，亭子中間有一張戧金◆的交椅，椅子上端坐著一

◆知疼著熱——形容非常關愛體貼。　戧金——器物上嵌金為飾。戧音嗆。

個魔王，真個生得惡像。但見他：

晃晃霞光生頂上，威威殺氣迸胸前。
口外獠牙排利刃，鬢邊焦髮放紅煙。
嘴上髭鬚如插箭，遍體昂毛似疊氈。
眼突銅鈴欺太歲，手持鐵杵若摩天。

行者見了，公然傲慢那妖精，更不循一些兒禮法。調轉臉，朝著外，只管敲鑼。

妖王問道：「你來了？」

行者不答。又問：「有來有去，你來了？」也不答應。

妖王上前扯住道：「你怎麼到了家還篩鑼？問之又不答，何也？」

行者把鑼往地下一摜道：「甚麼『何也』、『何也』？我說我不去，你卻教我去。行到那廂，只見無數的人馬列成陣勢，見了我，就都叫：『拿妖精！拿妖精！』把我推推扯扯，拽拽扛扛，拿進城去。見了那國王，國王便教：『斬了！』幸虧那兩班謀士道：『兩家相爭，不斬來使。』把我饒了。收了戰書，又押出城外，對軍前打了三十順腿，放我來回話。他那裡不久就要來此與你交戰哩！」

妖王道：「這等說，是你吃虧了，怪不道問你更不言語。」

行者道：「卻不是怎的？只為護疼，所以不曾答應。」

妖王道：「那裡有多少人馬？」

行者道：「我也諕昏了，又吃他打怕了，哪裡曾查他人馬數目！只見那裡森森兵器擺列著：弓箭刀槍甲與衣，干戈劍戟並纓旗。剽槍月鏟兜鍪鎧，大斧團牌鐵蒺藜。長悶棍，短窩槌，鋼叉銃鉋及頭盔。打扮得䩺鞋護頂並胖襖，簡鞭袖彈與銅鎚。」

那王聽了笑道：「不打緊！不打緊！似這般兵器，一火皆空。你且去報

◆篩鑼—此形容頑皮、裝模作樣。

與金聖娘娘得知，教她莫惱。今早她聽見我發狠，要去戰鬥，她就眼淚汪汪的不乾。你如今去說那裡人馬驍勇，必然勝我，且寬她一時之心。」

行者聞言，十分歡喜道：「正中老孫之意。」

你看他偏是路熟，轉過角門，穿過廳堂。那裡邊盡都是高堂大廈，更不似前邊的模樣。直到後邊宮裡，遠見彩門壯麗，乃是金聖娘娘住處。直入裡面看時，有兩班妖狐、妖鹿，一個個都妝成美女之形，侍立左右。正中間坐著那個娘娘，手托著香腮，雙眸滴淚。果然是：

玉容嬌嫩，美貌妖嬈。
懶梳妝，散鬢堆鴉；怕打扮，釵環不戴。
面無粉，冷淡了胭脂；髮無油，蓬鬆了雲鬢。
努櫻唇，緊咬銀牙；皺蛾眉，淚淹星眼。
一片心，只憶著朱紫君王；一時間，恨不離天羅地網。
誠然是：自古紅顏多薄命，懨懨無語對東風。

行者上前打了個問訊道：「接喏。」

那娘娘道：「這潑村怪，十分無狀。想我在那朱紫國中，與王同享榮華之時，那太師、宰相見了，就俯伏塵埃，不敢仰視。這野怪怎麼叫聲『接喏』？是哪裡來的這般村潑？」

眾侍婢上前道：「太太息怒。他是大王爺爺心腹的小校，喚名有來有去。今早差下戰書的是他。」

娘娘聽說，忍怒問曰：「你下戰書，可曾到朱紫國界？」

行者道：「我持書直至城裡，到於金鑾殿，面見君王，已討回音來也。」

娘娘道：「你面君，君有何言？」

行者道：「那君王敵戰之言，與排兵布陣之事，才與大王說了。只是那君王有思想娘娘之意，有一句合心的話兒，特來上稟。奈何左右人眾，不是說處。」

娘娘聞言，喝退兩班狐、鹿。

行者掩上宮門，把臉一抹，現了本相，對娘娘道：「妳休怕我。我是東土大唐差往大西天天竺國雷音寺見佛求經的和尚。我師父是唐王御弟唐三藏。我是他大徒弟孫悟空。因過妳國倒換關文，見妳君臣出榜招醫，是我大施三折之肱，把他相思之病治好了，排宴謝我。飲酒之間，說出妳被妖攝來。我會降龍伏虎，特請我來捉怪，救妳回國。那戰敗先鋒是我，打死小妖也是我。我見他門外凶狂，是我變做有來有去模樣，捨身到此，與妳通信。」那娘娘聽說，沉吟不語。

行者取出寶串，雙手奉上道：「妳若不信，看此物何來？」

娘娘一見垂淚，下座拜謝道：「長老，你果是救得我回朝，沒齒不忘大恩。」

行者道：「我且問妳，他那放火、放煙、放沙的，是件甚麼寶貝？」

娘娘道：「哪裡是甚寶貝，乃是三個金鈴。他將頭一個晃一晃，有三百丈火光燒人；第二個晃一晃，有三百丈煙光熏人；第三個晃一晃，有三百丈黃沙迷人。煙火還不打緊，只是黃沙最毒，若鑽入人鼻孔，就傷了性命。」

行者道：「利害！利害！我曾經著，打了兩個噎噴，卻不知他的鈴兒放在何處？」

娘娘道：「他哪肯放下，只是帶在腰間，行住坐臥，再不離身。」

行者道：「妳若有意於朱紫國，還要相會國王，把那煩惱憂愁，都且權解，使出個風流喜悅之容，與他敘個夫妻之情，教他把鈴兒與妳收貯。待我取便偷了，降了這妖怪，那時節，好帶妳回去，重諧鸞鳳，共享安寧也。」

那娘娘依言。

這行者還變做心腹小校，開了宮門，喚進左右侍婢。娘娘叫：「有來有去，快往前亭請你大王來，與他說話。」

好行者，應了一聲，即至剝皮亭，對妖精道：「大王，聖宮娘娘有請。」

妖王歡喜道：「娘娘常時只罵，怎麼今日有請？」

行者道：「那娘娘問朱紫國王之事，是我說：『他不要妳了，他國中另扶了皇后。』娘娘聽說，故此沒了想頭，方才命我來奉請。」

妖王大喜道：「你卻中用。待我剿除了他國，封你為個隨朝的太宰。」

行者順口謝恩，疾與妖王來至後宮門首。那娘娘歡容迎接，就去用手相攙。那妖王喏喏而退道：「不敢！不敢！多承娘娘下愛，我怕手痛，不敢相傍。」

娘娘道：「大王請坐，我與你說。」妖王道：「有話但說不妨。」娘娘道：「我蒙大王辱愛，今已三年，未得共枕同衾。也是前世之緣，做了這場夫妻。誰知大王有外我之意，不以夫妻相待。我想著當時在朱紫國為后，外邦凡有進貢之寶，君看畢，一定與后收之。你這裡更無甚麼寶貝，左右穿的是貂裘，吃的是血食，哪曾見綾錦金珠？

「只一味鋪皮蓋毯。或者就有些寶貝，你因外我，也不教我看見，也不與我收著。且如聞得你有三個鈴鐺，想就是件寶貝，你怎麼走也帶著，坐也帶著？你就拿與我收著，待你用時取出，未為不可。此也是做夫妻一場，也有個心腹相托之意。如此不相托付，非外我而何？」妖王大笑陪禮道：「娘娘怪得是，怪得是！寶貝在此，今日就當付妳收之。」便即揭衣取寶。行者在旁，眼不轉睛，看著那怪揭起兩三層衣服，貼身帶著三個鈴兒。他解下來，將些綿花塞了口兒，把一塊豹皮作一個包袱兒包了，遞與娘娘道：「物雖微賤，卻要用心收藏，切不可搖晃著它。」娘娘接過手道：「我曉得。安在這妝臺之上，無人搖動。」叫：「小的們，安排酒來，我與大王交歡會喜，飲幾杯兒。」眾侍婢聞言，即鋪排果菜，擺上些獐犯鹿兔之肉，將椰子酒斟來奉上。那娘娘做出妖嬈之態，哄著精靈。

孫行者在旁取事，但挨挨摸摸，行近妝臺，把三個金鈴輕輕拿過，慢慢移步，溜出宮門，逕離洞府。到了剝皮亭前無人處，展開豹皮幅子看時，中間一個有茶鍾大，兩頭兩個有拳頭大。

他不知利害，就把綿花扯了。只聞得噹的一聲響亮，骨都都的迸出煙、火、黃沙，急收不住，滿亭中烘烘火起。

諕得那把門精怪一擁撞入後宮，驚動了妖王，慌忙教：「去救火！救火！」出來看時，原來是有來有去拿了金鈴兒哩。

妖王上前喝道：「好賤奴！怎麼偷了我的金鈴寶貝，在此胡弄！」叫：「拿來！拿來！」那門前虎將、熊師、豹頭、彪帥、獺象、蒼狼、乖獐、狡兔、長蛇、大蟒、猩猩，帥眾妖一齊攢簇。

那行者慌了手腳，丟了金鈴，現出本像，掣出金箍如意棒，撒開解數，往前亂打。那妖王收了寶貝，傳號令，教：「關了前門。」

眾妖聽了，關門的關門，打仗的打仗。那行者難得脫身，收了棒，搖身一變，變做個痴蒼蠅兒，釘在那無火石壁上。

眾妖尋不見，報道：「大王，走了賊也！走了賊也！」

妖王問：「可曾自門裡走出去？」

眾妖都說：「前門緊鎖牢拴在此，不曾走出。」

妖王只說：「仔細搜尋。」有的取水潑火，有的仔細搜尋，更無蹤跡。

妖王怒道：「是個甚麼賊子？好大膽，變做有來有去的模樣，進來見我回話，又跟在身邊，乘機盜我寶貝。早是不曾拿將出去。若拿出山頭，見了天風，怎生是好？」

虎將上前道：「大王的洪福齊天，我等的氣數不盡，故此知覺了。」

熊師上前道：「大王，這賊不是別人，定是那戰敗先鋒的那個孫悟空。想必路上遇著有來有去，傷了性命，奪了黃旗、銅鑼、牙牌，變做他的模樣，到此欺騙了大王也。」

妖王道：「正是，正是，見得有理。」叫：「小的們，仔細搜求防避，切莫開門放出走了。」這才是個有分教：

弄巧翻成拙，作耍卻為真。

畢竟不知孫行者怎麼脫得妖門，且聽下回分解。

第七一回

行者假名降怪犼
觀音現像伏妖王

色即空兮自古，空言是色如然。
人能悟徹色空禪，何用丹砂炮煉。
德行全修休懈，工夫苦用熬煎。
有時行滿始朝天，永駐仙顏不變。

話說那賽太歲緊關了前後門戶，搜尋行者。直嚷到黃昏時分，不見蹤跡。坐在那剝皮亭上，點聚群妖，發號施令，都教各門上提鈴喝號，擊鼓敲梆；一個個弓上弦，刀出鞘，支更坐夜。

原來孫大聖變做個痴蒼蠅，釘在門旁。見前面防備甚緊，他即抖開翅，飛入後宮門首看處，見金聖娘娘伏在御案上，清清滴淚，隱隱聲悲。行者飛進門去，輕輕的落在她那烏雲散髩之上，聽她哭的甚麼。

少頃間，那娘娘忽失聲道：「主公啊，我和你前生燒了斷頭香◆，今世遭逢潑怪王。拆鳳三年何日會？分鴛兩處致悲傷。差來長老才通信，驚散佳姻一命亡。只為金鈴難解識，相思又比舊時狂。」

行者聞言，即移身到她耳根後，悄悄的叫道：「聖宮娘娘，妳休恐懼。我還是妳國差來的神僧孫長老，未曾傷命。只因自家性急，近妝臺偷了金鈴，妳與妖王吃酒之時，我卻脫身私出了前亭，忍不住打開看看。不期扯動那塞口的綿花，那鈴響一聲，迸出煙、火、黃沙。

「我就慌了手腳，把金鈴丟了，現出原身，使鐵棒，苦戰不出，恐遭毒手，故變做一個蒼蠅兒，釘在門樞上，躲到如今。那妖王愈加嚴緊，不肯

◆斷頭香─斷折的線香或棒香。俗謂以斷頭香供佛，來生會得與親人離散的果報。

開門。妳可再以夫妻之禮，哄他進來安寢，我好脫身行事，別作區處救妳也。」

娘娘一聞此言，戰兢兢，髮似神揪；虛怯怯，心如杵築。淚汪汪的道：「你如今是人是鬼？」

行者道：「我也不是人，我也不是鬼，如今變做個蒼蠅兒在此。妳休怕，快去請那妖王也。」

娘娘不信，淚滴滴，悄語低聲道：「你莫魘寐我。」

行者道：「我豈敢魘寐妳？妳若不信，展開手，等我跳下來妳看。」那娘娘真個把左手張開，行者輕輕飛下。落在她玉掌之間，好便似：

菡萏蕊頭釘黑豆，牡丹花上歇遊蜂；

繡球心裡葡萄落，百合枝邊黑點濃。

金聖宮高擎玉掌，叫聲：「神僧。」

行者嚶嚶的應道：「我是神僧變的。」那娘娘方才信了。

悄悄的道：「我去請那妖王來時，你卻怎生行事？」行者道：「古人云：『斷送一生惟有酒。』又云：『破除萬事無過酒。』酒之為用多端，妳只以飲酒為上。妳將那貼身的侍婢喚一個進來，指與我看，我就變做她的模樣，在旁邊服侍，卻好下手。」

那娘娘真個依言，即叫：「春嬌何在？」那屏風後轉出一個玉面狐狸來，跪下道：「娘娘喚春嬌有何使令？」娘娘道：「妳去叫他們來點紗燈，焚腦麝◆，扶我上前庭，請大王安寢也。」那春嬌即轉前面，叫了七八個怪鹿妖狐，打著兩對燈籠、一對提爐，擺列左右。娘娘欠身叉手，那大聖早已飛去。好行者，展開翅，逕飛到那玉面狐狸頭上，拔下一根毫毛，吹口仙氣，叫：「變！」變做一個瞌睡蟲，輕

◆**腦麝**——龍腦與麝香的並稱。亦泛指此類香料。

輕的放在她臉上。

原來瞌睡蟲到了人臉上，往鼻孔裡爬，爬進孔中，即瞌睡了。那春嬌果然漸覺困倦，立不住腳，搖樁打盹，即忙尋著原睡處，丟倒頭，只情呼呼的睡起。行者跳下來，搖身一變，變做那春嬌一般模樣，轉屏風，與眾排立不題。

卻說那金聖宮娘娘往前正走，有小妖看見，即報賽太歲道：「大王，娘娘來了。」那妖王急出剝皮亭外迎迓。

娘娘道：「大王啊，煙火既息，賊已無蹤，深夜之際，特請大王安置。」那妖滿心歡喜道：「娘娘珍重。卻才那賊乃是孫悟空。他敗了我先鋒，打殺我小校，變化進來，哄了我們。我們這般搜檢，他卻渺無蹤跡，故此心上不安。」

娘娘道：「那廝想是走脫了。大王放心勿慮，且自安寢去也。」妖精見娘娘侍立敬請，不敢堅辭，只得吩咐群妖，各要小心火燭，謹防盜賊，遂與娘娘逕往後宮。行者假變春嬌，從兩班侍婢引入。

娘娘叫：「安排酒來與大王解勞。」

妖王笑道：「正是，正是。快將酒來，我與娘娘壓驚。」假春嬌即同眾怪鋪排了果品，整頓些腥肉，調開桌椅。那娘娘擎杯，這妖王也以一杯奉上，二人穿換了酒杯。

假春嬌在旁，執著酒壺道：「大王與娘娘今夜才遞交杯盞，請各飲乾，穿個雙喜杯兒。」

真個又各斟上，又飲乾了。假春嬌又道：「大王娘娘喜會，眾侍婢會唱的供唱，善舞的起舞來耶。」說未畢，只聽得一派歌聲，齊調音律，唱的唱，舞的舞。他兩個又飲了許多，娘娘叫住了歌舞。眾侍婢分班，出屏風外擺列。惟有假春嬌執壺，上下奉酒。娘娘與那妖王專說的是夫妻之話。你看那娘娘一片雲情雨意，哄得那妖王骨軟筋麻。

只是沒福，不得沾身。可憐！真是貓咬尿胞空歡喜。

敘了一會，笑了一會，娘娘問道：「大王，寶貝不曾傷損麼？」

妖王道：「這寶貝乃先天摶鑄之物，如何得損？只是被那賊扯開塞口之綿，燒了豹皮包袱也。」

娘娘說：「怎生收拾？」妖王道：「不用收拾，我帶在腰間哩。」

假春嬌聞得此言，即拔下毫毛一把，嚼得粉碎，輕輕挨近妖王，將那毫毛放在他身上，吹了三口仙氣，暗暗的叫：「變！」那些毫毛即變做三樣惡物，乃虱子、虼蚤、臭蟲，攻入妖王身內，挨著皮膚亂咬。

那妖王燥癢難禁，伸手入懷揣摸揉癢，用指頭捏出幾個虱子來，拿近燈前觀看。

娘娘見了，含忖◆道：「大王，想是襯衣髒了，久不曾漿洗，故生此物耳。」

妖王慚愧道：「我從來不生此物，可可的今宵出醜。」

娘娘笑道：「大王何為出醜？常言道：『皇帝身上也有三個御虱』哩。且脫下衣服來，等我替你捉捉。」妖王真個解帶脫衣。

假春嬌在旁，著意看著那妖王身上衣服，層層皆有虼蚤跳，件件皆排大臭蟲；子母虱密密濃濃，就如螻蟻出窩中。不覺的揭到第三層見肉之處，那金鈴上紛紛垓垓的，也不勝其數。

假春嬌道：「大王，拿鈴子來，等我也與你捉捉虱子。」那妖王一則羞，二則慌，卻也不認得真假，將三個鈴兒遞與假春嬌。假春嬌接在手中，賣弄多時，見那妖王低著頭抖這衣服，他即將金鈴藏了，拔下一根毫毛，變做三個鈴兒，一般無二，拿向燈前翻檢。卻又把身子扭扭捏捏的抖了一抖，將那虱子、臭蟲、虼蚤，收了歸在身上，把假金鈴兒遞與那怪。

那怪接在手中，一發朦朧無措，哪裡認得甚麼真假，雙手托著那鈴兒，遞與娘娘道：「今番妳卻收好了，卻要仔細仔細，不要像前一番。」那娘娘接過來，輕輕的揭開衣箱，把那假鈴收了，用黃金鎖鎖了。卻又與

◈貓咬尿胞空歡喜——比喻一無所獲。尿胞，尿脬。 含忖——譏笑、揭短。

妖王飲了幾杯酒，教侍婢：「淨拂牙床◆，展開錦被，我與大王同寢。」

那妖王喏喏連聲道：「沒福！沒福！不敢奉陪。我還帶個宮女往西宮裡睡去，娘娘請自安置。」遂此各歸寢處不題。

卻說假春嬌得了手，將他寶貝帶在腰間，現了本相，把身子抖一抖，收去那個瞌睡蟲兒，逕往前走。只聽得梆鈴齊響，緊打三更。好行者，捏著訣，念動真言，使個隱身法，直至門邊，又見那門上拴鎖甚密。卻就取出金箍棒，望門一指，使出那解鎖之法，那門就輕輕開了。

急拽步出門站下，厲聲高叫道：「賽太歲，還我金聖娘娘來。」連叫兩三遍，驚動大小群妖，急急看處，前門開了。即忙掌燈尋鎖，把門兒依然鎖上。著幾個跑入裡邊去報道：「大王！有人在大門外呼喚大王尊號，要金聖娘娘哩！」

那裡邊侍婢即出宮門，悄悄的傳言道：「莫吆喝，大王才睡著了。」

行者又在門前高叫，那小妖又不敢去驚動。如此者三四遍，俱不敢去通報。那大聖在外嚷嚷鬧鬧的，直弄到天曉。忍不住，手掄著鐵棒，上前打門。慌得那大小群妖頂門的頂門，報信的報信。那妖王一覺方醒，只聞得亂攛攛的喧譁，起身穿了衣服，即出羅帳之外，問道：「嚷甚麼？」眾侍婢才跪下道：「爺爺，不知是甚人在洞外叫罵了半夜，如今卻又打門。」

妖王走出宮門，只見那幾個傳報的小妖慌張張的磕頭道：「外面有人叫罵，要金聖宮娘娘哩；若說半個『不』字，他就說出無數的歪話◆，甚不中聽。見天曉大王不出，逼得打門也。」那妖道：「且休開門。你去問他是哪裡來的？姓甚名誰？快來回報。」小妖急出去，隔門問道：「打門的是誰？」行者道：「我是朱紫國拜請來的外公，來取聖宮娘娘回國哩！」那小妖聽

◆牙床—上有象牙雕刻裝飾的床。　歪話—不合理的話。

得，即以此言回報。那妖隨往後宮，查問來歷。

原來那娘娘才起來，還未梳洗，早見侍婢來報：「爺爺來了。」那娘娘急整衣，散挽黑雲，出宮迎迓。

才坐下，還未及問，又聽得小妖來報：「那來的外公已將門打破矣。」

那妖笑道：「娘娘，妳朝中有多少將帥？」

娘娘道：「在朝有四十八衛人馬，良將千員；各邊上元帥總兵，不計其數。」妖王道：「可有個姓外的麼？」

娘娘道：「我在宮，只知內裡輔助君王，早晚教誨妃嬪，外事無邊，我怎記得名姓？」

妖王道：「這來者稱為『外公◆』，我想著《百家姓》上，更無個姓外的。娘娘賦性聰明，出身高貴，居皇宮之中，必多覽書籍。記得哪本書上有此姓也？」

娘娘道：「只《千字文》上有句『外受傅訓』，想必就是此矣。」

妖王喜道：「定是！定是！」即起身辭了娘娘，到剝皮亭上，結束整齊，點出妖兵，開了門，直至外面，手持一柄宣花鉞斧，厲聲高叫道：「哪個是朱紫國來的外公？」

行者把金箍棒揝在右手，將左手指定道：「賢甥，叫我怎的？」

那妖王見了，心中大怒道：「你這廝相貌若猴子，嘴臉似猢猻。七分真是鬼，大膽敢欺人！」

行者笑道：「你這個誑上欺君的潑怪，原來沒眼！想我五百年前大鬧天宮時，九天神將見了我，無一個『老』字，不敢稱呼；你叫我聲外公，哪裡虧了你！」

妖王喝道：「快早說出姓甚名誰，有些甚麼武藝，敢到我這裡猖獗！」

行者道：「你若不問姓名猶可，若要我說出姓名，只怕你立身無地。你上

◆外公—稱母親的父親。

來，站穩著，聽我道：

生身父母是天地，日月精華結聖胎。
仙石懷抱無歲數，靈根孕育甚奇哉。
當年產我三陽泰，今日歸真萬會諧。
曾聚眾妖稱帥首，能降眾怪拜丹崖。
玉皇大帝傳宣旨，太白金星捧詔來。
請我上天承職裔，官封弼馬不開懷。
初心造反謀山洞，大膽興兵鬧御階。
托塔天王並太子，交鋒一陣盡猥衰◆。
金星復奏玄穹帝，再降招安敕旨來。
封做齊天真大聖，那時方稱棟樑材。
又因攪亂蟠桃會，仗酒偷丹惹下災。
太上老君親奏駕，西池王母拜瑤臺。
情知是我欺王法，即點天兵發火牌。

十萬凶星並惡曜，干戈劍戟密排排。
天羅地網漫山布，齊舉刀兵大會垓。
惡鬥一場無勝敗，觀音推薦二郎來。
兩家對敵分高下，他有梅山兄弟儕。
各逞英雄施變化，天門三聖撥雲開。
老君丟了金剛套，眾神擒我到金階。
不須詳允書供狀，罪犯凌遲◆殺斬災。
斧剁鎚敲難損命，刀掄劍砍怎傷懷。
火燒雷打只如此，無計摧殘長壽胎。
押赴太清兜率院，爐中煅煉盡安排。

◆猥衰—形容狼狽不堪的樣子。

凌遲—一種古代的酷刑。歷代行刑之法不一，但求使被殺之人極為痛苦的慢慢死去。有的先將犯人肢體斬斷，後割咽喉處死；有的以刀剮頭、臉，斷手足，剖胸腹，再砍頭。此處指欺凌虐待。

日期滿足才開鼎，我向當中跳出來。
手挺這條如意棒，翻身打上玉龍臺。
各星各象皆潛躲，大鬧天宮任我歪。
巡視靈官忙請佛，釋伽與我逞英才。
手心之內翻觔斗，遊遍周天去復來。
佛使先知賺哄法，被他壓住在天崖。
到今五百餘年矣，解脫微軀又弄乖。
特保唐僧西域去，悟空行者甚明白。
西方路上降妖怪，哪個妖邪不懼哉！」

那妖王聽他說出悟空行者，遂道：「你原來是大鬧天宮的那廝。你既脫身保唐僧西去，你走你的路去便罷了，怎麼羅織管事，替那朱紫國為奴，卻到我這裡尋死！」

行者喝道：「賊潑怪！說話無知。我受朱紫國拜請之禮，又蒙他稱呼管待之恩，我老孫比那王位還高千倍，他敬之如父母，事之如神明，你怎麼說出『為奴』二字？我把你這誑上欺君之怪，不要走，吃外公一棒。」那妖慌了手腳，即閃身躲過，使宣花斧劈面相迎。這一場好殺！你看：

金箍如意棒，風刃宣花斧。
一個咬牙發狠凶，一個切齒施威武。
這個是齊天大聖降臨凡，那個是作怪妖王來下土。
兩個噴雲噯霧照天宮，真是走石揚沙遮斗府。
往往來來解數多，翻翻覆覆金光吐。
齊將本事施，各把神通賭。
這個要取娘娘轉帝都，那個喜同皇后居山塢。
這場都是沒來由，捨死忘生因國主。

他兩個戰經五十回合，不分勝負。那妖王見行者手段高強，料不能取勝，將斧架住他的鐵棒道：「孫行者，你且住了！我今日還未早膳，待我進了膳，再來與你定雌雄。」

行者情知是要取鈴鐺，收了鐵棒道：「『好漢子不趕乏兔兒』。你去，你去！吃飽些，好來領死！」

那妖急轉身闖入裡邊，對娘娘道：「快將寶貝拿來！」

娘娘道：「寶貝何幹？」

妖王道：「今早叫戰者，乃是取經的和尚之徒，叫做孫悟空行者，假稱外公。我與他戰到此時，不分勝負。等我拿寶貝出去，放些煙火，燒這猴頭。」

娘娘見說，心中怛突◆：欲不取出鈴兒，恐他見疑；欲取出鈴兒，又恐傷了孫行者性命。正自躊躇未定，那妖王又催逼道：「快拿出來！」

這娘娘無奈，只得將鎖鑰開了，把三個鈴兒遞與妖王。妖王拿了，就走出洞。娘娘坐在宮中，淚如雨下，思量行者不知可能逃得性命。兩人卻俱不知是假鈴也。

那妖出了門，就占起上風，叫道：「孫行者，休走！看我搖搖鈴兒！」

行者笑道：「你有鈴，我就沒鈴？你會搖，我就不會搖？」

妖王道：「你有甚麼鈴兒？拿出來我看。」行者將鐵棒捏做個繡花針兒，藏在耳內。

卻去腰間解下三個真寶貝來，對妖王說：「這不是我的紫金鈴兒？」

妖王見了，心驚道：「蹺蹊！蹺蹊！他的鈴兒怎麼與我的鈴兒就一般無二！縱然是一個模子鑄的，好道打磨不到，也有多個瘢兒，少個蒂兒，卻怎麼這等一毫不差？」又問：「你那鈴兒是哪裡來的？」

行者道：「賢甥，你那鈴兒卻是哪裡來的？」

妖王老實，便就說道：「我這鈴兒是：太清仙君道源深，八卦爐中久煉金。結就鈴兒稱至寶，老君留下到如今。」

行者笑道：「老孫的鈴兒，也是那時來的。」妖王道：「怎生出處？」

◆怛突——忐忑，猶疑不定。怛音達。

行者道：「我這鈴兒是：道祖燒丹兜率宮，金鈴摶煉在爐中。二三如六循環寶，我的雌來你的雄。」

妖王道：「鈴兒乃金丹之寶，又不是飛禽走獸，如何辨得雌雄？但只是搖出寶來，就是好的。」

行者道：「口說無憑，做出便見。且讓你先搖。」

那妖王真個將頭一個鈴兒晃了三晃，不見火出；第二個晃了三晃，不見煙出；第三個晃了三晃，也不見沙出。

妖王慌了手腳道：「怪哉！怪哉！世情變了！這鈴兒想是懼內，雄見了雌，所以不出來了。」

行者道：「賢甥，住了手，等我也搖搖你看。」

好猴子，一把搯了三個鈴兒，一齊搖起。你看那紅火、青煙、黃沙，一齊滾出，骨都都燎樹燒山。

大聖口裡又念個咒語，望巽地上叫：「風來！」真個是風催火勢，火挾風威，紅焰焰，黑沉沉，滿天煙火，遍地黃沙。把那賽太歲諕得魄散魂飛，走投無路，在那火當中，怎逃性命？

只聞得半空中厲聲高叫：「孫悟空，我來也！」行者急回頭上望，原來是觀音菩薩，左手托著淨瓶，右手拿著楊柳，灑下甘露救火哩。慌得行者把鈴兒藏在腰間，即合掌倒身下拜。那菩薩將柳枝連拂幾點甘露，霎時間，煙火俱無，黃沙絕跡。行者叩頭道：「不知大慈臨凡，有失迴避。敢問菩薩何往？」菩薩道：「我特來收尋這個妖怪。」行者道：「這怪是何來歷，敢勞金身下降收之？」菩薩道：「他是我跨的個金毛犼◆。因牧童盹睡，失於防守，這孽畜咬斷鐵索走來，卻與朱紫國王消災也。」

◆犼—傳說中的猛獸。外形像犬，會吃人。犼音吼。

行者聞言，急欠身道：「菩薩反說了，他在這裡欺君騙后，敗俗傷風，與那國王生災，卻說是消災，何也？」

菩薩道：「你不知之。當時朱紫國先王在位之時，這個王還做東宮太子，未曾登基。他年幼間，極好射獵。

「他率領人馬，縱放鷹犬，正來到落鳳坡前，有西方佛母孔雀大明王菩薩所生二子，乃雌雄兩個雀雛，停翅在山坡之下，被此王弓開處，射傷了雄孔雀，那雌孔雀也帶箭歸西。

「佛母懺悔以後，吩咐教他拆鳳三年，身耽啾疾◈。那時節，我跨著這犼，同聽此言。不期這孽畜留心，故來騙了皇后，與王消災。至今三年，冤愆滿足，幸你來救治王患。我特來收妖邪也。」

行者道：「菩薩，雖是這般故事，奈何他玷汙了皇后，敗俗傷風，壞倫亂法，卻是該他死罪。今蒙菩薩親臨，饒得他死罪，卻饒不得他活罪。讓我打他二十棒，與你帶去罷。」

菩薩道：「悟空，你既知我臨凡，就當看我分上，一發都饒了罷，也算你一番降妖之功；若是動了棍子，他也就是死了。」

行者不敢違言，只得拜道：「菩薩既收他回海，再不可令他私降人間，貽害不淺！」

那菩薩才喝了一聲：「孽畜！還不還原，待何時也！」只見那怪打個滾，現了原身，將毛衣抖抖，菩薩騎上。菩薩又望項下一看，不見那三個金鈴。

菩薩道：「悟空，還我鈴來。」行者道：「老孫不知。」

菩薩喝道：「你這賊猴！若不是你偷了這鈴，莫說一個悟空，就是十個，也不敢近身！快拿出來！」

行者笑道：「實不曾見。」

菩薩道：「既不曾見，等我念念緊箍兒咒。」

◈啾疾——啾唧，這裡指鳥失侶時的鳴叫。比喻喪偶的悲痛。

那行者慌了，只教：「莫念！莫念！鈴兒在這裡哩！」這正是：

　　狐項金鈴何人解？解鈴人還問繫鈴人。
　　菩薩將鈴兒套在狐項下，飛身高坐。
　　你看他四足蓮花生焰焰，滿身金縷迸森森。

大慈悲回南海不題。卻說孫大聖整束了衣裙，掄鐵棒打進獬豸洞去，把群妖眾怪盡情打死，剿除乾淨。直至宮中，請聖宮娘娘回國。那娘娘頂禮不盡。行者將菩薩降妖並拆鳳原由備說了一遍。

尋些軟草，紥了一條草龍，教：「娘娘跨上，合著眼，莫怕，我帶妳回朝見主也。」那娘娘謹遵吩咐，行者使起神通，只聽得耳內風響。

半個時辰，帶進城，按落雲頭，叫：「娘娘開眼。」

那皇后睜開眼看，認得是鳳閣龍樓，心中歡喜，撇了草龍，與行者同登寶殿。那國王見了，急下龍床，就來扯娘娘玉手，欲訴離情，猛然跌倒在地，只叫：「手疼！手疼！」

八戒哈哈大笑道：「嘴臉！沒福消受！一見面就螫殺了也！」

行者道：「呆子，你敢扯她扯兒麼？」

八戒道：「就扯她扯兒便怎的？」

行者道：「娘娘身上生了毒刺，手上有螫陽之毒。自到麒麟山，與那賽太歲三年，那妖更不曾沾身。但沾身就害身疼，但沾手就害手疼。」眾官聽說：「似此怎生奈何？」此時外面眾官憂疑，內裡妃嬪悚懼。旁有玉聖、銀聖二宮，將君王扶起。

俱正在倉皇之際，忽聽得那半空中有人叫道：「大聖，我來也！」行者抬頭觀看，只見那：

肅肅沖天鶴唳，飄飄逕至朝前。
繚繞祥光道道，氤氳瑞氣翩翩。
棕衣苫體放雲煙，足踏芒鞋罕見。

手執龍鬚蠅帚，絲縧腰下圍纏。
乾坤處處結人緣，大地逍遙遊遍。
此乃是大羅天上紫雲仙，今日臨凡解魘。

行者上前迎住道：「張紫陽何往？」
紫陽真人直至殿前，躬身施禮道：「大聖，小仙張伯端起手。」
行者答禮道：「你從何來？」
真人道：「小仙三年前曾赴佛會，因打這裡經過，見朱紫國王有拆鳳之憂，我恐那妖將皇后玷辱，有壞人倫，後日難與國王復合，是我將一件舊棕衣變做一領新霞裳，光生五彩，進與妖王，教皇后穿了妝新。那皇后穿上身，即生一身毒刺。毒刺者，乃棕衣也。今知大聖成功，特來解魘。」
行者道：「既如此，累你遠來，且快解脫。」真人走向前，對娘娘用手一指，即脫下那件棕衣。那娘娘遍體如舊。
真人將衣抖一抖，披在身上，對行者道：「大聖勿罪，小仙告辭。」

行者道：「且住，待君王謝謝。」真人笑道：「不勞，不勞。」遂長揖一聲，騰空而去。慌得那皇帝、皇后及大小眾臣，一個個望空禮拜。

拜畢，即命大開東閣，酬謝四僧。那君王領眾跪拜，夫妻才得重諧。正當歡宴時，行者叫：「師父，拿那戰書來。」長老袖中取出，遞與行者。

行者遞與國王道：「此書乃那怪差小校送來者。那小校已先被我打死，送來報功。後復至山中，變做小校，進洞回覆，因得見娘娘，盜出金鈴，幾乎被他拿住。又變化，復偷出，與他對敵。幸遇觀音菩薩將他收去，又與我說拆鳳之故。……」從頭至尾，細說了一遍。那舉國君臣內外，無一人不感謝稱讚。

唐僧道：「一則是賢王之福，二來是小徒之功。今蒙盛宴，至矣！至矣！就此拜別，不要誤貧僧向西去也。」

那國王懇留不得，遂換了關文，大排鑾駕，請唐僧穩坐龍車。那君王、妃后，俱捧轂推輪，相送而別。正是：

有緣洗盡憂疑病，絕念無思心自寧。

畢竟這去，後面再有甚麼吉凶之事，且聽下回分解。

第七二回 盤絲洞七情迷本 濯垢泉八戒忘形

話表三藏別了朱紫國王，整頓鞍馬西進。行夠多少山原，歷盡無窮水道，不覺的秋去冬殘，又值春光明媚。師徒們正在路踏青玩景，忽見一座庵林。三藏滾鞍下馬，站立大道之旁。

行者問道：「師父，這條路平坦無邪，因何不走？」

八戒道：「師兄好不通情。師父在馬上坐得困了，也讓他下來關關◆風是。」

三藏道：「不是關風，我看那裡是個人家，意欲自去化些齋吃。」

行者笑道：「你看師父說的是哪裡話，你要吃齋，我自去化。俗語云：

『一日為師，終身為父。』豈有為弟子者高坐，教師父去化齋之理？」

三藏道：「不是這等說。平日間一望無邊無際，你們沒遠沒近的去化齋。今日人家逼近，可以叫應，也讓我去化一個來。」

八戒道：「師父沒主張。常言道：『三人出外，小的兒苦。』你況是個父輩，我等俱是弟子。古書云：『有事弟子服其勞。』等我老豬去。」

三藏道：「徒弟啊，今日天氣晴明，與那風雨之時不同。那時節，汝等必定遠去。此個人家，等我去，有齋無齋，可以就回走路。」

沙僧在旁笑道：「師兄，不必多講，師父的心性如此，不必違拗。若惱了他，就化將齋來，他也不吃。」

八戒依言，即取出鉢盂，與他換了衣帽。拽開步，直至那莊前觀看，卻也好座住場。但見：

◆闞闞──看看風景。

石橋高聳，古樹森齊。
石橋高聳，潺潺流水接長溪；
古樹森齊，聒聒幽禽鳴遠岱。
橋那邊有數椽茅屋，清清雅雅若仙庵；
又有那一座蓬窗，白白明明欺道院。
窗前忽見四佳人，都在那裡刺鳳描鸞做針線。

長老見那人家沒個男兒，只有四個女子，不敢進去，將身立定，閃在喬林之下。只見那女子，一個個：

閨心堅似石，蘭性喜如春。
嬌臉紅霞襯，朱唇絳脂勻。
蛾眉橫月小，蟬鬢疊雲新。
若到花間立，遊蜂錯認真。

少停有半個時辰，一發靜悄悄，雞犬無聲。自家思慮道：「我若沒本事化頓齋飯，也惹那徒弟笑我：敢道為師的化不出齋來，為徒的怎能去拜佛？」

長老沒計奈何，也帶了幾分不是，趨步上橋。又走了幾步，只見那茅屋裡面有一座木香亭子，亭子下又有三個女子在那裡踢氣毬◆哩。你看那三個女子，比那四個又生得不同。但見那：

飄揚翠袖，搖拽緗裙。
飄揚翠袖，低籠著玉筍纖纖；搖拽緗裙，半露出金蓮窄窄。
形容體勢十分全，動靜腳跟千樣屣。
拿頭過論有高低，張泛送來真又楷。
轉身踢個出牆花，退步翻成大過海。

◆氣毬——一種蹴踢的球。用皮片縫合，內充羽毛，玩法類似踢毽子。唐時已有，盛於宋元。

輕接一團泥，單槍急對拐。明珠上佛頭，實捏來尖挐。
窄磚偏會拿，臥魚將腳歪。平腰折膝蹲，扭頂翹跟屐。
扳凳能喧泛，披肩甚脫灑。絞襠任往來，鎖項隨搖擺。
踢的是黃河水倒流，金魚灘上買。
那個錯認是頭兒，這個轉身就打拐。
端然捧上臁◆，周正尖來捽。提跟潠◆草鞋，倒插回頭採。
退步泛肩妝，鈎兒只一歹。版篗下來長，便把奪門揣。
踢到美心時，佳人齊喝采。
一個個汗流粉膩透羅裳，興懶情疏方叫海◆。

言不盡，又有詩為證。詩曰：

蹴踘當場三月天，仙風吹下素嬋娟。
汗沾粉面花含露，塵染蛾眉柳帶煙。
翠袖低垂籠玉筍，緗裙斜拽露金蓮。

幾回踢罷嬌無力，雲鬢蓬鬆寶髻偏。

三藏看得時辰久了，只得走上橋頭，應聲高叫道：「女菩薩，貧僧這裡隨緣布施些兒齋吃。」

那些女子聽見，一個個喜喜歡歡拋了針線，撇了氣毬，都笑笑吟吟的接出門來道：「長老，失迎了。今到荒莊，決不敢攔路齋僧，請裡面坐。」

三藏聞言，心中暗道：「善哉，善哉！西方正是佛地，女流尚且注意齋僧，男子豈不虔心向佛？」

長老向前問訊了，相隨眾女入茅屋。過木香亭看處，呀！原來那裡邊沒甚房廊。只見那：

◈臁─小腿的兩側。　潠─音孫四聲。以口噴水之意。

興懶情疏方叫海─這段韻語中，自拿頭、張泛、出牆花、大過海等約三十來個踢毬的身段、招數中，總結了自漢、唐、宋以來蹴踘的整套玩法。

巒頭高聳，地脈遙長。
巒頭高聳接雲煙，地脈遙長通海岳。
門近石橋，九曲九灣流水顧；園栽桃李，千株千棵鬥穠華。
藤薜掛懸三五樹，芝蘭香散萬千花。
遠觀洞府欺蓬島，近睹山林壓太華。
正是妖仙尋隱處，更無鄰舍獨成家。

有一女子上前，把石頭門推開兩扇，請唐僧裡面坐。那長老只得進去。忽抬頭看時，鋪設的都是石桌、石凳，冷氣陰陰。長老心驚，暗自思忖道：「這去處少吉多凶，斷然不善。」眾女子喜笑吟吟，都道：「長老請坐。」長老沒奈何，只得坐了。少時間，打個冷噤。

眾女子問道：「長老是何寶山？化甚麼緣？還是修橋補路，建寺禮塔，還是造佛印經？請緣簿出來看看。」

長老道：「我不是化緣的和尚。」女子道：「既不化緣，到此何幹？」長老道：「我是東土大唐差去西天大雷音求經者。適過寶方，腹間飢餒，特造檀府，募化一齋，貧僧就行也。」眾女子道：「好！好！好！常言道：『遠來的和尚好看經。』妹妹們，不可怠慢，快辦齋來。」

此時有三個女子陪著，言來語去，論說些因緣。那四個到廚中撩衣斂袖，炊火刷鍋。你道她安排的是些甚麼東西？原來是人油炒煉，人肉煎熬；熬得黑糊充作麵筋樣子，剜的人腦煎作豆腐塊片。兩盤兒捧到石桌上放下，對長老道：「請了。倉卒間，不曾備得好齋，且將就吃些充腹。後面還有添換來也。」那長老聞了一聞，見那腥膻，不敢開口，欠身合掌道：「女菩薩，貧僧是胎裡素。」眾女子笑道：「長老，此是素的。」

長老道：「阿彌陀佛！若像這等素的啊，我和尚吃了，莫想見得世尊，取得經卷。」

眾女子道：「長老，你出家人，切莫揀人布施。」

長老道：「怎敢，怎敢。我和尚奉大唐旨意，一路西來，微生不損，見苦就救；遇穀粒手拈入口，逢絲縷聯綴遮身。怎敢揀主布施？」

眾女子笑道：「長老雖不揀人布施，卻只有些上門怪人。莫嫌粗淡，吃些兒罷。」長老道：「實是不敢吃，恐破了戒。望菩薩養生不若放生，放我和尚出去罷。」

那長老掙著要走，那女子攔住門，怎麼肯放，俱道：「上門的買賣，倒不好做。『放了屁兒，卻使手掩。』你往哪裡去？」她一個個都會些武藝，手腳又活，把長老扯住，順手牽羊，撲地摜倒在地。眾人按住，將繩子捆了，懸梁高吊。這吊有個名色，叫做「仙人指路」。原來是一隻手向前，牽絲吊起；一隻手攔腰捆住，將繩吊起；兩隻腳向後，一條繩吊起；三條繩把長老吊在梁上，卻是脊背朝上，肚皮朝下。

那長老忍著疼，噙著淚，心中暗恨道：「我和尚這等命苦！只說是好人家化頓齋吃，豈知道落了火坑！徒弟啊！速來救我，還得見面；但遲兩個時辰，我命休矣！」

那長老雖然苦惱，卻還留心看著那些女子。那些女子把他吊得停當，便去脫剝衣服。長老心驚，暗自忖道：「這一脫了衣服，是要打我的情了。或者夾生兒吃我的情也有哩。」

原來那女子們只解了上身羅衫，露出肚腹，各顯神通：一個個腰眼中冒出絲繩，有鴨蛋粗細，骨都都的，迸玉飛銀，時下把莊門瞞了不題。

卻說那行者、八戒、沙僧都在大道之旁，他二人都放馬看擔，惟行者是個頑皮，他且跳樹攀枝，摘葉尋果。忽回頭，只見一片光亮，慌得跳下樹來，吆喝道：「不好！不好！師父造化低了！」

行者用手指道：「你看那莊院如何？」八戒、沙僧共目視之，那一片如雪又亮如雪，似銀又光似銀。

八戒道：「罷了，罷了！師父遇著妖精了，我們快去救他也。」

行者道：「賢弟莫嚷。你都不見怎的，等老孫去來。」

沙僧道：「哥哥仔細。」行者道：「我自有處。」

好大聖，束一束虎皮裙，掣出金箍棒，拽開腳，兩三步跑到前邊，看見那絲繩纏了有千百層厚，穿穿道道，卻似經緯之勢。用手按了一按，有些粘軟沾人。

行者更不知是甚麼東西。他即舉棒道：「這一棒，莫說是幾千層，就是幾萬層，也打斷了。」

正欲打，又停住手道：「若是硬的便可打斷，這個軟的，只好打扁罷了。假如驚了他，纏住老孫，反為不美。等我且問他一問再打。」

你道他問誰？即捻一個訣，念一個咒，拘得個土地老兒在廟裡似推磨的一般亂轉。土地婆兒道：「老兒，你轉怎的？好道是羊兒風發了。」

土地道：「你不知！你不知！有一個齊天大聖來了，我不曾接他，他那裡拘我哩。」婆兒道：「你去見他便了，卻如何在這裡打轉？」

土地道：「若去見他，他那棍子好不重，他管你好歹就打哩！」

婆兒道：「他見你這等老了，哪裡就打你？」

土地道：「他一生好吃沒錢酒，偏打老年人。」

兩口兒講一會，沒奈何，只得走出去，戰兢兢的跪在路旁，叫道：「大聖，當境土地叩頭。」

行者道：「你且起來，不要假忙。我且不打你，寄下在那裡。我問你，此間是甚地方？」

土地道：「大聖從哪廂來？」行者道：「我自東土往西來的。」

土地道：「大聖東來，可曾在那山嶺上？」

行者道：「正在那山嶺上。我們行李、馬匹還歇在那嶺上不是！」

土地道：「那嶺叫做盤絲嶺，嶺下有洞，叫做盤絲洞。洞裡有七個妖精。」

行者道：「是男怪，是女怪？」土地道：「是女怪。」

行者道：「她有多大神通？」

土地道：「小神力薄威短，不知她有多大手段。只知那正南上，離此有三里之遙，有一座濯垢泉，乃天生的熱水，原是上方七仙姑的浴池。自妖精到此居住，占了她的濯垢泉，仙姑更不曾與她爭競，平白地就讓與她了。我見天仙不惹妖魔怪，必定精靈有大能。」

行者道：「占了此泉何幹？」

土地道：「這怪占了浴池，一日三遭，出來洗澡。如今巳時已過，午時將來啞。」行者聽言道：「土地，你且回去，等我自家拿她罷。」那土地老兒磕了一個頭，戰兢兢的回本廟去了。

這大聖獨顯神通，搖身一變，變做個麻蒼蠅兒，釘在路旁草梢上等待。須臾間，只聽得呼呼吸吸之聲，猶如蠶食葉，卻似海生潮。只好有半盞茶時，絲繩皆盡，依然現出莊村，還像當初模樣。又聽得呀的一聲，柴扉響處，裡邊笑語喧譁，走出七個女子。行者在暗中細看，見她一個個攜手相攙，挨肩執袂，有說有笑的走過橋來，果是標致。但見：

比玉香尤勝，如花語更真。
柳眉橫遠岫，檀口破櫻唇。
釵頭翹翡翠，金蓮閃絳裙。
卻似嫦娥臨下界，仙子落凡塵。

行者笑道：「怪不得我師父要來化齋，原來是這一般好物。這七個美人兒，假若留住我師父，要吃也不夠一頓吃，要用也不夠兩日用；要動手輪流，一擺布就是死了。且等我去聽她一聽，看她怎的算計。」

好大聖，嚶的一聲，飛在那前面走的女子雲髻上釘住。才過橋來，後邊的走向前來呼道：「姐姐，我們洗了澡，來蒸那胖和尚吃去。」

行者暗笑道：「這怪物好沒算計！煮還省些柴，怎麼轉要蒸了吃！」

那些女子採花鬥草向南來，不多時到了浴池。但見一座門牆，十分壯麗，遍地野花香豔豔，滿旁蘭蕙密森森。後面一個女子走上前，唿哨的一聲，把兩扇門兒推開，那中間果有一塘熱水。這水：自開闢以來，太陽星原貞有十，後被羿善開弓，射落九烏墜地，只存金烏一星，乃太陽之真火也。天地有九處湯泉，俱是眾烏所化。那九陽泉，乃香冷泉、伴山泉、溫泉、東合泉、潢山泉、孝安泉、廣汾泉、湯泉。此泉乃濯垢泉。有詩為證。詩曰：

一氣無冬夏，三秋永注春。炎波如鼎沸，雪浪似湯新。
分溜滋禾稼，停流蕩俗塵。涓涓珠淚泛，滾滾玉生津。
潤滑原非釀，清平還自溫。瑞祥本地秀，造化乃天真。
佳人洗處冰肌滑，滌蕩塵煩玉體新。

那浴池約有五丈餘闊，十丈多長，內有四尺深淺，但見水清徹底。底下水一似滾珠泛玉，骨都都冒將上來，四面有六七個孔竅通流。流去二三里之遙，淌到田裡，還是溫水。池上又有三間亭子。亭子中近後壁放著一張八隻腳的板凳。兩山頭放著兩個彩漆的衣架。行者暗中喜嚶嚶的，一翅飛在那衣架頭上釘住。

那些女子見水又清又熱，便要洗浴，即一齊脫了衣服，搭在衣架上，一齊下去。被行者看見：

褪放紐扣兒，解開羅帶結。酥胸白似銀，玉體渾如雪。
肘膊賽冰鋪，香肩疑粉捏。肚皮軟又綿，脊背光還潔。
膝腕半圍團，金蓮三寸窄。中間一段情，露出風流穴。

那女子都跳下水去，一個個躍浪翻波，負水頑耍。行者道：「我若打她啊，只消把這棍子往池中一攪，就叫做『滾湯潑老鼠，一窩兒都是死』。可憐！可憐！打便打死她，只是低了老孫的名頭。常言道：『男不與女鬥。』我這般一個漢子，打殺這幾個丫頭，著實不濟。不要打她，只送她一個絕後計，教她動不得身，多少是好。」

好大聖，捏著訣，念個咒，搖身一變，變做一個餓老鷹。但見：

毛猶霜雪，眼若明星。
妖狐見處魂皆喪，狡兔逢時膽盡驚。
鋼爪鋒芒快，雄姿猛氣橫。
會使老拳供口腹，不辭親手逐飛騰。
萬里寒空隨上下，穿雲撿物任他行。

呼的一翅，飛向前，掄開利爪，把她那衣架上搭的七套衣服，盡情叼去，逕轉嶺頭，現出本相，來見八戒、沙僧。

你看那呆子迎著笑道：「師父原來是典當鋪裡拿了去的。」

沙僧道：「怎見得？」八戒道：「你不見師兄把他些衣服都搶將來也？」

行者放下道：「此乃妖精穿的衣服。」八戒道：「怎麼就有這許多？」

行者道：「七套。」八戒道：「如何剝得這般容易，又剝得乾淨？」

行者道：「哪曾用剝。原來此處喚做盤絲嶺，那莊村喚做盤絲洞。洞中有七個女怪，把我師父拿住，吊在洞裡，都向濯垢泉去洗浴。那泉卻是天地產成的一塘子熱水。她都算計著洗了澡，要把師父蒸吃。是我跟到那裡，見她脫了衣服下水，我要打她，恐怕汙了棍子，又怕低了名頭，是以不曾動棍，只變做一個餓老鷹，叼了她的衣服。她都忍辱含羞，不敢出頭，蹲在水中哩。我等快去解下師父走路罷。」

八戒笑道：「師兄，你凡幹事，只要留根。既見妖精，如何不打殺她，卻就去解師父！她如今縱然藏羞不出，到晚間必定出來。她家裡還有舊衣服，穿上一套，來趕我們。縱然不趕，她久住在此，我們取了經，還從那條路回去。常言道：『寧少路邊錢，莫少路邊拳。』那時節，她攔住了吵鬧，卻不是個仇人也？」

行者道：「憑你如何主張？」

八戒道：「依我，先打殺了妖精，再去解放師父。此乃斬草除根之計。」

行者道：「我是不打她，你要打，你去打她。」

八戒抖擻精神，歡天喜地，舉著釘鈀，拽開步，徑直跑到那裡。忽的推開門看時，只見那七個女子蹲在水裡，口中亂罵那鷹哩，道：「這個扁毛畜生◆，貓嚼頭◆的亡人，把我們衣服都叼去了，教我們怎的動手？」

八戒忍不住笑道：「女菩薩，在這裡洗澡哩？也攜帶我和尚洗洗，何如？」

那怪見了，作怒道：「你這和尚，十分無禮！我們是在家的女流，你是個出家的男子。古書云：『七年男女不同席。』你好和我們同塘洗澡？」

八戒道：「天氣炎熱，沒奈何，將就容我洗洗兒罷，哪裡調甚麼書擔兒◆，同席不同席？」

呆子不容說，丟了釘鈀，脫了皂錦直裰，撲地跳下水來。那怪心中煩惱，一齊上前要打。不知八戒水勢極熟，到水裡搖身一變，變做一個鮎魚精。那怪就都摸魚，趕上拿他不住：東邊摸，忽的又漬了西去；西邊摸，忽的又漬了東去。滑扢虀的◆，只在那腿襠裡亂鑽。原來那水有攙胸之深，水上盤了一會，又盤在水底，都盤倒了，喘嘘嘘的，精神倦怠。

八戒卻才跳將上來，現了本相，穿了直裰，執著釘鈀，喝道：「我是哪個？妳把我當鮎魚精哩！」

那怪見了，心驚膽戰，對八戒道：「你先來是個和尚，到水裡變做鮎魚，及拿你不住，卻又這般打扮，你端的是從何到此？是必留名。」

八戒道：「這夥潑怪當真的不認得我。我是東土大唐取經的唐長老之徒弟，乃天蓬元帥悟能八戒是也。妳把我師父吊在洞裡，算計要蒸他受用。我的師父，又好蒸吃？快早伸過頭來，各築一鈀，教妳斷根！」

那些妖聞此言，魂飛魄散，就在水中跪拜道：「望老爺方便方便！我等有眼無珠，誤捉了你師父，雖然吊在那裡，不曾敢加刑受苦。望慈悲饒了我的性命，情願貼些盤費，送你師父往西天去也。」

◈**扁毛畜生**—指由鳥化形的妖魔。扁毛，指鳥雨。　**貓嚼頭**—指鷹。罵人的話。

調書擔兒—引經據典，賣弄文詞。　**滑扢虀的**—滑溜。扢音股。虀音基。

八戒搖手道：「莫說這話！俗語說得好：『曾著賣糖君子哄，到今不信口甜人。』是便築一鈀，各人走路！」

呆子一味粗夯，顯手段，哪有憐香惜玉之心，舉著鈀，不分好歹，趕上前亂築。那怪慌了手腳，哪裡顧甚麼羞恥，只是性命要緊，隨用手捂著羞處，跳出水來，都跑在亭子裡站立，作出法來：臍孔中骨都都冒出絲繩，瞞天搭了個大絲篷，把八戒罩在當中。

那呆子忽抬頭，不見天日，即抽身往外便走，哪裡舉得腳步。原來放了絆腳索，滿地都是絲繩。動動腳，跌個躘踵；左邊去，一個面磕地；右邊去，一個倒栽蔥；急轉身，又跌了個嘴搵地；忙爬起，又跌了個豎蜻蜓。也不知跌了多少跟頭，把個呆子跌得身麻腳軟，頭暈眼花，爬也爬不動，只睡在地下呻吟。

那怪物卻將他困住，也不打他，也不傷他，一個個跳出門來，將絲篷遮住天光，各回本洞。到了石橋上站下，念動真言，霎時間，把絲篷收了，赤條條的跑入洞裡，捂著那話，從唐僧面前笑嘻嘻的跑過去。

走入石房，取幾件舊衣穿了，逕至後門口立定，叫：「孩兒們何在？」原來那妖精一個有一個兒子，卻不是她養的，都是她結拜的乾兒子。有名叫做蜜、螞、蠦◆、班、蜢、蜡、蜻：蜜是蜜蜂，螞是螞蜂，蠦是蠦蜂，班是班毛◆，蜢是牛蜢，蜡是抹蜡，蜻是蜻蜓。原來那妖精漫天結網，擄住這七般蟲蛭，卻要吃他。古云：「禽有禽言，獸有獸語。」當時這些蟲哀告饒命，願拜為母。遂此春採百花供怪物，夏尋諸卉孝妖精。

忽聞一聲呼喚，都到面前，問：「母親有何使令？」眾怪道：「兒啊，早間我們錯惹了唐朝來的和尚，才然被他徒弟攔在池裡，出了多少醜，幾乎喪了性命！汝等努力，快出門前去退他一退。如得勝後，可到你舅舅家來會我。」

◆蠦——一說是臭蟲，又有說是守宮。　班毛——麻蠅。

那些怪既得逃生，往他師兄處，孽嘴生災不題。你看這些蟲蛭，一個個摩拳擦掌，出來迎敵。卻說八戒跌得昏頭昏腦，猛抬頭，見絲篷絲索俱無，他才一步一探，爬將起來，忍著疼，找回原路。見了行者，用手扯住道：「哥哥，我的頭可腫，臉可青麼？」行者道：「你怎的來？」八戒道：「我被那廝將絲繩罩住，放了絆腳索，不知跌了多少跟頭，跌得我腰駝背折，寸步難移。卻才絲篷索子俱空，方得了性命回來也。」沙僧見了道：「罷了，罷了！你闖下禍來也！那怪一定往洞裡去傷害師父。我等快去救他！」

行者聞言，急拽步便走；八戒牽著馬，急急來到莊前，但見那石橋上有七個小妖兒擋住道：「慢來，慢來！吾等在此！」行者看了道：「好笑，乾淨都是些小人兒。長的也只有二尺五六寸，不滿三尺；重的也只有八九斤，不滿十斤。」喝道：「你是誰？」

那怪道：「我乃七仙姑的兒子。你把我母親欺辱了，還敢無知，打上我門。不要走，仔細！」好怪物，一個個亂打將來。

八戒本是跌惱了的性子，又見那夥蟲蛭小巧，就發狠舉鈀來築。那些怪見呆子凶猛，一個個現了本相，飛將起去，叫聲：「變！」須臾間，一個變十個，十個變百個，百個變千個，千個變萬個，個個都變成無窮之數。只見：

滿天飛抹蜡，遍地舞蜻蜓。蜜螞追頭額，蠦蜂扎眼睛。
班毛前後咬，牛蝱上下叮。撲面漫漫黑，翛翛◆神鬼驚。

八戒慌了道：「哥啊，只說經好取，西方路上，蟲兒也欺負人哩！」

行者道：「兄弟，不要怕，快上前打！」

八戒道：「撲頭撲臉，渾身上下，都叮有十數層厚，卻怎麼打？」

◆翛翛——形容蟲蟻振羽飛行的迅疾。

行者道：「沒事！沒事！我自有手段！」

沙僧道：「哥啊，有甚手段，快使出來罷，一會子光頭上都叮腫了。」

好大聖，拔了一把毫毛，嚼得粉碎，噴將出去，即變做些黃、麻、䴏、白、鵰、魚、鷂。八戒道：「師兄，又打甚麼市語！黃啊、麻啊哩？」行者道：「你不知。黃是黃鷹，麻是麻鷹，䴏是䴏鷹，白是白鷹，鵰是鵰鷹，魚是魚鷹，鷂是鷂鷹。那妖精的兒子是七樣蟲，我的毫毛是七樣鷹。」鷹最能嗛蟲，一嘴一個，爪打翅敲，須臾，打得罄盡，滿空無跡，地積尺餘。

三兄弟方才闖過橋去，逕入洞裡，只見老師父吊在那裡哼哼的哭哩。八戒近前道：「師父，你是要來這裡吊了耍子，不知作成我跌了多少跟頭哩！」沙僧道：「且解下師父再說。」行者即將繩索挑斷，放下師父。問道：「妖精哪裡去了？」

唐僧道：「那七個都赤條條的往後邊叫兒子去了。」

行者道：「兄弟們，跟我來尋去。」

三人各持兵器，往後園裡尋處，不見蹤跡。都到那桃李樹上尋遍不見。八戒道：「去了！去了！」沙僧道：「不必尋她，等我扶師父去也。」弟兄們復來前面，請唐僧上馬。八戒道：「你們扶師父走著，等老豬一頓鈀築倒她這房子，教她來時沒處安身。」

行者笑道：「築還費力，不若尋些柴來，與她個斷根罷。」好呆子，尋了些朽松、破竹、乾柳、枯藤，點上一把火，烘烘的都燒得乾淨。師徒卻才放心前來。

咦！畢竟這去，不知那怪的吉凶如何，且聽下回分解。

◆打市語——使用市井常用的隱語。

第七三回 情因舊恨生災毒 心主遭魔幸破光

話說孫大聖扶持著唐僧，與八戒、沙僧奔上大路，一直西來。不半晌，忽見一處樓閣重重，宮殿巍巍。

唐僧勒馬道：「徒弟，你看那是個甚麼去處？」行者舉頭觀看，忽然見：

山環樓閣，溪繞亭臺。
門前雜樹密森森，宅外野花香豔豔。
柳間棲白鷺，渾如煙裡玉無瑕；
桃內囀黃鶯，卻是火中金有色。
雙雙野鹿，忘情閒踏綠莎茵；
對對山禽，飛語高鳴紅樹杪。
真如劉阮天臺洞，不亞神仙閬苑家。

行者報道：「師父，那所在也不是

王侯第宅，也不是豪富人家，卻像一個庵觀寺院。到那裡方知端的。」

三藏聞言，加鞭促馬。師徒們來至門前觀看，門上嵌著一塊石板，上有「黃花觀」三字。三藏下馬。

八戒道：「黃花觀乃道士之家，我們進去會他一會也好，他與我們衣冠雖別，修行一般。」

沙僧道：「說得是。一則進去看看景致，二來也當撒貨頭口◈。看方便處，安排些齋飯，與師父吃。」

長老依言，四眾共入。但見二門上有一對春聯：「黃芽白雪神仙府，瑤草琪花羽士家。」

行者笑道：「這個是燒茅煉藥，弄爐火，提罐子的道士。」

三藏捻他一把道：「謹言！謹言！我們不與他相識，又不認親，左右暫時

◈**撒貨頭口**——餵餵牲口、溜溜馬的意思。

一會，管他怎的？」說不了，進了二門，只見那正殿謹閉，東廊下坐著一個道士，在那裡丸藥。你看他怎生打扮：

戴一頂紅豔豔戧金冠，穿一領黑淄淄烏皂服，
踏一雙綠陣陣雲頭履，繫一條黃拂拂呂公絛。
面如瓜鐵，目若朗星。準頭高大類回回，唇口翻張如達達。
道心一片隱轟雷，伏虎降龍真羽士。

三藏見了，厲聲高叫道：「老神仙，貧僧問訊了。」那道士猛抬頭，一見心驚，丟了手中之藥，按簪兒，整衣服，降階迎接道：「老師父，失迎了。請裡面坐。」長老歡喜上殿。推開門，見有三清聖像，供桌有爐有香。即拈香注爐，禮拜三匝，方與道士行禮。遂至客位中，同徒弟們坐下。急喚仙童看茶。當有兩個小童，即入裡邊，尋茶盤，洗茶盞，擦茶匙，辦茶果，忙忙的亂走，早驚動那幾個冤家。

原來那盤絲洞七個女怪與這道士同堂學藝。自從穿了舊衣，喚出兒子，逕來此處。

正在後面裁剪衣服，忽見那童子看茶，便問道：「童兒，有甚客來了，這般忙冗？」

仙童道：「適間有四個和尚進來，師父教來看茶。」

女怪道：「可有個白胖和尚？」道：「有。」

又問：「可有個長嘴大耳朵的？」道：「有。」

女怪道：「你快去遞了茶，對你師父丟個眼色，著他進來，我有要緊的話說。」

果然那仙童將五杯茶拿出去，道士斂衣，雙手拿一杯遞與三藏，然後與八戒、沙僧、行者。茶罷，收鍾。

小童丟個眼色，那道士就欠身道：「列位請坐。」教：「童兒，放了茶盤陪侍。等我去去就來。」此時長老與徒弟們並一個小童，出殿上觀玩不題。

卻說道士走進方丈中，只見七個女子齊齊跪倒，叫：「師兄！師兄！聽小妹子一言！」

道士用手攙起道：「妳們早間來時，要與我說甚麼話，可可的今日丸藥，這枝藥忌見陰人，所以不曾答妳。如今又有客在外面，有話且慢慢說罷。」

眾怪道：「告稟師兄。這樁事，專為客來，方敢告訴；若客去了，縱說也沒用了。」

道士笑道：「妳看賢妹說話，怎麼專為客來才說？卻不瘋了？且莫說我是個清靜修仙之輩，就是個俗人家，有妻子老小家務事，也等客去了再處。怎麼這等不賢，替我裝幌子哩？且讓我出去。」

眾怪又一齊扯住道：「師兄息怒。我問你，前邊那客是哪方來的？」

道士唖著臉，不答應。眾怪道：「方才小童進來取茶，我聞得他說是四個和尚。」

道士作怒道：「和尚便怎麼？」

眾怪道：「四個和尚，內有一個白面胖的，有一個長嘴大耳的，師兄可曾問他是哪裡來的？」

道士道：「內中是有這兩個，妳怎麼知道？想是在哪裡見他來？」

女子道：「師兄原不知這個委曲。那和尚乃唐朝差往西天取經去的。今早到我洞裡化齋，委是妹子們聞得唐僧之名，將他拿了。」

道士道：「妳拿他怎的？」

女子道：「我們久聞人說，唐僧乃十世修行的真體，有人吃他一塊肉，延壽長生，故此拿了他。後被那個長嘴大耳朵的和尚把我們攔在濯垢泉裡，先搶了衣服，後弄本事，強要同我等洗浴，也止他不住。「他就跳下水，變做一個鮎魚，在我們腿襠裡鑽來鑽去，欲行姦騙之事，果有十分憊懶！他又跳出水去，現了本相，見我們不肯相從，他就使一柄九齒釘鈀，要傷我們性命。若不是我們有些見識，幾乎遭他毒手，故

◆裝幌子——這裡是出醜的意思。

此戰兢兢逃生。又著你愚外甥與他敵鬥，不知存亡如何。我們特來投兄長，望兄長念昔日同窗之雅，與我今日做個報冤之人！」

那道士聞此言，卻就惱恨，遂變了聲色道：「這和尚原來這等無禮！這等憊懶！妳們都放心，等我擺布他。」

眾女子謝道：「師兄如若動手，等我們都來相幫打他。」

道士道：「不用打！不用打！常言道：『一打三分低。』妳們都跟我來。」

眾女子相隨左右。他入房內，取了梯子，轉過床後，爬上屋梁，拿下一個小皮箱兒。那箱兒有八寸高下，一尺長短，四寸寬窄，上有一把小銅鎖兒鎖住。

即於袖中拿出一方鵝黃綾汗巾兒來，汗巾鬚上繫著一把小鑰匙兒。開了鎖，取出一包兒藥來。此藥乃是：山中百鳥糞，掃積上千斤。是用銅鍋煮，煎熬火候勻。千斤熬一杓，一杓煉三分。三分還要炒，再煅再重熏。製成此毒藥，貴似寶和珍。如若嘗他味，入口見閻君。

道士對七個女子道：「妹妹，我這寶貝，若與凡人吃，只消一釐，入腹就死；若與神仙吃，也只消三釐就絕；這些和尚，只怕也有些道行，須得三釐。快取等子◆來。」

內一女子急拿了一把等子道：「稱出一分二釐，分作四分。」卻拿了十二個紅棗兒，將棗掐破些兒，揌上一釐，分在四只茶鍾內；又將兩個黑棗兒做一個茶鍾，著一個托盤安了，對眾女說：「等我去問他，不是唐朝的便罷；若是唐朝來的，就教換茶，妳卻將此茶令童兒拿出。但吃了，個個身亡，就與妳報了此仇，解了煩惱也。」七女感激不盡。

那道士換了一件衣服，虛禮謙恭，走將出去，請唐僧等又至客位坐下，道：「老師父莫怪。適間去後面吩咐小徒，教他們挑些青菜、蘿蔔，安排一頓素齋供養，所以失陪。」

◆等子──用來稱金銀、珠寶、藥品等東西的小秤。

三藏道：「貧僧素手進拜，怎麼敢勞賜齋？」

道士笑云：「你我都是出家人，見山門就有三升俸糧，何言素手？敢問老師父，是何寶山？到此何幹？」

三藏道：「貧僧乃東土大唐駕下差往西天大雷音寺取經者。卻才路過仙宮，竭誠進拜。」

道士聞言，滿面生春道：「老師乃忠誠大德之佛，小道不知，失於遠候，恕罪！恕罪！」叫：「童兒，快去換茶來，一廂作速辦齋。」

那小童走將進去，眾女子招呼他來道：「這裡有現成好茶，拿出去。」那童子果然將五鍾茶拿出。道士連忙雙手拿一個紅棗兒茶鍾奉與唐僧。他見八戒身軀大，就認做大徒弟；沙僧認做二徒弟；見行者身量小，認做三徒弟，所以第四鍾才奉與行者。

行者眼乖，接了茶鍾，早已見盤子裡那茶鍾是兩個黑棗兒。他道：「先生，我與你穿換一杯。」

道士笑道：「不瞞長老說，山野中貧道士，茶果一時不備，才然在後面親自尋果子，只有這十二個紅棗，做四鍾茶奉敬。小道又不可空陪，所以將兩個下色◆棗兒作一杯奉陪。此乃貧道恭敬之意也。」

行者笑道：「說哪裡話？古人云：『在家不是貧？路上貧殺人。』你是住家兒的，何以言貧！像我們這行腳僧，才是真貧哩。我和你換換，我和你換換。」

三藏聞言道：「悟空，這仙長實乃愛客之意，你吃了罷，換怎的？」行者無奈，將左手接了，右手蓋住，看著他們。

卻說那八戒一則飢，二則渴，原來是食腸大大的，見那鍾子裡有三個紅棗兒，拿起來嘓的都咽在肚裡。師父也吃了，沙僧也吃了。一霎時，只見八戒臉上變色，沙僧滿眼流淚，唐僧口中吐沫。他們都坐不住，暈倒在地。

◆下色—下等。

這大聖情知是毒，將茶鍾手舉起來，望道士劈臉一摜。道士將袍袖隔起，噹的一聲，把個鍾子跌得粉碎。

道士怒道：「你這和尚，十分村鹵！怎麼把我鍾子捽了？」

行者罵道：「你這畜生！你看我那三個人是怎麼說？我與你有甚相干，你卻將毒藥茶藥倒我的人？」

道士道：「你這個村畜生，闖下禍來，你豈不知？」

行者道：「我們才進你門，方敘了坐次，道及鄉貫，又不曾有個高言，哪裡闖下甚禍？」

道士道：「你可曾在盤絲洞化齋麼？你可曾在濯垢泉洗澡麼？」

行者道：「濯垢泉乃七個女怪，你既說出這話，必定與她苟合，必定也是妖精！不要走，吃我一棒！」好大聖，去耳朵裡摸出金箍棒，晃一晃，碗來粗細，望道士劈臉打來。那道士急轉身躲過，取一口寶劍來迎。

他兩個廝罵廝打，早驚動那裡邊的女怪。她七個一擁出來，叫道：「師兄且莫勞心，待小妹子拿他。」

行者見了，越生嗔怒，雙手掄鐵棒，丟開解數，滾將進去亂打。只見那七個敞開懷，腆著雪白肚子，臍孔中作出法來：骨都都絲繩亂冒，搭起一個天篷，把行者蓋在底下。

行者見事不諧，即翻身念聲咒語，打個觔斗，撲地撞破天篷走了。忍著性氣，淤淤的立在空中看處，見那怪絲繩晃亮，穿穿道道，卻是穿梭的經緯，頃刻間，把黃花觀的樓臺殿閣都遮得無影無形。

行者道：「利害！利害！早是不曾著他手，怪道豬八戒跌了若干，似這般怎生是好？我師父與師弟卻又中了毒藥。這夥怪合意同心，卻不知是個甚來歷，待我還去問那土地神也。」

好大聖，按落雲頭，捻著訣，念聲「唵」字真言，把個土地老兒又拘來了。戰兢兢跪下路旁，叩頭道：「大聖，你去救你師父的，為何又轉來也？」

行者道：「早間救了師父，前去不遠，遇一座黃花觀，我與師父等進去看看，那觀主迎接。才敘話間，被他把毒藥茶藥倒我師父等。我幸不曾吃茶，使棒就打。他卻說出盤絲洞化齋，濯垢泉洗澡之事，我就知那廝是怪。才舉手相敵，只見那七個女子跑出，吐放絲繩，老孫虧有見識走了。我想你在此間為神，定知她的來歷，是個甚麼妖精？老實說來，免打！」土地叩頭道：「那妖精到此，住不上十年。小神自三年前檢點之後，方見她的本相，乃是七個蜘蛛精。她吐那些絲繩，乃是蛛絲。」行者聞言，十分歡喜道：「據你說，卻是小可◆。既這般，你回去，等我作法降她也。」那土地叩頭而去。

行者卻到黃花觀外，將尾巴上毛捋下七十根，吹口仙氣，叫：「變！」即變做七十個小行者；又將金箍棒吹口仙氣，叫：「變！」即變做七十個雙角叉兒棒。每一個小行者與他一根，他自家使一根，站在外邊，將叉兒攪那絲繩，一齊著力，打個號子，把那絲繩都攪斷，各攪了有十餘斤。裡面拖出七個蜘蛛，足有巴斗◆大小的身軀。

一個個攢著手腳，索著頭，只叫：「饒命！饒命！」此時七十個小行者，按住七個蜘蛛，哪裡肯放。

行者道：「且不要打她，只教還我師父、師弟來。」

那怪厲聲高叫道：「師兄，還他唐僧，救我命也！」

那道士從裡邊跑出道：「妹妹，我要吃唐僧哩，救不得妳了！」

行者聞言，大怒道：「你既不還我師父，且看你妹妹的樣子！」好大聖，把叉兒棒晃一晃，復了一根鐵棒，雙手舉起，把七個蜘蛛精盡情打爛。

卻又將尾巴搖了兩搖，收了毫毛，單身掄棒，趕入裡邊來打道士。那道士見他打死了師妹，心甚不忍，即發狠舉劍來迎。這一場各懷忿怒，一個個大展神通。這一場好殺：

◆小可——無關緊要的事。　巴斗——以柳條編成用來盛物的圓斗形器具。

妖精掄寶劍，大聖舉金箍。
都為唐朝三藏，先教七女嗚呼。
如今大展經綸手，施威弄法逞金吾。
大聖神光壯，妖仙膽氣粗。
渾身解數如花錦，雙手騰挪似轆轤。
乒乓劍棒響，慘淡野雲浮。
劖言語，使機謀，一來一往如畫圖。
殺得風響沙飛狼虎怕，天昏地暗斗星無。

那道士與大聖戰經五、六十合，漸覺手軟。一時間鬆了筋節，便解開衣帶，唿辣的響一聲，脫了皂袍。

行者笑道：「我兒子！打不過人，就脫剝了也是不能夠的！」

原來這道士剝了衣裳，把手一齊抬起，只見那兩脅下有一千隻眼，眼中迸放金光，十分利害：

森森黃霧，豔豔金光。
森森黃霧，兩邊脅下似噴雲；豔豔金光，千隻眼中如放火。
左右卻如金桶，東西猶似銅鐘。
此乃妖仙施法力，道士顯神通：
晃眼迷天遮日月，罩人爆燥氣朦朧；
把個齊天孫大聖，困在金光黃霧中。

行者慌了手腳，只在那金光影裡亂轉，向前不能舉步，退後不能動腳，卻便似在個桶裡轉的一般。無奈又爆燥不過，他急了，往上著實一跳，卻撞破金光，撲的跌了一個倒栽蔥，覺道撞得頭疼。急伸手摸摸，把頂梁皮都撞軟了。

自家心焦道：「晦氣！晦氣！這顆頭今日也不濟了！常時刀砍斧剁，莫能傷損，卻怎麼被這金光撞軟了皮肉？久以後定要貢膿。縱然好了，也是個破傷風。」

一會家爆燥難禁，卻又自家計較道：「前去不得，後退不得，左行不得，右行不得，往上又撞不得，卻怎麼好？往下走他娘罷！」

好大聖，念個咒語，搖身一變，變做個穿山甲，又名鯪鯉鱗。真個是：

四隻鐵爪，鑽山碎石如撾粉；滿身鱗甲，破嶺穿巖似切蔥。
兩眼光明，好便似雙星晃亮；一嘴尖利，勝強如鋼鑽金錐。
藥中有性穿山甲，俗語呼為鯪鯉鱗。

你看他硬著頭，往地下一鑽，就鑽了有二十餘里，方才出頭。原來那金光只罩得十餘里。出來現了本相，力軟筋麻，渾身疼痛，止不住眼中流淚。忽失聲叫道：「師父啊！當年秉教出山中，共往西來苦用工。大海洪波無恐懼，陽溝之內卻遭風！」

美猴王正當悲切，忽聽得山背後有人啼哭，即欠身揩了眼淚，回頭觀看。但見一個婦人，身穿重孝，左手托一盞涼漿水飯，右手執幾張燒紙黃錢，從那廂一步一聲，哭著走來。

行者點頭嗟嘆道：「正是：『流淚眼逢流淚眼，斷腸人遇斷腸人。』這一個婦人，不知所哭何事？待我問她一問。」那婦人不一時走上前來，迎著行者。

行者躬身問道：「女菩薩，妳哭的是甚人？」

婦人噙淚道：「我丈夫因與黃花觀觀主買竹竿爭講，被他將毒藥茶藥死，我將這陌紙錢燒化，以報夫婦之情。」

行者聽言，眼中淚下。那婦女見了，作怒道：「你甚無知，我為丈夫煩惱生悲，你怎麼淚眼愁眉，欺心戲我？」

行者躬身道：「女菩薩息怒。我本是東土大唐欽差御弟唐三藏大徒弟孫悟

◆貢膿──潰爛生膿。

空行者。因往西天，行過黃花觀歇馬，那觀中道士，不知是個甚麼妖精，他與七個蜘蛛精結為兄妹。蜘蛛精在盤絲洞要害我師父，是我與師弟八戒、沙僧救解得脫。那蜘蛛精走到他這裡，背了是非，說我等有欺騙之意。「道士將毒藥茶藥倒我師父、師弟共三人，連馬四口，陷在他觀裡。惟我不曾吃他茶，將茶鍾摜碎，他就與我相打。正嚷時，那七個蜘蛛精跑出來吐放絲繩，將我捆住，是我使法力走脫。問及土地，說她本相。我卻又使分身法攪絕絲繩，拖出妖來，一頓棒打死。

「這道士即與她報仇，舉寶劍與我相鬥。鬥經六十回合，他敗了陣，隨脫了衣裳，兩脅下放出千隻眼，有萬道金光，把我罩定。所以進退兩難，才變做一個鯪鯉鱗，從地下鑽出來。正自悲切，忽聽得妳哭，故此相問。因見妳為丈夫，有此紙錢報答，我師父喪身，更無一物相酬，所以自怨生悲，豈敢相戲！」

那婦女放下水飯、紙錢，對行者陪禮道：「莫怪，莫怪，我不知你是被難者。才據你說將起來，你不認得那道士。他本是個百眼魔君，又喚做多目怪。你既然有此變化，脫得金光，戰得許久，必定有大神通，卻只是還近不得那廝。我教你去請一位聖賢，他能破得金光，降得道士。」

行者聞言，連忙唱喏道：「女菩薩知此來歷，煩為指教指教。果是哪位聖賢，我去請求，救我師父之難，就報你丈夫之仇。」

婦人道：「我就說出來，你去請他，降了道士，只可報仇而已，恐不能救你師父。」

行者道：「怎不能救？」

婦人道：「那廝毒藥最狠：藥倒人，三日之間，骨髓俱爛。你此往回恐遲了，故不能救。」

行者道：「我會走路，憑他多遠，只消半日。」

女子道：「你既會走路，聽我說：此處到那裡有千里之遙。那廂有一座山，名喚紫雲山。山中有個千花洞，洞中有位聖賢，喚做毘藍婆，她能降得此怪。」

行者道：「那山坐落何方？卻從何方去？」女子用手指定道：「那直南上便是。」行者回頭看時，那女子早不見了。行者慌忙禮拜道：「是哪位菩薩？我弟子鑽昏了，不能相識，千乞留名，好謝！」只見那半空中叫道：「大聖，是我。」行者急抬頭看處，原是驪山老母。趕至空中謝道：「老母從何來指教我也？」老母道：「我才自龍華會上回來，見你師父有難，假做孝婦，借夫喪之名，免他一死。你快去請他，但不可說出是我指教，那聖賢有些多怪人。」

行者謝了，辭別，把觔斗雲一縱，隨到紫雲山上。按定雲頭，就見那千花洞。那洞外：

青松遮勝境，翠柏繞仙居。綠柳盈山道，奇花滿澗渠。
香蘭圍石屋，芳草映巖嵎。流水連溪碧，雲封古樹虛。
野禽聲聒聒，幽鹿步徐徐。修竹枝枝秀，紅梅葉葉舒。

寒鴉棲古樹，春鳥噪高樗。夏麥盈田廣，秋禾遍地餘。
四時無葉落，八節有花如。每生瑞靄連霄漢，常放祥雲接太虛。

這大聖喜喜歡歡走將進去，一程一節，看不盡無邊的景致。直入裡面，更沒個人兒，靜靜悄悄的，雞犬之聲也無。心中暗道：「這聖賢想是不在家了。」又進數里看時，見一個女道姑坐在榻上。你看她怎生模樣：

頭戴五花納錦帽，身穿一領織金袍。
腳踏雲尖鳳頭履，腰繫攢絲雙穗絛。
面似秋容霜後老，聲如春燕社前嬌。
腹中久諳三乘法，心上常修四諦饒。
悟出空空真正果，煉成了了自逍遙。
正是千花洞裡佛，毘藍菩薩姓名高。

行者止不住腳，近前叫道：「毘藍婆菩薩，問訊了。」

那菩薩即下榻，合掌回禮道：「大聖，失迎了。你從哪裡來的？」

行者道：「你怎麼就認得我是大聖？」

毘藍婆道：「你當年大鬧天宮時，普地裡傳了你的形象，誰人不知，哪個不識？」

行者道：「正是：『好事不出門，惡事傳千里。』像我如今皈正佛門，妳就不曉得了？」

毘藍道：「幾時皈正？恭喜！恭喜！」

行者道：「近能脫命，保師父唐僧上西天取經，師父遇黃花觀道士，將毒藥茶藥倒。我與那廝賭鬥，他就放金光罩住我，是我使神通走脫了。聞菩薩能滅他的金光，特來拜請。」

菩薩道：「是誰與你說的？我自赴了盂蘭會，到今三百餘年，不曾出門。我隱姓埋名，更無一人得知，你卻怎麼知道？」

行者道：「我是個地裡鬼，不管哪裡，自家都會訪著。」

毘藍道：「也罷，也罷。我本當不去，奈蒙大聖下臨，不可滅了求經之善，我和你去來。」

行者稱謝了，道：「我忒無知，擅自催促。但不知曾帶甚麼兵器？」

菩薩道：「我有個繡花針兒，能破那廝。」

行者忍不住道：「老母誤了我，早知是繡花針，不須勞你，就問老孫要一擔也是有的。」

毘藍道：「你那繡花針，無非是鋼鐵金針，用不得。我這寶貝，非鋼非鐵非金，乃我小兒日眼裡煉成的。」

行者道：「令郎是誰？」毘藍道：「小兒乃昴日星官。」行者驚駭不已。早望見金光豔豔，即回向毘藍道：「金光處便是黃花觀也。」

毘藍隨於衣領裡取出一個繡花針，似眉毛粗細，有五六分長短，拈在手，望空抛去。少時間，響一聲，破了金光。

行者喜道：「菩薩，妙哉，妙哉！尋針，尋針！」

毘藍托在手掌內道：「這不是？」行者卻同按下雲頭，走入觀裡，只見那道士合了眼，不能舉步。

行者罵道：「你這潑怪裝瞎子哩！」耳朵裡取出棒來就打。毘藍扯住道：「大聖莫打，且看你師父去。」

行者逕至後面客位裡看時，他三人都睡在地上吐痰吐沫哩。

行者垂淚道：「卻怎麼好？卻怎麼好？」

毘藍道：「大聖休悲。也是我今日出門一場，索性積個陰德。我這裡有解毒丹，送你三丸。」行者轉身拜求。

那菩薩袖中取出一個破紙包兒，內將三粒紅丸子遞與行者，教放入口裡。行者把藥扳開他們牙關，每人摁了一丸。須臾，藥味入腹，便就一齊嘔噦，遂吐出毒味，得了性命。

那八戒先爬起道：「悶殺我也！」

三藏、沙僧俱醒了道：「好暈也！」

行者道：「你們那茶裡中了毒了。虧這毘藍菩薩搭救，快都來拜謝。」

三藏欠身整衣謝了。

八戒道：「師兄，那道士在哪裡？等我問他一問，為何這般害我？」行者把蜘蛛精上項事說了一遍。八戒發狠道：「這廝既與蜘蛛為姐妹，定是妖精。」

行者指道：「他在那殿外立定裝瞎子哩。」

八戒拿鈀就築，又被毘藍止住道：「天蓬息怒。大聖知我洞裡無人，待我收他去看守門戶也。」

行者道：「感蒙大德，豈不奉承。但只是教他現本相，我們看看。」

毘藍道：「容易。」即上前用手一指，那道士撲地倒在塵埃，現了原身，乃是一條七尺長短的大蜈蚣精。毘藍使小指頭挑起，駕祥雲，逕轉千花洞去。

八戒打仰道：「這媽媽兒卻也利害，怎麼就降這般惡物？」

行者笑道：「我問她有甚兵器破他金光，她道有個繡花針兒，是她兒子在日眼裡煉的。及問她令郎是誰，她道是昴日星官。我想昴日星是隻公雞，這老媽媽必定是個母雞。雞最能降蜈蚣，所以能收伏也。」

三藏聞言，頂禮不盡。教：「徒弟們，收拾去罷。」那沙僧即在裡面尋了些米糧，安排了些齋，俱飽餐一頓。牽馬挑擔，請師父出門。行者從他廚中放了一把火，把一座觀霎時燒得煨燼◆，卻拽步長行。正是：

唐僧得命感毘藍，了性消除多目怪。

畢竟向前去還有甚麼事體，且聽下回分解。

◆**煨燼**——灰燼。煨音威。

第七四回

長庚傳報魔頭狠　行者施為變化能

情欲原因總一般，有情有欲自如然。
沙門修煉紛紛士，斷欲忘情即是禪。
須著意，要心堅，一塵不染月當天。
行功進步休教錯，行滿功完大覺仙。

話表三藏師徒們打開欲網，跳出情牢，放馬西行。走不多時，又是夏盡秋初，新涼透體。但見那：

急雨收殘暑，梧桐一葉驚。
螢飛莎徑晚，蛩語月華明。
黃葵開映露，紅蓼遍沙汀。
蒲柳先零落，寒蟬應律鳴。

三藏正然行處，忽見一座高山，峰

插碧空，真個是摩星礙日。長老心中害怕，叫悟空道：「你看前面這山十分高聳，但不知有路通行否？」

行者笑道：「師父說哪裡話，自古道：『山高自有客行路，水深自有渡船人。』豈無通達之理？可放心前去。」長老聞言，喜笑花生，揚鞭策馬而進，逕上高巖。

行不數里，見一老者，鬢蓬鬆，白髮飄搔；鬚稀朗，銀絲擺動；項掛一串數珠子，手持拐杖現龍頭。遠遠的立在那山坡上高呼：「西進的長老，且暫住驊騮，緊兜玉勒。這山上有一夥妖魔，吃盡了閻浮世上人，不可前進！」三藏聞言，大驚失色。一是馬的足下不平，二是坐個雕鞍不穩，撲地跌下馬來，掙挫不動，睡在草裡哼哩。

行者近前攙起道：「莫怕，莫怕！有我哩！」

長老道：「你聽那高巖上老者報道這山上有夥妖魔，吃盡閻浮世上人，誰敢去問他一個真實端的？」

行者道：「你且坐地，等我去問他。」

三藏道：「你的相貌醜陋，言語粗俗，怕衝撞了他，問不出個實信。」

行者笑道：「我變個俊些兒的去問他。」三藏道：「你是變了我看。」

好大聖，捻著訣，搖身一變，變做個乾乾淨淨的小和尚兒，真個是目秀眉清，頭圓臉正；行動有斯文之氣象，開口無俗類之言詞。抖一抖錦衣直裰，拽步上前，向唐僧道：「師父，我可變得好麼？」

三藏見了大喜道：「變得好。」

八戒道：「怎麼不好？只是把我們都比下去了。老豬就滾上二三年，也變不得這等俊俏！」

好大聖，躲離了他們，徑直近前，對那老者躬身道：「老公公，貧僧問訊了。」

那老兒見他生得俊雅，年少身輕，待答不答的，還了他個禮，用手摸著他頭兒，笑嘻嘻問道：「小和尚，你是哪裡來的？」

行者道：「我們是東土大唐來的，特上西天拜佛求經。適到此間，聞得公公報道有妖怪，我師父膽小怕懼，著我來問一聲：端的是甚妖精，他敢這般短路◈！煩公公細說與我知之，我好把他貶解起身。」

那老兒笑道：「你這小和尚年幼，不知好歹，言不幫襯。那妖魔神通廣大得緊，怎敢就說貶解他起身！」

行者笑道：「據你之言，似有護他之意，必定與他有親，或是緊鄰契友，不然，怎麼長他的威智，興他的節概◈，不肯傾心吐膽說他個來歷？」

公公點頭笑道：「這和尚倒會弄嘴！想是跟你師父遊方，到處兒學些法術，或者會驅縛魍魎，與人家鎮宅降邪。你不曾撞見十分狠怪哩！」

行者道：「怎的狠？」

公公道：「那妖精一封書到靈山，五百阿羅都來迎接；一紙簡上天宮，

◈**短路**——盜匪攔路搶劫。　**節概**——志節氣概。

十一大曜個個相欽。四海龍曾與他為友，八洞仙常與他作會。十地閻君以兄弟相稱，社令、城隍以賓朋相愛。」

大聖聞言，忍不住呵呵大笑，用手扯著老者道：「不要說！不要說！那妖精與我後生小廝為兄弟、朋友，也不見十分高作。若知是我小和尚來啊，他連夜就搬起身去了！」

公公道：「你這小和尚胡說，不當人子。哪個神聖是你的後生小廝？」

行者笑道：「實不瞞你說，我小和尚祖居傲來國花果山水簾洞，姓孫，名悟空。當年也曾做過妖精，幹過大事。曾因會眾魔，多飲了幾杯酒睡著，夢中見二人將批勾我去到陰司。一時怒發，將金箍棒打傷鬼判，諕倒閻王，幾乎掀翻了森羅殿。嚇得那掌案的判官拿紙，十閻王簽名畫字，教我饒他打，情願與我做後生小廝。」

那公公聞說道：「阿彌陀佛！這和尚說了這過頭話，莫想再長得大了。」

行者道：「官兒，似我這般大也夠了。」公公道：「你年幾歲了？」

行者道：「你猜猜看。」老者道：「有七八歲罷了。」

行者笑道：「有一萬個七八歲。我把舊嘴臉拿出來你看看，你卻莫怪。」

公公道：「怎麼又有個嘴臉？」

行者道：「我小和尚果有七十二副嘴臉哩。」

那公公不識竅◆，只管問他。他就把臉抹一抹，即現出本相，咨牙倈嘴，兩股通紅，腰間繫一條虎皮裙，手裡執一根金箍棒，立在石崖之下，就像個活雷公。那老者見了，嚇得面容失色，腿腳酸麻，站不穩，撲地一跌；爬起來，又一個蹦踵。

大聖上前道：「老官兒，不要虛驚，我等面惡人善，莫怕！莫怕！適間蒙你好意，報有妖魔。委的有多少怪？一發累你說說，我好謝你。」

那老兒戰戰兢兢，口不能言，又推耳聾，一句不應。

◆不識竅——不懂事、不明時務。

行者見他不言，即抽身回坡。長老道：「悟空，你來了？所問如何？」

行者笑道：「不打緊！不打緊！西天有便有個把妖精兒，只是這裡人膽小，把他放在心上。沒事，沒事！有我哩！」

長老道：「你可曾問他此處是甚麼山？甚麼洞？有多少妖怪？哪條路通得雷音？」

八戒道：「師父，莫怪我說。若論賭變化，使促掐，捉弄人，我們三五個也不如師兄；若論老實，像師兄就擺一隊伍，也不如我。」

唐僧道：「正是！正是！你還老實。」

八戒道：「他不知怎麼鑽過頭不顧尾的問了兩聲，不尷不尬的就跑回來了。等老豬去問他個實信來。」

唐僧道：「悟能，你仔細著。」

好呆子，把釘鈀撒在腰裡，整一整皂直裰，扭扭捏捏，奔上山坡，對老者叫道：「公公，唱喏了。」

那老兒見行者回去，方拄著杖掙得起來，戰戰兢兢的要走，忽見八戒，愈覺驚怕道：「爺爺呀！今夜做的甚麼惡夢，遇著這夥惡人！為先的那和尚醜便醜，還有三分人相；這個和尚，怎麼這等個碓梃◆嘴，蒲扇耳朵，鐵片臉，鬃毛頸項，一分人氣兒也沒有了？」

八戒笑道：「你這老公公不高興，有些兒好褒貶人。你是怎的看我哩？我醜便醜，奈◆看，再停一時就俊了。」

那老者見他說出人話來，只得開言問他：「你是哪裡來的？」

八戒道：「我是唐僧第二個徒弟，法名叫做悟能八戒。才自先問的，叫做悟空行者，是我師兄。師父怪他衝撞了公公，不曾問得實信，所以特著我來拜問。此處果是甚山？甚洞？洞裡果是甚妖精？哪裡是西去大路？煩公公指示指示。」

老者道：「可老實麼？」八戒道：「我生平不敢有一毫虛的。」

◆碓梃——搗碓的棒子。碓音對。　奈——耐的借音。

老者道：「你莫像才來的那個和尚走花弄水的胡纏。」

八戒道：「我不像他。」

公公拄著杖，對八戒說：「此山叫做八百里獅駝嶺。中間有座獅駝洞。洞裡有三個魔頭。」

八戒啐了一聲：「你這老兒卻也多心，三個妖魔也費心勞力的來報遭信？」

公公道：「你不怕麼？」

八戒道：「不瞞你說，這三個妖魔，我師兄一棍就打死一個；我一鈀就築死一個。我還有個師弟，他一降妖杖又打死一個。三個都打死，我師父就過去了，有何難哉？」

那老者笑道：「這和尚不知深淺。那三個魔頭，神通廣大得緊哩！他手下小妖，南嶺上有五千，北嶺上有五千；東路口有一萬，西路口有一萬；巡哨的有四五千，把門的也有一萬；燒火的無數，打柴的也無數：共計算有四萬七八千。這都是有名字帶牌兒的，專在此吃人。」

那呆子聞得此言，戰兢兢跑將轉來，相近唐僧，且不回話，放下鈀，在那裡出恭◆。行者見了，喝道：「你不回話，卻蹲在那裡怎的？」

八戒道：「諕出屎來了！如今也不消說，趕早兒各自顧命去罷！」

行者道：「這個呆根！我問信偏不驚恐，你去問就這等慌張失智！」

長老道：「端的何如？」

八戒道：「這老兒說：此山叫做八百里獅駝嶺。中間有座獅駝洞。洞裡有三個老妖，有四萬八千小妖，專在那裡吃人。我們若㓤著他些山邊兒，就是他口裡食了。莫想去得。」

三藏聞言，戰兢兢，毛骨悚然道：「悟空，如何是好？」

◆走花弄水——指說大話、吹牛。

出恭——排泄糞便。明代考試設有出恭入敬牌，士子如廁通便，須先領牌，故稱通便為「出恭」。且稱大便為「大恭」，小便為「小恭」。

行者笑道：「師父放心，沒大事。想是這裡有便有幾個妖精，只是這裡人膽小，把他就說出許多人，許多大，所以自驚自怪。有我哩！」

八戒道：「哥哥說的是哪裡話？我比你不同，我問的是實，決無虛謬之言。滿山滿谷都是妖魔，怎生前進？」

行者笑道：「呆子嘴臉，不要虛驚。若論滿山滿谷之魔，只消老孫一路棒，半夜打個罄盡。」

八戒道：「不羞！不羞！莫說大話！那些妖精點卯也得七八日，怎麼就打得罄盡？」

行者道：「你說怎樣打？」

八戒道：「憑你抓倒，捆倒，使定身法定倒，也沒有這等快的。」

行者笑道：「不用甚麼抓拿捆縛。我把這棍子兩頭一扯，叫：『長！』就有四十丈長短。晃一晃，叫：『粗！』就有八丈圍圓粗細。往山南一滾，滾殺五千；山北一滾，滾殺五千；從東往西一滾，只怕四五萬砑◆做肉泥爛醬。」

八戒道：「哥哥，若是這等擀麵打，或者二更時也都了了。」

沙僧在旁笑道：「師父，有大師兄恁樣神通，怕他怎的！請上馬走啊！」

唐僧見他們講論手段，沒奈何，只得寬心上馬而走。

正行間，不見了那報信的老者。

沙僧道：「他就是妖怪，故意狐假虎威的來傳報，恐唬我們哩。」

行者道：「不要忙，等我去看看。」好大聖，跳上高峰，四顧無跡，急轉面，見半空中有彩霞晃亮，即縱雲趕上看時，乃是太白金星。走到身邊，用手扯住，口口聲聲只叫他的小名道：「李長庚！李長庚！你好憊懶！有甚話，當面來說便好，怎麼裝做個山林之老，魘樣◆混我！」

金星慌忙施禮道：「大聖，報信來遲，乞勿罪！乞勿罪！這魔頭果是神通廣大，勢要崢嶸。只看你挪移變化，乖巧機謀，可便過去；如若怠慢些兒，

◆研——碾壓。研音訝。　魘樣——假借鬼神，作法害人的一種妖術。

其實難去。」

行者謝道：「感激！感激！果然此處難行，望老星上界與玉帝說聲，借些天兵，幫助老孫幫助。」

金星道：「有！有！有！你只口信帶去，就是十萬天兵，也是有的。」

大聖別了金星，按落雲頭，見了三藏道：「適才那個老兒，原是太白星來與我們報信的。」

長老合掌道：「徒弟，快趕上他，問他哪裡另有個路，我們轉了去罷。」

行者道：「轉不得。此山徑過有八百里，四周圍不知更有多少路哩，怎麼轉得？」

三藏聞言，止不住眼中流淚道：「徒弟，似此艱難，怎生拜佛？」

行者道：「莫哭！莫哭！一哭便膿包行了！他這報信，必有幾分虛話，只是要我們著意留心，誠所謂：『以告者，過也。』你且下馬來坐著。」

八戒道：「又有甚商議？」

行者道：「沒甚商議。你且在這裡用心保守師父，沙僧好生看守行李、馬匹。等老孫先上嶺打聽打聽，看前後共有多少妖怪，拿住一個，問他個詳細，教他寫個執結◆，開個花名，把他老老小小一一查明，吩咐他關了洞門，不許阻路，卻請師父靜靜悄悄的過去，方顯得老孫手段。」沙僧只教：「仔細！仔細！」

行者笑道：「不消囑咐。我這一去，就是東洋大海也蕩開路，就是鐵裹銀山也撞透門！」

好大聖，唿哨一聲，縱觔斗雲，跳上高峰。扳藤負葛，平山觀看，那山裡靜悄無人。忽失聲道：「錯了！錯了！不該放這金星老兒去了。他原來恐諕我。這裡哪有個甚麼妖精！他就出來跳風頑耍，必定拈槍弄棒，操演武藝，如何沒有一個？」

◆執結──具結，開立的負責文字。

正自家揣度，只聽得山背後叮叮噹噹、辟辟剝剝梆鈴之聲。急回頭看處，原來是個小妖兒，掮著一桿「令」字旗，腰間懸著鈴子，手裡敲著梆子，從北向南而走。仔細看他，有一丈二尺的身子。

行者暗笑道：「他必是個鋪兵，想是送公文下報帖的。且等我去聽他一聽，看他說些甚話。」

好大聖，捻著訣，念個咒，搖身一變，變做個蒼蠅兒，輕輕飛在他帽子上，側耳聽之。只見那小妖走上大路，敲著梆，搖著鈴，口裡作念道：「我等巡山的，各人要謹慎提防孫行者，他會變蒼蠅。」

行者聞言，暗自驚疑道：「這廝看見我了？若未看見，怎麼就知我的名字，又知我會變蒼蠅？」原來那小妖也不曾見他，只是那魔頭不知怎麼就吩咐他這話，卻是個謠言，著他這等胡念。

行者不知，反疑他看見，就要取出棒來打他，卻又停住，暗想道：「曾記得八戒問金星時，他說老妖三個，小妖有四萬七八千名。似這小妖，再多幾萬，也不打緊。卻不知這三個老魔有多大手段。等我問他一問，動手不遲。」

好大聖，你道他怎麼去問？跳下他的帽子來，釘在樹頭上，讓那小妖先行幾步。急轉身騰挪，也變做個小妖兒，照依他敲著梆，搖著鈴，掮著旗，一般衣服，只是比他略長了三五寸，口裡也那般念著。趕上前叫道：「走路的，等我一等。」

那小妖回頭道：「你是哪裡來的？」

行者笑道：「好人呀，一家人也不認得？」小妖道：「我家沒你呀。」

行者道：「怎的沒我？你認認看。」

小妖道：「面生，認不得！認不得！」

行者道：「可知道面生。我是燒火的，你會得我少。」

小妖搖頭道：「沒有！沒有！我洞裡就是燒火的那些兄弟，也沒有這個嘴尖的。」

行者暗想道：「這個嘴好的變尖了些了。」

即低頭，把手捂著嘴揉一揉道：「我的嘴不尖啊。」真個就不尖了。那小妖道：「你剛才是個尖嘴，怎麼揉一揉就不尖了？疑惑人子！大不好認！不是我一家的。少會，少會！可疑，可疑！我那大王家法甚嚴，燒火的只管燒火，巡山的只管巡山。終不然教你燒火，又教你來巡山？」行者口乖，就趁過來道：「你不知道。大王見我燒得火好，就升我來巡山。」

小妖道：「也罷；我們這巡山的，一班有四十名，十班共四百名，各自年貌，各自名色。大王怕我們亂了班次，不好點卯，一家與我們一個牌兒為號。你可有牌兒？」行者只見他那般打扮，那般報事，遂照他的模樣變了；因不曾看見他的牌兒，所以身上沒有。好大聖，更不說沒有，就滿口應承道：「我怎麼沒牌？但只是剛才領的新牌。拿你的出來我看。」那小妖哪裡知這個機關，即揭起衣服，貼身帶著個金漆牌兒，穿條絨線繩兒，扯與行者看看。行者見那牌背是個「威鎮諸魔」的金牌，正面有三個真字，是「小鑽風」。

他卻心中暗想道：「不消說了，但是巡山的，必有個『風』字墜腳。」便道：「你且放下衣走過，等我拿牌兒你看。」即轉身，插下手，將尾巴梢兒的小毫毛拔下一根，捻他把，叫：「變！」即變做個金漆牌兒，也穿上個綠絨繩兒，上書三個真字，乃「總鑽風」。拿出來，遞與他看了。

小妖大驚道：「我們都叫做個小鑽風，偏你又叫做個甚麼『總鑽風』。」行者幹事找絕，說話合宜，就道：「你實不知。大王見我燒得火好，把我升個巡風；又與我個新牌，叫做『總鑽風』，教我管你這一班四十名兄弟也。」

那妖聞言，即忙唱喏道：「長官，長官，新點出來的，實是面生，言語衝撞，莫怪！」

行者還著禮笑道：「怪便不怪你，只是一件：見面錢卻要哩，每人拿出五兩來罷。」

小妖道：「長官不要忙，待我向南嶺頭會了我這一班的人，一總打發罷。」

行者道：「既如此，我和你同去。」那小妖真個前走，大聖隨後相跟。

不數里，忽見一座筆峰。何以謂之筆峰？那山頭上長出一條峰來，約有四五丈高，如筆插在架上一般，故以為名。行者到邊前，把尾巴掬一掬，跳上去，坐在峰尖兒上。叫道：「鑽風，都過來！」

那些小鑽風在下面躬身道：「長官，伺候。」

行者道：「你可知大王點我出來之故？」小妖道：「不知。」

行者道：「大王要吃唐僧，只怕孫行者神通廣大，說他會變化，只恐他變做小鑽風，來這裡屣著路徑，打探消息，把我升作總鑽風，來查勘你們這一班可有假的？」

小鑽風連聲應道：「長官，我們俱是真的。」

行者道：「你既是真的，大王有甚本事，你可曉得？」

小鑽風道：「我曉得。」行者道：「你曉得，快說來我聽。如若說得合著我，便是真的；若說差了一些兒，便是假的，我定拿去見大王處治。」那小鑽風見他坐在高處，弄獐弄智，呼呼喝喝的，沒奈何，只得實說道：「我大王神通廣大，本事高強，一口曾吞了十萬天兵。」

行者聞說，吐出一聲道：「你是假的。」

小鑽風慌了道：「長官老爺，我是真的，怎麼說是假的？」

行者道：「你既是真的，如何胡說？大王身子能有多大，一口就吞了十萬天兵？」

小鑽風道：「長官原來不知。我大王會變化，要大能撐天堂，要小就如菜子。因那年王母娘娘設蟠桃大會，邀請諸仙，她不曾具柬來請，我大王意欲爭天，被玉皇差十萬天兵來降我大王。是我大王變化法身，張開大口，似城門一般，用力吞將去。諕得眾天兵不敢交鋒，關了南天門。故此是一口曾吞十萬兵。」

◆墜腳——置於末尾。

行者聞言，暗笑道：「若是講手頭之話，老孫也曾幹過。」

又應聲道：「二大王有何本事？」

小鑽風道：「二大王身高三丈，臥蠶眉，丹鳳眼，美人聲，扁擔牙，鼻似蛟龍。若與人爭鬥，只消一鼻子捲去，就是鐵背銅身，也就魂亡魄喪！」

行者道：「鼻子捲人的妖精也好拿。」

又應聲道：「三大王也有幾多手段？」

小鑽風道：「我三大王不是凡間之怪物，名號雲程萬里鵬。行動時，搏風運海，振北圖南。隨身有一件兒寶貝，喚做陰陽二氣瓶。假若是把人裝在瓶中，一時三刻，化為漿水。」

行者聽說，心中暗驚道：「妖魔倒也不怕，只是仔細防他瓶兒。」

又應聲道：「三個大王的本事，你倒也說得不差，與我知道的一樣。但只是哪個大王要吃唐僧哩？」

小鑽風道：「長官，你不知道？」

行者喝道：「我比你不知些兒！因恐汝等不知底細，吩咐我來著實盤問你哩。」

小鑽風道：「我大大王與二大王久住在獅駝嶺獅駝洞。三大王不在這裡住，他原住處離此西下有四百里遠近。那廂有座城，喚做獅駝國。他五百年前吃了這城國王及文武官僚，滿城大小男女也盡被他吃了乾淨，因此上奪了他的江山，如今盡是些妖怪。不知哪一年打聽得東土唐朝差一個僧人去西天取經，說那唐僧乃十世修行的好人，有人吃他一塊肉，就延壽長生不老。只因怕他一個徒弟孫行者十分利害，自家一個難為，逕來此處與我這兩個大王結為兄弟，合意同心，打夥兒捉那個唐僧也。」

行者聞言，心中大怒道：「這潑魔十分無禮。我保唐僧成正果，他怎麼算計要吃我的人！」恨一聲，咬響鋼牙，掣出鐵棒，跳下高峰，把棍子望小妖頭上砑了一砑，可憐，就砑得像一個肉陀！

自家見了，又不忍道：「咦！他倒是個好意，把些家常話兒都與我說了，我怎麼卻這一下子就結果了他？也罷，也罷！左右是左右！」

好大聖，只為師父阻路，沒奈何幹出這件事來。就把他牌兒解下，帶在自家腰裡，將「令」字旗揹在背上，腰間掛了鈴，手裡敲著梆子。迎風捻個訣，口裡念個咒語，搖身一變，變的就像小鑽風模樣。拽回步，逕轉舊路，找尋洞府，去打探那三個老妖魔的虛實。這正是：千般變化美猴王，萬樣騰挪真本事！

闖入深山，依著舊路。正走處，忽聽得人喊馬嘶之聲。即舉目觀之，原來是獅駝洞口有萬數小妖排列著槍刀劍戟，旗幟旌旄。

這大聖心中暗喜道：「李長庚之言，真是不妄！真是不妄！」

原來這擺列的有些路數：二百五十名作一大隊伍。他只見有四十名雜彩長旗，迎風亂舞，就知有萬名人馬。卻又自揣自度道：「老孫變做小鑽風，這一進去，那老魔若問我巡山的話，我必隨機答應。倘或一時言語差訛，認得我啊，怎生脫體？就要往外跑時，那夥把門的擋住，如何出得門去？要拿洞裡妖王，必先除了門前眾怪。」你道他怎麼除得眾怪？好大聖，想著：「那老魔不曾與我會面，就知我老孫的名頭，我且倚著我的這個名頭，仗著威風，說些大話，嚇他一嚇看。果然中土眾生有緣有分，取得經回，這一去，只消我幾句英雄之言，就嚇退那門前若干之怪；假若眾生無緣無分，取不得真經啊，就是縱然說得蓮花現◈，也除不得西方洞外精。」心問口，口問心，思量此計，敲著梆，搖著鈴，徑直闖到獅駝洞口。

早被前營上小妖擋住道：「小鑽風來了？」行者不應，低著頭就走。走至二層營裡，又被小妖扯住道：「小鑽風來了？」行者道：「來了。」眾妖道：「你今早巡風去，可曾撞見甚麼孫行者麼？」行者道：「撞見的，正在那裡磨扛子哩。」

◈左右是左右—反正如此。　路數—來歷、底細。　說得蓮花現—比喻花言巧語。

眾妖害怕道：「他怎麼個模樣？磨甚麼扛子？」

行者道：「他蹲在那澗邊，還似個開路神；若站起來，好道有十數丈長。手裡拿著一條鐵棒，就似碗來粗細的一根大扛子，在那石崖上抄一把水，磨一磨，口裡又念著：『扛子啊！這一向不曾拿你出來顯顯神通，這一去就有十萬妖精，也都替我打死！等我殺了那三個魔頭祭你！』他要磨得明了，先打死你門前一萬精哩！」那些小妖聞得此言，一個個心驚膽戰，魂散魄飛。

行者又道：「列位，那唐僧的肉也不多幾斤，也分不到我處，我們替他頂這個缸怎的！不如我們各自散一散罷。」

眾妖都道：「說得是，我們各自顧命去來。」原來此輩都是些狼蟲虎豹，走獸飛禽，嗚的一聲，都哄然而去了。這個倒不像孫大聖幾句鋪頭話，卻就如楚歌聲吹散了八千兵！

行者暗自喜道：「好了！老妖是死了。聞言就走，怎敢覿面相逢？這進去還似此言方好；若說差了，才這夥小妖有一兩個倒走進去聽見，卻不走了風汛？」你看他：

存心來古洞，仗膽入深門。

畢竟不知見那個老魔頭有甚吉凶，且聽下回分解。

◆抄—用手作瓢狀舀水。

第七五回

心猿鑽透陰陽體　魔王還歸大道真

卻說孫大聖進於洞口，兩邊觀看。只見：

骷髏若嶺，骸骨如林。
人頭髮㲀成氈片，人皮肉爛作泥塵。
人筋纏在樹上，乾焦晃亮如銀。
真個是屍山血海，果然腥臭難聞。
東邊小妖，將活人拿了剮肉；
西下潑魔，把人肉鮮煮鮮烹。
若非美猴王如此英雄膽，
第二個凡夫也進不得他門。

不多時，行入二層門裡看時，呀！這裡卻比外面不同：清奇幽雅，秀麗寬平；左右有瑤草仙花，前後有喬松翠竹。又行七八里遠近，才到三層門。閃著身，偷著眼看處，那上面高坐三個老妖，十分獰惡。中間的那個生得：

鑿牙鋸齒，圓頭方面。聲吼若雷，眼光如電。
仰鼻朝天，赤眉飄焰。但行處，百獸心慌；若坐下，群魔膽戰。
這一個是獸中王青毛獅子怪。

左手下那個生得：

鳳目金睛，黃牙粗腿。長鼻銀毛，看頭似尾。
圓額皺眉，身軀磊磊。
細聲如窈窕佳人，玉面似牛頭惡鬼。
這一個是藏齒修身多年的黃牙老象。

右手下那一個生得：

金翅鯤頭，星睛豹眼。

振北圖南，剛強勇敢。變生翱翔，鷃笑◆龍慘。
摶風翮百鳥藏頭，舒利爪諸禽喪膽。
這個是雲程九萬的大鵬鵰。

那兩下列著有百十大小頭目，一個個全裝披掛，介冑整齊，威風凜凜，殺氣騰騰。行者見了，心中歡喜，一些兒不怕，大踏步徑直進門，把梆鈴卸下，朝上叫聲：「大王。」

三個老魔笑呵呵問道：「小鑽風，你來了？」行者應聲道：「來了。」「你去巡山，打聽孫行者的下落何如？」行者道：「大王在上，我也不敢說起。」老魔道：「怎麼不敢說？」行者道：「我奉大王命，敲著梆鈴，正然走處，猛抬頭，只看見一個人，蹲在那裡磨扛子，還像個開路神，若站將起來，足有十數丈長短。他就著那澗崖石上，抄一把水，磨一磨，口裡又念一聲，說他那扛子到此還不曾顯個神通，他要磨明，就來打大王。我因此知他是孫行者，特來報知。」

那老魔聞此言，渾身是汗，諕得戰呵呵的道：「兄弟，我說莫惹唐僧。他徒弟神通廣大，預先作了準備，磨棍打我們，卻怎生是好？」教：「小的們，把洞外大小俱叫進來，關了門，讓他過去罷。」

那頭目中有知道的報：「大王，門外小妖已都散了。」

老魔道：「怎麼都散了？想是聞得風聲不好也。快早關門！快早關門！」眾妖乒乓把前後門盡皆牢拴緊閉。

行者自心驚道：「這一關了門，他再問我家長里短的事，我對不來，卻不弄走了風，被他拿住？且再諕他一諕，教他開著門，好跑。」

又上前道：「大王，他還說得不好。」老魔道：「他又說甚麼？」

行者道：「他說拿大大王剝皮，二大王剮骨，三大王抽筋。你們若關了

◆鷃笑——《莊子．逍遙遊》中對大小不齊的引喻，意思是說大鵬能夠水擊三千里，乘風一飛九萬里，小鳥鷃雀卻以他自己飛行蓬蒿之間來嘲笑大鵬。鷃音驗。

門，不出去啊，他會變化，一時變了個蒼蠅兒，自門縫裡飛進，把我們都拿出去，卻怎生是好？」

老魔道：「兄弟們仔細。我這洞裡，遞年◆家沒個蒼蠅，但是有蒼蠅進來，就是孫行者。」

行者暗笑道：「就變個蒼蠅諕他一諕，好開門。」大聖閃在旁邊，伸手去腦後拔了一根毫毛，吹一口仙氣，叫：「變！」即變做一個金蒼蠅，飛去望老魔劈臉撞了一頭。

那老怪慌了道：「兄弟！不停當！那話兒進門來了！」驚得那大小群妖，一個個丫鈀掃帚，都上前亂撲蒼蠅。

這大聖忍不住，赥赥◆的笑出聲來。乾淨他不宜笑，這一笑笑出原嘴臉來了，卻被那第三個老妖魔跳上前，一把扯住道：「哥哥，險些兒被他瞞了。」

老魔道：「賢弟，誰瞞誰？」

三怪道：「剛才這個回話的小妖不是小鑽風，他就是孫行者。必定撞見小鑽風，不知是他怎麼打殺了，卻變化來哄我們哩。」

行者慌了道：「他認得我了！」即把手摸摸，對老怪道：「我怎麼是孫行者？我是小鑽風，大王錯認了。」

老魔笑道：「兄弟，他是小鑽風。他一日三次在面前點卯，我認得他。」又問：「你有牌兒麼？」

行者道：「有。」擄著衣服，就拿出牌子。

老怪一發認實道：「兄弟，莫屈了他。」

三怪道：「哥哥，你不曾看見他？他才子◈閃著身笑了一聲，我見他就露出個雷公嘴來。見我扯住時，他又變做個這等模樣。」叫：「小的們，拿繩來！」眾頭目即取繩索。

◈遞年──年年。 欶欶──嘻嘻，笑聲。 才子──剛才。

三怪把行者扳翻倒，四馬攢蹄捆住。揭起衣裳看時，足足是個弼馬溫。原來行者有七十二般變化，若是變飛禽、走獸、花木、器皿、昆蟲之類，卻就連身子滾去了；但變人物，卻只是頭臉變了，身子變不過來。果然一身黃毛，兩塊紅股，一條尾巴。

老妖看著道：「是孫行者的身子，小鑽風的臉皮。是他了！」教：「小的們，先安排酒來，與你三大王遞個得功之杯。既拿倒了孫行者，唐僧坐定是我們口裡食也。」

三怪道：「且不要吃酒。孫行者溜撒，他會逃遁之法，只怕走了。教小的們抬出瓶來，把孫行者裝在瓶裡，我們才好吃酒。」

老魔大笑道：「正是，正是。」

即點三十六個小妖，入裡面開了庫房門，抬出瓶來。你說那瓶有多大？只得二尺四寸高。怎麼用得三十六個人抬？

那瓶乃陰陽二氣之寶，內有七寶八卦、二十四氣，要三十六人，按天罡之數，才抬得動。不一時，將寶瓶抬出，放在三層門外，展◆得乾淨，揭開蓋。把行者解了繩索，剝了衣服，就著那瓶中仙氣，颼的一聲，吸入裡面，將蓋子蓋上，貼了封皮。

卻去吃酒道：「猴兒今番入我寶瓶之中，再莫想那西方之路！若還能夠拜佛求經，除是轉背搖車，再去投胎奪舍是。」你看那大小群妖，一個個笑呵呵，都去賀功不題。

卻說大聖到了瓶中，被那寶貝將身束得小了，索性變化，蹲在當中。半晌，倒還蔭涼，忽失聲笑道：「這妖精外有虛名，內無實事。怎麼告訴人說這瓶裝了人，一時三刻，化為膿血？若似這般涼快，就住上七八年也無事！」咦！大聖原來不知那寶貝根由：假若裝了人，一年不語，一年蔭涼；但聞得人言，就有火來燒了。大聖未曾說完，只見滿瓶都是火焰。

◆展——揩抹。

幸得他有本事，坐在中間，捻著避火訣，全然不懼。耐到半個時辰，四周圍鑽出四十條蛇來咬。行者掄開手，抓將過來，盡力氣一掐，掐做八十段。少時間，又有三條火龍出來，把行者上下盤繞，著實難禁。

自覺慌張無措道：「別事好處，這三條火龍難為。再過一會不出，弄得火氣攻心，怎了？」

他想道：「我把身子長一長，券◆破罷。」

好大聖，捻著訣，念聲咒，叫：「長！」即長了丈數高下。那瓶緊靠著身，也就長起去。他把身子往下一小，那瓶兒也就小下來了。

行者心驚道：「難！難！難！怎麼我長他也長，我小他也小？如之奈何？」說不了，孤拐上有些疼痛。急伸手摸摸，卻被火燒軟了。

自己心焦道：「怎麼好？孤拐燒軟了，弄做個殘疾之人了。」忍不住掉下淚來。這正是：遭魔遇苦懷三藏，著難臨危慮聖僧。

道：「師父啊！當年皈正，蒙觀音菩薩勸善，脫離天災。我與你苦歷諸山，收殄◆多怪，降八戒，得沙僧，千辛萬苦，指望同證西方，共成正果。

何期今日遭此毒魔，老孫誤入於此，傾了性命，撇你在半山之中，不能前進！想是我昔日名高，故有今朝之難！」

正此悽愴，忽想起：「菩薩當年在蛇盤山曾賜我三根救命毫毛，不知有無，且等我尋一尋看。」即伸手渾身摸了一把，只見腦後有三根毫毛，十分挺硬。

忽喜道：「身上毛都如彼軟熟，只此三根如此挺硬，必然是救我命的。」即便咬著牙，忍著疼，拔下毛，吹口仙氣，叫：「變！」一根即變做金鋼鑽，一根變做竹片，一根變做綿繩。扳張篾片弓兒，牽著那鑽，照瓶底下颼颼的一頓鑽，鑽成一個眼孔，透進光亮。

喜道：「造化！造化！卻好出去也！」才變化出身，那瓶復蔭涼了。怎麼就涼？原來被他鑽了，把陰陽之氣泄了，故此遂涼。

◈券──這裡是鑽、撐的意思。　收殄──降伏，消滅。

好大聖，收了毫毛，將身一小，就變做個蟭蟟蟲兒，十分輕巧，細如鬚髮，長似眉毛，自孔中鑽出且還不走，逕飛在老魔頭上釘著。

那老魔正飲酒，猛然放下杯兒道：「三弟，孫行者這回化了麼？」

三魔笑道：「還到此時哩？」老魔教傳令抬上瓶來。那下面三十六個小妖即便抬瓶，瓶就輕了許多。

慌得眾小妖報道：「大王，瓶輕了。」

老魔喝道：「胡說，寶貝乃陰陽二氣之全功，如何輕了？」

內中有一個勉強的小妖，把瓶提上來道：「你看這不輕了？」

老魔揭蓋看時，只見裡面透亮，忍不住失聲叫道：「這瓶裡空者，控也！」

大聖在他頭上，也忍不住道一聲「我的兒啊！搜者，走也！」

眾怪聽見道：「走了！走了！」即傳令：「關門！關門！」

那行者將身一抖，收了剝去的衣服，現本相，跳出洞外，回頭罵道：「妖精不要無禮！瓶子鑽破，裝不得人了，只好拿了出恭。」

喜喜歡歡，嚷嚷鬧鬧，踏著雲頭，逕轉唐僧處。那長老正在那裡撮土為香，望空禱祝。行者且停雲頭，聽他禱祝甚的。

那長老合掌朝天道：「祈請雲霞眾位仙，六丁六甲與諸天。願保賢徒孫行者，神通廣大法無邊。」

大聖聽得這般言語，更加努力，收斂雲光，近前叫道：「師父，我來了！」長老攙住道：「悟空，勞碌！你遠探高山，許久不回，我甚憂慮。端的這山中有何吉凶？」

行者笑道：「師父，才這一去，一則是東土眾生有緣有分，二來是師父功德無量無邊，三也虧弟子法力。」將前項裝鑽風、陷瓶裡及脫身之事，細陳了一遍。「今得見尊師之面，實為兩世之人也！」

長老感謝不盡道：「你這番不曾與妖精賭鬥麼？」行者道：「不曾。」

長老道：「這等保不得我過山了？」

行者是個好勝的人，叫喊道：「我怎麼保你過山不得？」

長老道：「不曾與他見個勝負，只這般含糊，我怎敢前進！」

大聖笑道：「師父，你也忒不通變。常言道：『單絲不線，孤掌難鳴。』那魔三個，小妖千萬，教老孫一人怎生與他賭鬥？」

長老道：「寡不敵眾，是你一人也難處。八戒、沙僧他也都有本事，教他們都去，與你協力同心，掃淨山路，保我過去罷。」

行者沉吟道：「師言最當。著沙僧保護你，著八戒跟我去罷。」

那呆子慌了道：「哥哥沒眼色。我又粗夯，無甚本事，走路扛風，跟你何益？」

行者道：「兄弟，你雖無甚本事，好道也是個人。俗云：『放屁添風。』你也可壯我些膽氣。」

八戒道：「也罷，也罷，望你帶挈帶挈。但只急溜處，莫捉弄我。」

長老道：「八戒在意，我與沙僧在此。」

那呆子抖擻神威，與行者縱著狂風，駕著雲霧，跳上高山，即至洞口。

早見那洞門緊閉，四顧無人。行者上前，執鐵棒，厲聲高叫道：「妖怪開門！快出來與老孫打耶！」那洞裡小妖報入。

老魔心驚膽戰道：「幾年都說猴兒狠，話不虛傳果是真！」

二老怪在旁問道：「哥哥怎麼說？」

老魔道：「那行者早間變小鑽風混進來，我等不能相識，幸三賢弟認得，把他裝在瓶裡，他弄本事，鑽破瓶兒，卻又攝去衣服走了。如今在外叫戰，誰敢與他打個頭仗？」更無一人答應。又問，又無人答，都是那裝聾推啞。

老魔發怒道：「我等在西方大路上，忝著個醜名，今日孫行者這般藐視，若不出去與他見陣，也低了名頭。等我捨了這老性命去與他戰上三合！三合戰得過，唐僧還是我們口裡食；戰不過，那時關了門，讓他過去罷。」遂取披掛結束了，開門前走。

行者與八戒在門旁觀看，真是好一個怪物：

鐵額銅頭戴寶盔，盔纓飄舞甚光輝。
輝輝掣電雙睛亮，亮亮鋪霞兩鬢飛。
勾爪如銀尖且利，鋸牙似鑿密還齊。
身披金甲無絲縫，腰束龍絛有見機。
手執鋼刀明晃晃，英雄威武世間稀。
一聲吆喝如雷震，問道敲門者是誰？

大聖轉身道：「是你孫老爺齊天大聖也。」

老魔笑道：「你是孫行者？大膽潑猴！我不惹你，你卻為何在此叫戰？」

行者道：「『有風方起浪，無潮水自平。』你不惹我，我好尋你？只因你狐群狗黨，結為一夥，算計吃我師父，所以來此施為。」

老魔道：「你這等雄糾糾的嚷上我門，莫不是要打麼？」

行者道：「正是。」

老魔道：「你休猖獗。我若調出妖兵，擺開陣勢，搖旗擂鼓，與你交戰，顯得我是坐家虎，欺負你了。我只與你一個對一個，不許幫丁◈！」行者聞言，叫：「豬八戒走過，看他把老孫怎的！」那呆子真個閃在一邊。

老魔道：「你過來，先與我做個樁兒，讓我盡力氣著光頭砍上三刀，就讓你唐僧過去；假若禁不得，快送你唐僧來，與我做一頓下飯。」

行者聞言笑道：「妖怪，你洞裡若有紙筆，取出來，與你立個合同。自今日起，就砍到明年，我也不與你當真！」

那老魔抖擻威風，丁字步站定，雙手舉刀，望大聖劈頂就砍。這大聖把頭往上一迎，只聞扢扠一聲響，頭皮兒紅也不紅。那老魔大驚道：「這猴子好個硬頭兒！」

大聖笑道：「你不知。老孫是生就銅頭鐵腦蓋，天地乾坤世上無。斧砍

◈幫丁——幫手。

鎚敲不得碎，幼年曾入老君爐。四斗星官監臨造，二十八宿用工夫。水浸幾番不得壞，周圍扢搭板筋鋪。唐僧還恐不堅固，預先又上紫金箍。」

老魔道：「猴兒不要說嘴，看我這一刀來！決不容你性命！」

行者道：「不見怎的，左右也只這般砍罷了。」

老魔道：「猴兒，你不知這刀：金火爐中造，神功百煉熬。鋒刃依三略，剛強按六韜。卻似蒼蠅尾，猶如白蟒腰。入山雲蕩蕩，下海浪滔滔。琢磨無遍數，煎熬幾百遭。深山古洞放，上陣有功勞。攙著你這和尚天靈蓋，一削就是兩個瓢。」

大聖笑道：「這妖精沒眼色，把老孫認做個瓢頭哩！也罷，誤砍誤讓，教你再砍一刀看怎麼。」

那老魔舉刀又砍，大聖把頭迎一迎，乒乓的劈做兩半個。大聖就地打個滾，變做兩個身子。那妖一見慌了，手按下鋼刀。

豬八戒遠遠望見，笑道：「老魔好砍兩刀的，卻不是四個人了？」

老魔指定行者道：「聞你能使分身法，怎麼把這法兒拿出在我面前使？」

大聖道：「何為分身法？」

老魔道：「為甚麼先砍你一刀不動，如今砍你一刀，就是兩個人？」

大聖笑道：「妖怪，你切莫害怕。砍上一萬刀，還你二萬個人。」

老魔道：「你這猴兒，你只會分身，不會收身。你若有本事收做一個，打我一棍去罷。」

大聖道：「不許說謊，你要砍三刀，只砍了我兩刀。教我打一棍，若打了棍半，就不姓孫。」

老魔道：「正是，正是。」

好大聖，就把身摟上來，打個滾，依然一個身子，掣棒劈頭就打。那老魔舉刀架住道：「潑猴無禮！甚麼樣個哭喪棒，敢上門打人？」

大聖喝道：「你若問我這條棍，天上地下，都有名聲。」

老魔道：「怎見名聲？」他道：「
棒是九轉鑌鐵煉，老君親手爐中煅。
禹王求得號神珍，四海八河為定驗。
中間星斗暗鋪陳，兩頭箝裹黃金片。
花紋密布鬼神驚，上造龍紋與鳳篆。
名號靈陽棒一條，深藏海藏人難見。
成形變化要飛騰，飄颻五色霞光現。
老孫得道取歸山，無窮變化多經驗。
時間要大甕來粗，或小些微如鐵線。
粗如南岳細如針，長短隨吾心意變。
輕輕舉動彩雲生，亮亮飛騰如閃電。
攸攸冷氣逼人寒，條條殺霧空中現。
降龍伏虎謹隨身，天涯海角都遊遍。
曾將此棍鬧天宮，威風打散蟠桃宴。

天王賭鬥未曾贏，哪吒對敵難交戰。
棍打諸神沒躲藏，天兵十萬都逃竄。
雷霆眾將護靈霄，飛身打上通明殿。
掌朝天使盡皆忙，護駕仙卿俱攪亂。
舉棒掀翻北斗宮，回首振開南極院。
金闕天皇見棍凶，特請如來與我見。
兵家勝負自如然，困苦災危無可辨。
整整挨排五百年，虧了南海菩薩勸。
大唐有個出家僧，對天發下洪誓願。
枉死城中度鬼魂，靈山會上求經卷。
西方一路有妖魔，行動甚是不方便。
已知鐵棒世無雙，央我途中為侶伴。
邪魔湯著赴幽冥，肉化紅塵骨化麪。
處處妖精棒下亡，論萬成千無打算。

上方擊壞斗牛宮，下方壓損森羅殿。
天將曾將九曜追，地府打傷催命判。
半空丟下振山川，勝如太歲新華劍。
全憑此棍保唐僧，天下妖魔都打遍。」

那魔聞言，戰兢兢捨著性命，舉刀就砍；猴王笑吟吟使鐵棒前迎。他兩個先時在洞前撐持，然後跳起去，都在半空裡廝殺。這一場好殺：

天河定底神珍棒，棒名如意世間高。
誇稱手段魔頭惱，大捍刀擎法力豪。
門外爭持還可近，空中賭鬥怎相饒。
一個隨心更面目，一個立地長身腰。
殺得滿天雲氣重，遍野霧飄颻。
那一個幾番立意吃三藏，這一個廣施法力保唐僧。
都因佛祖傳經典，邪正分明恨苦交。

那老魔與大聖鬥經二十餘合，不分輸贏。原來八戒在底下見他兩個戰到好處，忍不住掣鈀架風，跳將起去，望妖魔劈臉就築。那魔慌了。不知八戒是個�頭◈性子，冒冒失失的唬人。他只道嘴長耳大，手硬鈀凶，敗了陣，丟了刀，回頭就走。

大聖喝道：「趕上！趕上！」

這呆子仗著威風，舉著釘鈀，即忙趕下怪去。老魔見他趕的相近，在坡前立定，迎著風頭，晃一晃現了原身，張開大口，就要來吞八戒。八戒害怕，急抽身往草裡一鑽，也管不得荊針棘刺，也顧不得刮破頭疼，戰兢兢的在草裡聽著梆聲。隨後行者趕到，那怪也張口來吞，卻中了他的機關，收了鐵棒，迎將上去，被老魔一口吞之。

諕得個呆子在草裡囊囊咄咄◈的埋怨道：「這個弼馬溫，不識進退！那怪來吃你，你如何不走，反去迎他！這一口吞在肚中，今日還是個和尚，明

◈**嘑頭**——莽撞。嘑音呼。　**囊囊咄咄**——自言自語，嘟嘟囔囔。

日就是個大恭也！」那魔得勝而去，這呆子才鑽出草來，溜回舊路。

卻說三藏在那山坡下正與沙僧盼望，只見八戒喘呵呵的跑來。

三藏大驚道：「八戒，你怎麼這等狼狽？悟空如何不見？」

呆子哭哭啼啼道：「師兄被妖精一口吞下肚去了！」

三藏聽言，諕倒在地，半晌間跌腳拳胸道：「徒弟呀，只說你善會降妖，領我西天見佛，怎知今日死於此怪之手！苦哉，苦哉！我弟子同眾的功勞，如今都化作塵土矣！」

那師父十分苦痛。你看那呆子，他也不來勸解師父，卻叫：「沙和尚，你拿將行李來，我兩個分了罷。」

沙僧道：「二哥，分怎的？」

八戒道：「分開了，各人散夥。你往流沙河，還去吃人；我往高老莊，看看我渾家。將白馬賣了，與師父買個壽器◆送終。」長老氣呼呼的，聞得此言，叫皇天，放聲大哭。且不題。

卻說那老魔吞了行者，以為得計，逕回本洞，眾妖迎問出戰之功。老魔道：「拿了一個來了。」
二魔喜道：「哥哥拿的是誰？」老魔道：「是孫行者。」
二魔道：「拿在何處？」老魔道：「被我一口吞在腹中哩！」
第三個魔頭大驚道：「大哥啊，我就不曾吩咐你，孫行者不中吃！」
那大聖在肚裡道：「忒中吃，又禁飢，再不得餓。」
慌得那小妖道：「大王，不好了，孫行者在你肚裡說話哩。」
老魔道：「怕他說話，有本事吃了他，沒本事擺布他不成？你們快去燒些鹽白湯，等我灌下肚去，把他噦◆出來，慢慢的煎了吃酒。」
小妖真個沖了半盆鹽湯。老怪一飲而乾，洼著口，著實一嘔；那大聖在肚裡生了根，動也不動。卻又攔著喉嚨，往外又吐，吐得頭暈眼花，黃膽都破了；行者越發不動。老魔喘息了，叫聲：「孫行者，你不出來？」

◆壽器—棺材。　噦—打嗝，嘔吐。噦音約。

行者道：「早哩，正好不出來哩！」

老魔道：「你怎麼不出？」

行者道：「你這妖精甚不通變。我自做和尚，十分淡薄，如今秋涼，我還穿個單直裰。這肚裡倒暖，又不透風，等我住過冬才好出來。」

眾妖聽說，都道：「大王，孫行者要在你肚裡過冬哩！」

老魔道：「他要過冬，我就打起禪來，使個搬運法，一冬不吃飯，就餓殺那弼馬溫。」

大聖道：「我兒子，你不知事。老孫保唐僧取經，從廣裡過，帶了個摺疊鍋兒，進來煮雜碎吃。將你這裡邊的肝、腸、肚、肺，細細兒受用，還夠盤纏到清明哩！」

那二魔大驚道：「哥啊，這猴子他幹得出來！」

三魔道：「哥啊，吃了雜碎也罷，不知在哪裡支鍋？」

行者道：「三叉骨上好支鍋。」

三魔道：「不好了，假若支起鍋，燒動火煙，熰到鼻孔裡，打噴嚏麼？」行者笑道：「沒事！等老孫把金箍棒往頂門裡一搠，搠個窟窿，一則當天窗，二來當煙洞。」

老魔聽說，雖說不怕，卻也心驚，只得硬著膽叫：「兄弟們，莫怕。把我那藥酒拿來，等我吃幾鍾下去，把猴兒藥殺了罷！」行者暗笑道：「老孫五百年前大鬧天宮時，吃老君丹、玉皇酒、王母桃及鳳髓龍肝，哪樣東西我不曾吃過？是甚麼藥酒，敢來藥我？」那小妖真個將藥酒篩了兩壺，滿滿斟了一鍾，遞與老魔。老魔接在手中，大聖在肚裡就聞得酒香，道：「不要與他吃。」好大聖，把頭一扭，變做個喇叭口子，張在他喉嚨之下。那怪嘓的嚥下，被行者嘓的接吃了。第二鍾嚥下，被行者嘓的又接吃了。一連吃了七

◈廣裡——指廣州。

八鍾，都是他接吃了。

老魔放下鍾道：「不吃了。這酒常時吃兩鍾，腹中如火；卻才吃了七八鍾，臉上紅也不紅！」

原來這大聖吃不多酒，接了他七八鍾吃了，在肚裡撒起酒風來：不住的支架子、跌四平◆，踢飛腳、抓住肝花打鞦韆、豎蜻蜓、翻跟頭亂舞。那怪物疼痛難禁，倒在地下。

畢竟不知死活如何，且聽下回分解。

◆跌四平──跌得四腳朝天。

第七六回　心神居舍魔歸性　木母同降怪體真

話表孫大聖在老魔肚裡支吾一會，那魔頭倒在塵埃，無聲無氣，若不言語，想是死了，卻又把手放放。魔頭回過氣來，叫一聲：「大慈大悲齊天大聖菩薩！」

行者聽見道：「兒子，莫廢工夫，省幾個字兒，只叫孫外公罷。」

那妖魔惜命，真個叫：「外公！外公！是我的不是了！一差二誤◆吞了你，你如今卻反害我。萬望大聖慈悲，可憐螻蟻貪生◆之意，饒了我命，願送你師父過山也！」

大聖雖英雄，甚為唐僧進步。他見妖魔哀告，好奉承的人，也就回了善念，叫道：「妖怪，我饒你，你怎麼送我師父？」

老魔道：「我這裡也沒甚麼金銀、珠翠、瑪瑙、珊瑚、琉璃、琥珀、玳瑁珍奇之寶相送。我兄弟三個抬一乘香籐轎兒，把你師父送過此山。」

行者笑道：「既是抬轎相送，強如要寶。你張開口，我出來。」

那魔頭真個就張開口。那三魔走近前，悄悄的對老魔道：「大哥，等他出來時，把口往下一咬，將猴兒嚼碎，嚥下肚，卻不得磨害你了。」

原來行者在裡面聽得，便不先出去，卻把金箍棒伸出，試他一試。那怪果往下一口，扢喳的一聲，把個門牙都迸碎了。

行者抽回棒道：「好妖怪！我倒饒你性命出來，你反咬我，要害我命！我不出來，活活的只弄殺你！不出來！不出來！」

老魔報怨三魔道：「兄弟，你是自家人弄自家人了。且是請他出來好了，

◆**一差二誤**—差錯、意外。　**螻蟻貪生**—螻蛄和螞蟻那樣的小蟲也貪戀生命。螻蟻，螻蛄和螞蟻。

你卻教我咬他。他倒不曾咬著，卻迸得我牙齦疼痛。這是怎麼起的！」

三魔見老魔怪他，他又作個激將法，厲聲高叫道：「孫行者，聞你名如轟雷貫耳，說你在南天門外施威，靈霄殿下逞勢，如今在西天路上降妖縛怪，原來是個小輩的猴頭！」

行者道：「我何為小輩？」

三怪道：「『好漢千里客，萬里去傳名。』你出來，我與你賭鬥，才是好漢。怎麼在人肚裡做勾當！非小輩而何？」

行者聞言，心中暗想道：「是！是！是！我若如今扯斷他腸，揌破他肝，弄殺這怪，有何難哉？但真是壞了我的名頭。也罷，也罷！你張口，我出來與你比並。但只是你這洞口窄逼，不好使家火，須往寬處去。」

三魔聞說，即點大小怪，前前後後，有三萬多精，都執著精銳器械，出洞擺開一個三才陣勢，專等行者出口，一齊上陣。那二怪攙著老魔，逕至門外，叫道：「孫行者，好漢出來，此間有戰場，好鬥！」

大聖在他肚裡，聞得外面鴉鳴鵲噪，鶴唳風聲，知道是寬闊之處。卻想著：「我不出去，是失信與他；若出去，這妖精人面獸心：先時說送我師父，哄我出來咬我，今又調兵在此。也罷！也罷！與他個兩全其美：出去便出去，還與他肚裡生下一個根兒。」

即轉手，將尾上毫毛拔了一根，吹口仙氣，叫：「變！」即變一條繩兒，只有頭髮粗細，倒有四十丈長短。那繩兒理出去，見風就長粗了。把一頭拴在妖怪的心肝上，打做個活扣◈兒。那扣兒不扯不緊，扯緊就痛。卻拿著一頭，笑道：「這一出去，他送我師父便罷；如若不送，亂動刀兵，我也沒工夫與他打，只消扯此繩兒，就如我在肚裡一般。」

又將身子變得小小的，往外爬。爬到咽喉之下，見妖精大張著方口，上下鋼牙排如利刃，忽思量道：「不好，不好。若從口裡出去扯這繩兒，他怕疼，往下一嚼，卻不咬斷了？我打他沒牙齒的所在出去。」

◈活扣——一解就開的結。

好大聖，理著繩兒，從他那上顎子往前爬，爬到他鼻孔裡。那老魔鼻子發癢，「阿啑」的一聲，打了個噴嚏，直迸出行者。

行者見了風，把腰躬一躬，就長了有三丈長短，一隻手扯著繩兒，一隻手拿著鐵棒。那魔頭不知好歹，見他出來了，就舉鋼刀，劈臉來砍。這大聖一隻手使鐵棒相迎。又見那二怪使槍，三怪使戟，沒頭沒臉的亂上。大聖放鬆了繩，收了鐵棒，急縱身駕雲走了。原來怕那夥小妖圍繞，不好幹事。他卻跳出營外，去那空闊山頭上，落下雲，雙手把繩盡力一扯，老魔心裡才疼。他害疼，往上一掙，大聖復往下一扯。

眾小妖遠遠看見，齊聲高叫道：「大王，莫惹他！讓他去罷！這猴兒不按時景，清明還未到，他卻那裡放風箏也！」

大聖聞言，著力氣蹬了一蹬，那老魔從空中，拍刺刺，似紡車兒一般跌落塵埃。就把那山坡下死硬的黃土跌做個二尺淺深之坑。

慌得那二怪、三怪一齊按下雲頭，上前拿住繩兒，跪在坡下，哀告道：「大聖啊，只說你是個寬洪海量之仙，誰知是個鼠腹蝸腸◆之輩。實實的哄你出來，與你見陣，不期你在我家兄心上拴了一根繩子！」

行者笑道：「你這夥潑魔，十分無禮！前番哄我出去就咬我，這番哄我出來卻又擺陣敵我。似這幾萬妖兵戰我一個，理上也不通。扯了去！扯了去見我師父！」

那怪一齊叩頭道：「大聖慈悲，饒我性命，願送老師父過山！」

行者笑道：「你要性命，只消拿刀把繩子割斷罷了。」

老魔道：「爺爺呀！割斷外邊的，這裡邊的拴在心上，喉嚨裡又䏲䏲◆的惡心，怎生是好？」

行者道：「既如此，張開口，等我再進去解出繩來。」

◆鼠腹蝸腸—鼷鼠的肚子，蝸牛的腸子。比喻氣量狹小。
䏲䏲—同「栝」，音添四聲。這裡是形容被藤蔓纏附而不舒服。

老魔慌了道：「這一進去，又不肯出來，卻難也！卻難也！」行者道：「我有本事外邊就可以解得裡面繩頭也。解了可實實的送我師父麼？」老魔道：「但解就送，決不敢打誑語。」大聖審得是實，即便將身一抖，收了毫毛。那怪的心就不疼了。這是孫大聖掩樣的法兒，使毫毛拴著他的心，收了毫毛，所以就不害疼也。三個妖縱身而起，謝道：「大聖請回，上覆唐僧，收拾下行李，我們就抬轎來送。」眾怪偃干戈，盡皆歸洞。

大聖收繩子，逕轉山東，遠遠的看見唐僧睡在地下打滾痛哭，豬八戒與沙僧解了包袱，將行李搭分兒，在那裡分哩。行者暗暗嗟嘆道：「不消講了，這定是八戒對師父說我被妖精吃了，師父捨不得我，痛哭；那呆子卻分東西散夥哩。咦！不知可是此意，且等我叫他一聲看。」

落下雲頭叫道：「師父！」沙僧聽見，報怨八戒道：「你是個棺材座子，專一害人。師兄不曾死，你卻說他死了，在這裡幹這個勾當！那裡不叫將來了？」

八戒道：「我分明看見他被妖精一口吞了。想是日辰不好，那猴子來顯魂哩。」行者到跟前，一把撾住八戒臉，一個巴掌打了個踉蹌道：「夯貨！我顯甚麼魂？」

呆子捂著臉道：「哥哥，你實是那怪吃了，你、你怎麼又活了？」

行者道：「像你這個不濟事的膿包！他吃了我，我就抓他腸，捏他肺，又把這條繩兒穿住他的心，扯他疼痛難禁，一個個叩頭哀告，我才饒了他性命。如今抬轎來送我師父過山也。」

那三藏聞言，一骨魯爬起來，對行者躬身道：「徒弟啊，累殺你了！若信悟能之言，我已絕矣！」

行者掄拳打著八戒罵道：「這個饢糠的呆子，十分懈怠，甚不成人！師父，你切莫惱，那怪就來送你也。」

沙僧也甚生慚愧，連忙遮掩，收拾行李，扣背馬匹，都在途中等候不題。

卻說三個魔頭率群精回洞，二怪道：「哥哥，我只道是個九頭八尾的孫行者，原來是恁的個小小猴兒！你不該吞他，只與他鬥時，他哪裡鬥得過你我！洞裡這幾萬妖精，吐唾沫也可淹殺他。你卻將他吞在肚裡，他便弄起法來，教你受苦，怎麼敢與他比較！才自說送唐僧，都是假意，實為兄長性命要緊，所以哄他出來，決不送他！」

老魔道：「賢弟不送之故，何也？」

二怪道：「你與我三千小妖，擺開陣勢，我有本事拿住這個猴頭。」

老魔道：「莫說三千，憑你起老營去，只是拿住他，便大家有功。」

那二魔即點三千小妖，逕到大路旁擺開，著一個藍旗手往來傳報，教：「孫行者！趕早出來，與我二大王爺爺交戰！」

八戒聽見，笑道：「哥啊，常言道：『說謊不瞞當鄉人。』就來弄虛頭，搗鬼！怎麼說降了妖精，就抬轎來送師父，卻又來叫戰，何也？」

行者道：「老怪已被我降了，不敢出頭，聞著個『孫』字兒，也害頭疼。這定是二妖魔不服氣送我們，故此叫戰。我道兄弟，這妖精有弟兄三個，這般義氣；我弟兄也是三個，就沒些義氣？我已降了大魔，二魔出來，你就與他戰戰，未為不可。」

八戒道：「怕他怎的！等我去打他一仗來！」

行者道：「要去便去罷。」

八戒笑道：「哥啊，去便去，你把那繩兒借與我使使。」

行者道：「你要怎的？你又沒本事鑽在肚裡，你又沒本事拴在他心上，要他何用？」

八戒道：「我要扣在這腰間，做個救命索。你與沙僧扯住後手，放我出去，與他交戰。估著贏了他，你便放鬆，我把他拿住；若是輸與他，你把我

◈起老營——傾巢而出之意。

扯回來，莫教他拉了去。」

真個行者暗笑道：「也是捉弄呆子一番！」就把繩兒扣在他腰裡，撮弄他出戰。

那呆子舉釘鈀跑上山崖，叫道：「妖精！出來！與你豬祖宗打來！」那藍旗手急報道：「大王，有一個長嘴大耳朵的和尚來了。」二怪即出營，見了八戒，更不打話，挺槍劈面刺來；這呆子舉鈀上前迎住。他兩個在山坡前搭上手，鬥不上七八回合，呆子手軟，架不得妖魔，急回頭叫：「師兄，不好了，扯扯救命索！扯扯救命索！」

這壁廂大聖聞言，轉把繩子放鬆了，拋將去。那呆子敗了陣，往後就跑。原來那繩子拖著走，還不覺；轉回來，因鬆了，倒有些絆腳，自家絆倒了一跌，爬起來又一跌。始初還跌個蹡踵，後面就跌了個嘴搶地。被妖精趕上，捽開鼻子，就如蛟龍一般，把八戒一鼻子捲住，得勝回洞。眾妖凱歌齊唱，一擁而歸。

這坡下三藏看見，又惱行者道：「悟空，怪不得悟能咒你死哩！原來你兄弟全無相親相愛之意，專懷相嫉相妒之心！他那般說，教你扯扯救命索，你怎麼不扯，還將索子丟去？如今教他被害，卻如之何？」

行者笑道：「師父也忒護短，忒偏心！罷了，像老孫拿去時，你略不掛念，左右是捨命之材；這呆子才自遭擒，你就怪我。也教他受些苦惱，方見取經之難。」

三藏道：「徒弟啊，你去，我豈不掛念？想著你會變化，斷然不至傷身。那呆子生得狼犺，又不會騰挪，這一去，少吉多凶。你還去救他一救。」

行者道：「師父不得報怨，等我去救他一救。」

急縱身，趕上山，暗中恨道：「這呆子咒我死，且莫與他個快活！且跟去看那妖精怎麼擺布他，等他受些罪，再去救他。」即捻訣念起真言，搖身一變，即變做個蟭蟟蟲，飛將去，釘在八戒耳朵根上，同那妖精到了洞裡。

二魔率三千小怪，大吹大打的至洞口屯下。

自將八戒拿入裡邊道：「哥哥，我拿了一個來也。」

老怪道：「拿來我看。」他把鼻子放鬆，捽下八戒道：「這不是？」

老怪道：「這廝沒用。」

八戒聞言道：「大王，沒用的放出去，尋那有用的捉來罷。」

三怪道：「雖是沒用，也是唐僧的徒弟豬八戒。且捆了，送在後邊池塘裡浸著。待浸退了毛，破開肚子，使鹽醃了曬乾，等天陰下酒。」

八戒大驚道：「罷了！罷了！撞見那販醃的妖怪也！」

眾怪一齊下手，把呆子四馬攢蹄捆住，扛扛抬抬，送至池塘邊，往中間一推，盡皆轉去。

大聖卻飛起來看處，那呆子四肢朝上，掘著嘴，半浮半沉，嘴裡呼呼的，著然好笑，倒像八九月經霜落了子兒的一個大黑蓮蓬。

大聖見他那嘴臉，又恨他，又憐他，說道：「怎的好麼？他也是龍華會上的一個人。但只恨他動不動分行李散夥，又要攛掇師父念緊箍咒咒我。我前日曾聞得沙僧說，他攢了些私房，不知可有否？等我且嚇他一嚇看。」

好大聖，飛近他耳邊，假捏聲音，叫聲：「豬悟能！豬悟能！」

八戒慌了道：「晦氣呀，我這悟能是觀世音菩薩起的，自跟了唐僧，又呼做八戒，此間怎麼有人知道我叫做悟能？」

呆子忍不住問道：「是那個叫我的法名？」行者道：「是我。」

呆子道：「你是哪個？」行者道：「我是勾司人。」

那呆子慌了道：「長官，你是哪裡來的？」

行者道：「我是五閻王差來勾你的。」

呆子道：「長官，你且回去，上覆五閻王，他與我師兄孫悟空交得甚好，教他讓我一日兒，明日來勾罷。」

行者道：「胡說！『閻王注定三更死，誰敢留人到四更。』趁早跟我去，免得套上繩子扯拉！」

呆子道：「長官，哪裡不是方便？看我這般嘴臉，還想活哩。死是一定死，只等一日，這妖精連我師父們都拿來，會一會，就都了帳也。」

行者暗笑道：「也罷，我這批上有三十個人，都在這中前後，等我拘將來就你，便有一日耽擱。你可有盤纏？把些兒我去。」

八戒道：「可憐啊，出家人哪裡有甚麼盤纏？」

行者道：「若無盤纏，索了去！跟著我走！」

呆子慌了道：「長官不要索。我曉得你這繩兒叫做追命繩，索上就要斷氣。有！有！有！有便有些兒，只是不多。」

行者道：「在哪裡？快拿出來！」

八戒道：「可憐，可憐！我自做了和尚，到如今，有些善信的人家齋僧，見我食腸大，襯錢比他們略多些兒，我拿了攢在這裡，零零碎碎有五錢銀子。因不好收拾，前者到城中，央了個銀匠煎在一處，他又沒天理，偷了我幾分，只得四錢六分一塊兒。你拿去罷。」

行者暗笑道：「這呆子褲子也沒得穿，卻藏在何處？咄！你銀子在哪裡?」八戒道:「在我左耳朵眼兒裡揌著哩。我捆了拿不得,你自家拿了去罷。」

行者聞言,即伸手在耳朵竅中摸出,真個是塊馬鞍兒銀子,足有四錢五六分重。拿在手裡,忍不住哈哈的一聲大笑。那呆子認是行者聲音,在水裡亂罵道:「天殺的弼馬溫!到這們苦處,還來打詐財物哩!」

行者又笑道:「我把你這饢糟的!老孫保師父,不知受了多少苦難,你倒攢下私房。」

八戒道:「嘴臉!這是甚麼私房!都是牙齒上刮下來的,我不捨得買了嘴吃,留了買疋布兒做件衣服,你卻嚇了我的。還分些兒與我。」

行者道:「半分也沒得與你!」

八戒罵道:「買命錢讓與你罷,好道也救我出去是。」

行者道:「莫發急,等我救你。」將銀子藏了,即現原身,掣鐵棒,把呆子划攏,用手提著腳,扯上來,解了繩。

八戒跳起來，脫下衣裳，整乾了水，抖一抖，潮漉漉的披在身上，道：「哥哥，開後門走了罷。」

行者道：「後門裡走，可是個長進的？還打前門上去。」

八戒道：「我的腳捆麻了，跑不動。」

行者道：「快跟我來。」

好大聖，把鐵棒一路丟開解數，打將出去。那呆子忍著麻，只得跟定他。只看見二門下靠著的是他的釘鈀，走上前，推開小妖，撈過來往前亂築，與行者打出三四層門，不知打殺了多少小妖。

那老魔聽見，對二魔道：「拿得好人！拿得好人！你看孫行者劫了豬八戒，門上打傷小妖也！」

那二魔急縱身，綽槍在手，趕出門來，高聲罵道：「潑猢猻！這般無禮，怎敢藐視我等？」

大聖聽得，即應聲站下。那怪物不容講，使槍便刺；行者正是會家不忙，掣鐵棒，劈面相迎。他兩個在洞門外，這一場好殺：

黃牙老豫變人形，義結獅王為弟兄。
因為大魔來說合，同心計算吃唐僧。
齊天大聖神通廣，輔正除邪要滅精。
八戒無能遭毒手，悟空拯救出門行。
妖王趕上施英猛，槍棒交加各顯能。
那一個槍來好似穿林蟒，這一個棒起猶如出海龍。
龍出海門雲靄靄，蟒穿林樹霧騰騰。
算來都為唐和尚，恨苦相持太沒情。

那八戒見大聖與妖精交戰，他在山嘴上豎著釘鈀，不來幫打，只管呆呆的看著。那妖精見行者棒重，滿身解數，全無破綻，就把槍架住，捽開鼻子，要來捲他。行者知道他的勾當，雙手把金箍棒橫起來，往上一舉。被妖精一鼻子捲住腰胯，不曾捲手。你看他兩隻手在妖精鼻頭上丟花棒兒耍子。

八戒見了，搥胸道：「咦！那妖怪晦氣呀！搭我這夯的，連手都搭住了，不能得動；搭那們滑的，倒不搭手。他那兩隻手拿著棒，只消往鼻裡一搠，那孔子裡害疼流涕，怎能搭得他住？」

行者原無此意，倒是八戒教了他。他就把棒晃一晃，小如雞子，長有丈餘，真個往他鼻孔裡一搠。那妖精害怕，沙的一聲，把鼻子捽放。被行者轉手過來，一把撾住，用氣力往前一拉。那妖精護疼，隨著手，舉步跟來。八戒方才敢近，拿釘鈀望妖精胯子上亂築。

行者道：「不好！不好！那鈀齒兒尖，恐築破皮，淌出血來，師父看見，又說我們傷生。只調柄子來打罷。」

真個呆子舉鈀柄，走一步，打一下；行者牽著鼻子，就似兩個象奴，牽至坡下。只見三藏凝睛盼望，見他兩個嚷嚷鬧鬧而來，即喚：「悟淨，你看悟空牽的是甚麼？」

沙僧見了，笑道：「師父，大師兄把妖精揪著鼻子拉來，真愛殺人也！」

三藏道：「善哉！善哉！那般大個妖精！那般長個鼻子！你且問他：他若喜喜歡歡送我等過山，可饒了他，莫傷他性命。」

沙僧急縱前迎著，高聲叫道：「師父說：那怪果送師父過山，教不要傷他命哩。」那怪聞說，連忙跪下，口裡嗚嗚的答應。

原來被行者揪著鼻子，捏齉◆了，就如重傷風一般。叫道：「唐老爺，若肯饒命，即便抬轎相送。」

行者道：「我師徒俱是善勝之人，依你言，且饒你命。快抬轎來，如再變卦，拿住決不再饒！」

那怪得脫手，磕頭而去。行者同八戒見唐僧，備言前事。八戒慚愧不勝，在坡前晾晒衣服，等候不題。

◆齉──同「齈」。鼻息阻塞時的發聲。齉音囊四聲。

那二魔戰戰兢兢回洞。未到時，已有小妖報知老魔、三魔，說二魔被行者揪著鼻子拉去。老魔悚懼，與三魔率眾方出，見二魔獨回，又皆接入，問及放回之故。二魔把三藏慈憫善勝之言，對眾說了一遍。一個個面面相覷，更不敢言。

二魔道：「哥哥可送唐僧麼？」

老魔道：「兄弟，你說哪裡話？孫行者是個廣施仁義的猴頭，他先在我肚裡，若肯害我性命，一千個也被他弄殺了；卻才揪住你鼻子，若是扯了去不放回，只捏破你的鼻子頭兒，卻也惶恐。快早安排送他去罷。」

三魔笑道：「送！送！送！」

老魔道：「賢弟這話，卻又像尚氣◆的了。你不送，我兩個送去罷。」

三魔又笑道：「二位兄長在上：那和尚倘不要我們送，只這等瞞過去，還是他的造化；若要送，不知正中了我的調虎離山之計哩！」

老怪道：「何為『調虎離山』？」

三怪道：「如今把滿洞群妖點將起來，萬中選千，千中選百，百中選十六個，又選三十個。」

老怪道：「怎麼既要十六，又要三十？」

三怪道：「要三十個會烹煮的，與他些精米、細麵、竹筍、茶芽、香蕈、蘑菇、豆腐、麵筋，著他二十里或三十里，搭下窩鋪，安排茶飯，管待唐僧。」

老怪道：「又要十六個何用？」

三怪道：「著八個抬，八個喝路。我弟兄相隨左右，送他一程。此去向西四百餘里，就是我的城池，我那裡自有接應的人馬。若至城邊……如此如此，著他師徒首尾不能相顧。要捉唐僧，全在此十六個身上成功。」

老怪聞言，歡欣不已；真是如醉方醒，似夢方覺。道：「好！好！好！」

即點眾妖，先選三十，與他物件；又選十六，抬一頂香籐轎子，同出門來。

◈尚氣——重氣節、重義氣。

又吩咐眾妖：「俱不許上山閒走。孫行者是個多心的猴子，若見汝等往來，他必生疑，識破此計。」

老怪遂帥眾至大路旁高叫道：「唐老爺，今日不犯紅沙◆，請老爺早早過山。」

三藏聞言道：「悟空，是甚人叫我？」

行者指定道：「那廂是老孫降伏的妖精抬轎來送你哩。」

三藏合掌朝天道：「善哉！善哉！若不是賢徒如此之能，我怎生得去？」徑直向前，對眾妖作禮道：「多承列位之愛，我弟子取經東回向長安，當傳揚善果也。」

眾妖叩首道：「請老爺上轎。」

那三藏肉眼凡胎，不知是計。孫大聖又是太乙金仙，忠正之性，只以為擒縱之功，降了妖怪，亦豈期他都有異謀，卻也不曾詳察，盡著師父之意。即命八戒將行李囊在馬上，與沙僧緊隨。他使鐵棒向前開路，顧盼吉凶。八個抬起轎子，八個一遞一聲喝道，三個妖扶著轎扛。師父喜喜歡歡的端坐轎上。上了高山，依大路而行。

此一去，豈知歡喜之間愁又至。經云：「泰極否還生。」時運相逢真太歲，又值喪門吊客星。那夥妖魔同心合意的侍衛左右，早晚殷勤。行經三十里獻齋，五十里又齋，未晚請歇，沿路齊齊整整。一日三餐，遂心滿意；良宵一宿，好處安身。

西進有四百里餘程，忽見城池相近。大聖舉鐵棒，離轎僅有一里之遙，見城池，把他嚇了一跌，掙挫不起。你道他只這般大膽，如何見此著謊？原來望見那城中有許多惡氣。乃是：

攢攢簇簇妖魔怪，四門都是狼精靈。

◆紅沙——古代陰陽家認為，每日各有吉、凶星當值。紅沙是惡星當值，沙也作煞。

斑斕老虎為都管，白面雄彪作總兵。
丫叉角鹿傳文引，伶俐狐狸當道行。
千尺大蟒圍城走，萬丈長蛇占路程。
樓下蒼狼呼令使，臺前花豹作人聲。
搖旗擂鼓皆妖怪，巡更坐鋪盡山精。
狡兔開門弄買賣，野豬挑擔幹營生。
先年原是天朝國，如今翻作虎狼城。

那大聖正當悚懼，只聽得耳後風響。急回頭觀看，原來是三魔雙手舉一柄畫桿方天戟，往大聖頭上打來；大聖急翻身爬起，使金箍棒劈面相迎。他兩個各懷惱怒，氣呼呼，更不打話；咬著牙，各要相爭。又見那老魔頭傳號令，舉鋼刀便砍八戒；八戒慌得丟了馬，掄著鈀，向前亂築。那二魔纏長槍，望沙僧刺來；沙僧使降妖杖，支開架子敵住。

三個魔頭與三個和尚，一個敵一個，在那山頭捨死忘生苦戰。

那十六個小妖卻遵號令，各各效能：搶了白馬、行囊，把三藏一擁，抬著轎子，逕至城邊，高叫道：「大王爺爺定計，已拿得唐僧來了！」那城上大小妖精，一個個跑下，將城門大開。吩咐各營捲旗息鼓，不許吶喊篩鑼。說：「大王原有令在前，不許嚇了唐僧。唐僧禁不得恐嚇，一嚇就肉酸，不中吃了。」眾精都歡天喜地邀三藏，控背躬身接主僧。把唐僧一轎子抬上金鑾殿，請他坐在當中，一壁廂獻茶獻飯，左右旋繞。那長老昏昏沉沉，舉眼無親。

畢竟不知性命何如，且聽下回分解。

第七七回

群魔欺本性　一體拜真如

且不言唐長老困苦。卻說那三個魔頭齊心竭力，與大聖兄弟三人，在城東半山內努力爭持。

這一場，正是那「鐵刷帚刷銅鍋，家家挺硬」。好殺：

六般體相六般兵，六樣形骸六樣情。
六惡六根緣六慾，六門六道賭輸贏。
三十六宮春自在，六六形色恨有名。
這一個金箍棒，千般解數；
那一個方天戟，百樣崢嶸。
八戒釘鈀凶更猛，二怪長槍俊又能。
小沙僧寶杖非凡，有心打死；
老魔頭鋼刀快利，舉手無情。
這三個是護衛真僧無敵將，

那三個是亂法欺君潑野精。起初猶可，向後彌凶。
六枚都使升空法，雲端裡面各翻騰。
一時間吐霧噴雲天地暗，哮哮吼吼只聞聲。

他六個鬥夠多時，漸漸天晚。卻又是風霧漫漫，霎時間就黑暗了。原來八戒耳大，蓋著眼皮，越發昏矇；手腳慢，又遮架不住，拖著鈀，敗陣就走。被老魔舉刀砍去，幾乎傷命。幸躲過頭腦，被口刀削斷幾根鬃毛，趕上張開口咬著領頭，拿入城中，丟與小怪，捆在金鑾殿。

老妖又駕雲，起在半空助力。沙和尚見事不諧，虛晃著寶杖，顧本身回頭便走。被二怪捽開鼻子，響一聲，連手捲住，拿到城裡，也叫小妖捆在殿下。卻又騰空去叫拿行者。

行者見兩個兄弟遭擒，他自家獨力難撐，正是：好手不敵雙拳，雙拳難敵四手。他喊一聲，把棍子隔開三個妖魔的兵器，縱觔斗駕雲走了。

三怪見行者駕觔斗時，即抖抖身，現了本相，搧開兩翅，趕上大聖。你道他怎能趕上？當時如行者鬧天宮，十萬天兵也拿他不住者，以他會駕觔斗雲，一去有十萬八千里路，所以諸神不能趕上。這妖精搧一翅就有九萬里，兩搧就趕過了。所以被他一把撾住，拿在手中，左右掙挫不得。欲思要走，莫能逃脫。即使變化法遁法，又往來難行。變大些兒，他就放鬆了撾住；變小些兒，他又揝緊了撾住。復拿了逕回城內，放了手，摔下塵埃，吩咐群妖，也照八戒、沙僧捆在一處。那老魔、二魔俱下來迎接，三個魔頭同上寶殿。

噫！這一番倒不是捆住行者，分明是與他送行。

此時有二更時候，眾怪一齊相見畢，把唐僧推下殿來。那長老於燈光前，忽見三個徒弟都捆在地下，老師父伏於行者身邊，哭道：「徒弟啊，常時逢難，你卻在外運用神通，到哪裡取救降魔；今番你亦遭擒，我貧僧怎麼得命！」八戒、沙僧聽見師父這般苦楚，便也一齊放聲痛哭。

行者微微笑道：「師父放心，兄弟莫哭，憑他怎的，決然無傷。等那老魔安靜了，我們走路。」

八戒道：「哥啊，又來搗鬼了！麻繩捆住，鬆些兒還著水噴，想你這瘦人兒不覺，我這胖的遭瘟哩！不信，你看兩膊上，入肉已有二寸，如何脫身？」

行者笑道：「莫說是麻繩捆的，就是碗粗的棕纜，只也當秋風過耳，何足罕哉？」

師徒們正說處，只聞得那老魔道：「三賢弟有力量，有智謀，果成妙計，拿將唐僧來了！」叫：「小的們，著五個打水，七個刷鍋，十個燒火，二十個抬出鐵籠來，把那四個和尚蒸熟，我兄弟們受用；各散一塊兒與小的們吃，也教他個個長生。」

八戒聽見，戰兢兢的道：「哥哥，你聽，那妖精計較要蒸我們吃哩！」

行者道：「不要怕，等我看他是雛兒妖精，是把勢◆妖精。」

沙和尚哭道：「哥呀，且不要說寬話◆。如今已與閻王隔壁哩，且講甚麼『雛兒』、『把勢』？」

說不了，又聽得二怪說：「豬八戒不好蒸。」

八戒歡喜道：「阿彌陀佛，是那個積陰騭的，說我不好蒸？」

三怪道：「不好蒸，剝了皮蒸。」

八戒慌了，厲聲喊道：「不要剝皮！粗自粗，湯響就爛了！」

老怪道：「不好蒸的，安在底下一格。」

行者笑道：「八戒莫怕，是雛兒，不是把勢。」

沙僧道：「怎麼認得？」

行者道：「大凡蒸東西，都從上邊起。不好蒸的，安在上頭一格，多燒把火，圓了氣，就好了；若安在底下，一住了氣，就燒半年也是不得氣上的。他說八戒不好蒸，安在底下，不是雛兒是甚的？」

八戒道：「哥啊，依你說，就活活的弄殺人了！他打緊見不上氣，抬開了，把我翻轉過來，再燒起火，弄得我兩邊俱熟，中間不夾生了？」

正講時，又見小妖來報：「湯滾了。」老怪傳令叫抬。眾妖一齊上手，將八戒抬在底下一格，沙僧抬在二格。行者估著來抬他，他就脫身道：「此燈光前好做手腳！」拔下一根毫毛，吹口仙氣，叫：「變！」即變做一個行者，捆了麻繩。將真身出神，跳在半空裡，低頭看著。

那群妖哪知真假，見人就抬，把個假行者抬在上三格；才將唐僧揪翻倒捆住，抬上第四格。乾柴架起，烈火氣焰騰騰。

大聖在雲端裡嗟嘆道：「我那八戒、沙僧，還捱得兩滾；我那師父，只消一滾就爛。若不用法救他，頃刻喪矣！」

好行者，在空中捻著訣，念一聲「唵嚂淨法界，乾元亨利貞」的咒語，拘喚得北海龍王早至。

◈把勢—老練的。 寬話—不著邊際的話。

只見那雲端裡一朵烏雲，應聲高叫道：「北海小龍敖順叩頭。」行者道：「請起！請起！無事不敢相煩。今與唐師父到此，被毒魔拿住，上鐵籠蒸哩。你去與我護持護持，莫教蒸壞了。」龍王隨即將身變做一陣冷風，吹入鍋下，盤旋圍護，更沒火氣燒鍋，他三人方不損命。

將有三更盡時，只聞得老魔發放道：「手下的，我等用計勞形，拿了唐僧四眾；又因相送辛苦，四晝夜未曾得睡。今已捆在籠裡，料應難脫，汝等用心看守，著十個小妖輪流燒火，讓我們退宮，略略安寢。到五更天色將明，必然爛了，可安排下蒜泥鹽醋，請我們起來，空心受用。」眾妖各各遵命。三個魔頭，卻各轉寢宮而去。

行者在雲端裡明明聽著這等吩咐，卻低下雲頭，不聽見籠裡人聲。他想著：「火氣上騰，必然也熱，他們怎麼不怕，又無言語？莫敢是蒸死了？

等我近前再聽。」

好大聖，踏著雲，搖身一變，變做一個黑蒼蠅兒，釘在鐵籠格外聽時，只聞得八戒在裡面道：「晦氣！晦氣！不知是悶氣蒸，又不知是出氣蒸哩。」

沙僧道：「二哥，怎麼叫做『悶氣』、『出氣』？」

八戒道：「悶氣蒸是蓋了籠頭，出氣蒸不蓋。」

三藏在浮上一層應聲道：「徒弟，不曾蓋。」

八戒道：「造化，今夜還不得死，這是出氣蒸了。」

行者聽得他三人都說話，未曾傷命，便就飛了去，把個鐵籠蓋輕輕兒蓋上。三藏慌了道：「徒弟！蓋上了！」

八戒道：「罷了！這個是悶氣蒸，今夜必是死了！」沙僧與長老嚶嚶的啼哭。

八戒道：「且不要哭，這一會燒火的換了班了。」

沙僧道：「你怎麼知道？」

八戒道：「早先抬上來時，正合我意：我有些兒寒濕氣的病，要他騰騰

◆。這會子反冷氣上來了。咦！燒火的長官，添上些柴便怎的？要了你的哩！」

行者聽見，忍不住暗笑道：「這個夯貨！冷還好捱，若熱就要傷命。再說兩遭，一定走了風了，快早救他。且住，要救他須是要現本相。假如現了，這十個燒火的看見，一齊亂喊，驚動老怪，卻不又費事？等我先送他個法兒。」

忽想起：「我當初做大聖時，曾在北天門與護國天王猜枚耍子，贏得他瞌睡蟲兒，還有幾個，送了他罷。」即往腰間順帶裡摸摸，還有十二個。「送他十個，還留兩個做種。」即將蟲兒抛了去，散在十個小妖臉上，鑽入鼻孔，漸漸打盹，都睡倒了。只有一個拿火叉的睡不穩，揉頭搓臉，把鼻子左捏右捏，不住的打噴嚏。

行者道：「這廝曉得勾當了，我再與他個雙𢓠燈。」又將一個蟲兒抛在他臉上。

「兩個蟲兒，左進右出，右出左進，諒有一個安住。」那小妖兩三個大呵欠，把腰伸一伸，丟了火叉，也撲地睡倒，再不翻身。

行者道：「這法兒真是妙而且靈！」即現原身，走近前，叫聲：「師父。」唐僧聽見道：「悟空，救我啊！」沙僧道：「哥哥，你在外面叫哩？」行者道：「我不在外面，好和你們在裡邊受罪？」八戒道：「哥啊，溜撒的溜了，我們都是頂缸的，在此受悶氣哩！」行者笑道：「呆子莫嚷，我來救你。」八戒道：「哥啊，救便要脫根救，莫又要復籠蒸。」行者卻揭開籠頭，解了師父，將假變的毫毛抖了一抖，收上身來；又一層層放了沙僧，放了八戒。那呆子才解了，巴不得就要跑。

◆騰騰—把食物在籠屜上重新蒸熱，中醫外科的熱敷，都叫騰騰。

行者道：「莫忙！莫忙！」卻又念聲咒語，發放了龍神，才對八戒道：「我們這去到西天，還有高山峻嶺。師父沒腳力難行，等我還將馬來。」

你看他輕手輕腳，走到金鑾殿下，見那些大小群妖俱睡著了。卻解了韁繩，更不驚動。那馬原是龍馬，若是生人，飛踢兩腳，便嘶幾聲。行者曾養過馬，授弼馬溫之官，又是自家一夥，所以不跳不叫。悄悄的牽來，束緊了肚帶，扣備停當，請師父上馬。長老戰兢兢的騎上，也就要走。

行者道：「也且莫忙。我們西去還有國王，須要關文，方才去得；不然，將甚執照？等我還去尋行李來。」

唐僧道：「我記得進門時，眾怪將行李放在金殿左手下，擔兒也在那一邊。」行者道：「我曉得了。」

即抽身跳在寶殿尋時，忽見光彩飄颻，行者知是行李。怎麼就知？以唐僧的錦襴袈裟上有夜明珠，故此放光。急到前，見擔兒原封未動，連忙拿了去，付與沙僧挑著。

八戒牽著馬，他引了路，逕奔正陽門。只聽得梆鈴亂響，門上有鎖，鎖上貼了封皮。

行者道：「這等防守，如何去得？」八戒道：「後門裡去罷。」

行者引路，逕奔後門，後宰門外也有梆鈴之聲，門上也有封鎖。「卻怎生是好？我這一番，若不為唐僧是個凡體，我三人不管怎的，也駕雲弄風走了。只為唐僧未超三界外，現在五行中，一身都是父母濁骨，所以不得升駕，難逃。」

八戒道：「哥哥，不消商量，我們到那沒梆鈴、不防衛處，攝著師父爬過牆去罷。」

行者笑道：「這個不好。此時無奈，攝他過去；到取經回來，你這呆子口敞，延地◆裡就對人說，我們是爬牆頭的和尚了。」

◆延地——延同「沿」。延地，到處、隨處的意思。

八戒道：「此時也顧不得行檢◆，且逃命去罷。」行者也沒奈何，只得依他，到那淨牆邊，算計爬出。

噫！有這般事，也是三藏災星未脫。那三個魔頭在宮中正睡，忽然驚覺，說走了唐僧，一個個披衣忙起，急登寶殿。問曰：「唐僧蒸了幾滾了？」

那些燒火的小妖已是有睡魔蟲，都睡著了，就是打也莫想打得一個醒來。其餘沒執事的，驚醒幾個，冒冒失失的答應道：「七、七、七、七滾了！」急跑近鍋邊，只見籠格子亂丟在地下，燒火的還都睡著。

慌得又來報道：「大王，走、走、走、走了！」三個魔頭都下殿，近鍋前仔細看時，果見那籠格子亂丟在地下，湯鍋盡冷，火腳俱無。那燒火的俱呼呼鼾睡如泥。

慌得眾怪一齊吶喊，都叫：「快拿唐僧！快拿唐僧！」這一片喊聲振起，把些前前後後、大大小小妖精，都驚起來，刀槍簇擁，至正陽門下。見那封鎖不動，梆鈴不絕。

問外邊巡夜的道：「唐僧從哪裡走了？」俱道：「不曾走出人來。」急趕至後宰門，封鎖、梆鈴，一如前門；復亂搶搶的，燈籠火把，熯◆天通紅，就如白日，卻明明的照見他四眾爬牆哩。

老魔趕近，喝聲：「哪裡走？」

那長老諕得腳軟筋麻，跌下牆來，被老魔拿住。二魔捉了沙僧，三魔擒倒八戒，眾妖搶了行李、白馬，只是走了行者。

那八戒口裡嘓嘓噥噥的報怨行者道：「天殺的！我說要救便脫根救，如今卻又復籠蒸！」

眾魔把唐僧擒至殿上，卻不蒸了。二怪吩咐把八戒綁在殿前簷柱上，三怪吩咐把沙僧綁在殿後簷柱上；惟老魔把唐僧抱住不放。

三怪道：「大哥，你抱住他怎的？終不然就活吃？卻也沒些趣味。此物

◆行檢—品行。 熯—燒、烘烤。熯音汗。

比不得那愚夫俗子，拿了可以當飯；此是上邦稀奇之物，必須待天陰閒暇之時，拿他出來，整製精潔，猜枚行令，細吹細打的吃方可。」

老魔笑道：「賢弟之言雖當，但孫行者又要來偷哩。」

三魔道：「我這皇宮裡面有一座錦香亭子，亭子內有一個鐵櫃。依著我，把唐僧藏在櫃裡，關了亭子；卻傳出謠言，說唐僧已被我們夾生吃了，令小妖滿城講說。那行者必然來探聽消息，若聽見這話，他必死心塌地而去。待三五日不來攪擾，卻拿出來，慢慢受用。如何？」

老怪、二怪俱大喜道：「是，是，是！兄弟說得有理。」可憐把個唐僧連夜拿將進去，藏在櫃中，閉了亭子；傳出謠言，滿城裡都亂講不題。

卻說行者自夜半顧不得唐僧，駕雲走脫。逕至獅駝洞裡，一路棍，把那萬數小妖盡情剿絕。急回來，東方日出。到城邊，不敢叫戰。

正是：單絲不線，孤掌難鳴。他落下雲頭，搖身一變，變做個小妖兒，演入門裡，大街小巷，緝訪消息。

滿城裡俱道：唐僧被大王夾生兒連夜吃了！前前後後，都是這等說。行者著實心焦。行至金鑾殿前觀看，那裡邊有許多精靈，都戴著皮金帽子，穿著黃布直身，手拿著紅漆棍，腰掛著象牙牌，一往一來，不住的亂走。行者暗想道：「此必是穿宮的妖怪，就變做這個模樣，進去打聽打聽。」

好大聖，果然變得一般無二，混入金門。正走處，只見八戒綁在殿前柱上哼哩。行者近前，叫聲：「悟能。」那呆子認得聲音，道：「師兄，你來了？救我一救！」行者道：「我救你。你可知師父在哪裡？」八戒道：「師父沒了，昨夜被妖精夾生兒吃了。」行者聞言，忽失聲淚似泉湧。八戒道：「哥哥莫哭，我也是聽得小妖亂講，未曾眼見。你休誤了，再去

◈夾生——活生生。

尋問尋問。」這行者卻才收淚，又往裡面找尋。

忽見沙僧綁在後簷柱上，即近前摸著他胸脯子叫道：「悟淨。」

沙僧也識得聲音，道：「師兄，你變化進來了？救我！救我！」

行者道：「救你容易，你可知師父在哪裡？」

沙僧滴淚道：「哥啊！師父被妖精等不得蒸，就夾生兒吃了！」

大聖聽得兩個言語相同，心如刀攪，淚似水流。急縱身望空跳起，且不救八戒、沙僧，回至城東山上，按落雲頭，放聲大哭，叫道：「師父啊！恨我欺天困網羅，師來救我脫沉痾。潛心篤志同參佛，努力修身共煉魔。豈料今朝遭蜇害，不能保你上婆娑。西方勝境無緣到，氣散魂消怎奈何？」

行者悽悽慘慘的自思自忖，以心問心道：「這都是我佛如來坐在那極樂之境，沒得事幹，弄了那三藏之經。若果有心勸善，理當送上東土，卻不是個萬古流傳？只是捨不得送去，卻教我等來取。

「怎知道苦歷千山，今朝到此喪命？罷！罷！罷！老孫且駕個觔斗雲，去見如來，備言前事。若肯把經與我送上東土，一則傳揚善果，二則了我等心願；若不肯與我，教他把鬆箍兒咒念念，退下這個箍子，交還與他，老孫還歸本洞，稱王道寡，耍子兒去罷。」

好大聖，急翻身，駕起觔斗雲，逕投天竺，哪裡消一個時辰，早望見靈山不遠。須臾間，按落雲頭，直至鷲峰之下。

忽抬頭，見四大金剛擋住道：「哪裡走？」

行者施禮道：「有事要見如來。」

當頭又有崑崙山金霞嶺不壞尊王永住金剛喝道：「這猢猻甚是粗狂！前者大困牛魔，我等為汝努力，今日面見，全不為禮！有事且待先奏，奉召方行。這裡比南天門不同，教你進去出來，兩邊亂走！咄！還不靠開！」

那大聖正是煩惱處，又遭此搶白，氣得哮吼如雷，忍不住大呼小叫，早驚動如來。

如來佛祖正端坐在九品寶蓮臺上，與十八尊輪世的阿羅漢講經，即開口道：「孫悟空來了，汝等出去接待接待。」

大眾阿羅遵佛旨，兩路幢幡寶蓋，即出山門應聲道：「孫大聖，如來有旨相喚哩。」那山門口四大金剛卻才閃開路，讓行者前進。眾阿羅引至寶蓮臺下，見如來倒身下拜，兩淚悲啼。

如來道：「悟空，有何事這等悲啼？」

行者道：「弟子屢蒙教訓之恩，托庇在佛爺爺之門下。自歸正果，保護唐僧，拜為師範，一路上苦不可言。今至獅駝山獅駝洞獅駝城，有三個毒魔，乃獅王、猱王、大鵬，把我師父捉將去，連弟子一概遭迍，都捆在蒸籠裡，受湯火之災。幸弟子脫逃，喚龍王救免。是夜偷出師等，不料災星難脫，復又擒回。

「及至天明，入城打聽，叵耐那魔十分狠毒，萬樣驍勇，把師父連夜夾生吃了，如今骨肉無存。又況師弟悟能、悟淨，現綁在那廂，不久性命亦皆傾矣。弟子沒及奈何，特地到此參拜如來。望大慈悲，將鬆箍咒兒念念，退下我這頭上箍兒，交還如來，放我弟子回花果山寬閒耍子去罷！」說未了，淚如泉湧，悲聲不絕。

如來笑道：「悟空少得煩惱。那妖精神通廣大，你勝不得他，所以這等心痛。」

行者跪在下面，捶著胸膛道：「不瞞如來說，弟子當年鬧天宮，稱大聖，自為人以來，不曾吃虧，今番卻遭這毒魔之手！」

如來聞言道：「你且休恨，那妖精我認得他。」

行者猛然失聲道：「如來！我聽見人講說，那妖精與你有親哩。」

如來道：「這個刁猢猻！怎麼個妖精與我有親？」

行者笑道：「不與你有親，如何認得？」

如來道：「我慧眼觀之，故此認得。那老怪與二怪有主。」叫：「阿儺、迦葉，來，你兩個分頭駕雲去五臺山、峨眉山，宣文殊、普賢來見。」二尊者即奉旨而去。

如來道：「這是老魔、二怪之主。但那三怪，說將起來，也是與我有些親處。」行者道：「親是父黨？母黨？」

如來道：「自那混沌分時，天開於子，地闢於丑，人生於寅。天地再交合，萬物盡皆生。萬物有走獸飛禽，走獸以麒麟為之長，飛禽以鳳凰為之長。那鳳凰又得交合之氣，育生孔雀、大鵬。孔雀出世之時最惡，能吃人，四十五里路，把人一口吸之。

「我在雪山頂上，修成丈六金身，早被他也把我吸下肚去。我欲從他便門而出，恐汙真身。是我剖開他脊背，跨上靈山。欲傷他命，當被諸佛勸解：傷孔雀如傷我母。故此留他在靈山會上，封他做佛母孔雀大明王菩薩。大鵬是與他一母所生，故此有些親處。」

行者聞言笑道：「如來，若這般比論，你還是妖精的外甥哩！」

如來道：「那怪須是我去，方可收得。」

行者叩頭，啟上如來：「千萬望挪玉一降！」

如來即下蓮臺，同諸佛眾，逕出山門。又見阿儺、迦葉引文殊、普賢來見，二菩薩對佛禮拜。

如來道：「菩薩之獸，下山多少時了？」文殊道：「七日了。」

如來道：「山中方七日，世上幾千年。不知在那廂傷了多少生靈，快隨我收他去。」二菩薩相隨左右，同眾飛空。只見那：

滿天縹緲瑞雲分，我佛慈悲降法門。
明示開天生物理，細言闢地化身文。
面前五百阿羅漢，腦後三千揭諦神。
迦葉阿儺隨左右，普文菩薩殄妖氛。

大聖有此人情，請得佛祖與眾前來，不多時，早望見城池。

行者報道：「如來，那放黑氣的乃是獅駝國也。」

如來道：「你先下去，到那城中，與妖精交戰，許敗不許勝。敗上來，我自收他。」

大聖即按雲頭，逕至城上，腳踏著垛兒罵道：「潑孽畜！快出來與老孫交戰！」

慌得那城樓上小妖急跳下城中報道：「大王，孫行者在城上叫戰哩。」

老妖道：「這猴兒兩三日不來，今朝卻又叫戰，莫不是請了些救兵來耶？」

三怪道：「怕他怎的！我們都去看來。」三個魔頭，各持兵器，趕上城來，見了行者，更不打話，舉兵器一齊亂刺，行者掄鐵棒掣手相迎。鬥經七八回合，行者佯輸而走。

那妖王喊聲大振，叫道：「哪裡走？」大聖觔斗一縱，跳上半空，三個精即駕雲來趕。

行者將身一閃，藏在佛爺爺金光影裡，全然不見。只見那過去、未來、現在的三尊佛像與五百阿羅漢、三千揭諦神，布散左右，把那三個妖王圍住，水泄不通。

老魔慌了手腳，叫道：「兄弟，不好了！那猴子真是個地裡鬼，哪裡請得個主人公來也！」

三魔道：「大哥休得悚懼，我們一齊上前，使槍刀搠倒如來，奪他那雷音寶剎！」這魔頭不識起倒，真個舉刀上前亂砍。

卻被文殊、普賢念動真言，喝道：「這孽畜還不皈正，更待怎生！」諕得老怪、二怪不敢撐持，丟了兵器，打個滾，現了本相。

二菩薩將蓮花臺抛在那怪的脊背上，飛身跨坐，二怪遂泯耳皈依。

二菩薩既收了青獅、白象，只有那第三個妖魔不伏。騰開翅，丟了方天戟，扶搖直上，掄利爪要刁捉猴王。原來大聖藏在光中，他怎敢近。

如來情知此意，即閃金光，把那鵲巢貫頂之頭迎風一晃，變做鮮紅的一塊血肉。妖精掄利爪刁他一下。被佛爺把手往上一指，那妖翅膊上就了筋，飛不去，只在佛頂上不能遠遁，現了本相，乃是一個大鵬金翅鵰。即開口對佛應聲叫道：「如來，你怎麼使大法力困住我也？」如來道：「你在此處多生孽障，跟我去，有進益之功。」妖精道：「你那裡持齋把素，極貧極苦；我這裡吃人肉，受用無窮。你若餓壞了我，你有罪愆。」如來道：「我管四大部洲，無數眾生瞻仰，凡做好事，我教他先祭汝口。」那大鵬欲脫難脫，要走怎走，是以沒奈何，只得皈依。

行者方才轉出，向如來叩頭道：「佛爺，你今收了妖精，除了大害，只是沒了我師父也。」大鵬咬著牙恨道：「潑猴頭！尋這等狠人困我！你那老和尚幾曾吃他？如今在那錦香亭鐵櫃裡不是？」行者聞言，忙叩頭謝了佛祖。佛祖不敢鬆放了大鵬，也只教他在光焰上做個護法，引眾回雲，逕歸寶剎。

行者卻按落雲頭，直入城裡，那城裡一個小妖兒也沒有了。正是：蛇無頭而不行，鳥無翅而不飛。他見佛祖收了妖王，各自逃生而去。

行者才解救了八戒、沙僧，尋著行李、馬匹，與他二人說：「師父不曾吃，都跟我來。」引他兩個逕入內院，找著錦香亭，打開門看，內有一個鐵櫃，只聽得三藏有啼哭之聲。

沙僧使降妖杖打開鐵鎖，揭開櫃蓋，叫聲：「師父！」

三藏見了，放聲大哭道：「徒弟啊，怎生降得妖魔？如何得到此尋著我也？」行者把上項事從頭至尾，細說了一遍。

三藏感謝不盡。師徒們在那宮殿裡尋了些米糧，安排些茶飯，飽吃一餐，收拾出城，找大路投西而去。正是：

真經必得真人取，意嚷心勞總是虛。

畢竟這一去，不知幾時得面如來，且聽下回分解。

第七八回

比丘憐子遣陰神　金殿識魔談道德

一念才生動百魔，修持最苦奈他何。
但憑洗滌無塵垢，也用收拴有琢磨。
掃退萬緣歸寂滅，蕩除千怪莫蹉跎。
管教跳出樊籠套，行滿飛升上大羅。

話說孫大聖用盡心機，請如來收了眾怪，解脫三藏師徒之難，離獅駝城西行。又經數月，早值冬天。但見那：

嶺梅將破玉，池水漸成冰。
紅葉俱飄落，青松色更新。
淡雲飛欲雪，枯草伏山平。
滿目寒光迥，陰陰透骨冷。

師徒們沖寒冒冷，宿雨餐風。正行間，又見一座城池。

三藏問道：「悟空，那廂又是甚麼所在？」

行者道：「到跟前自知。若是西邸王位，須要倒換關文；若是府州縣，逕過。」

師徒言語未畢，早至城門之外。三藏下馬，一行四眾，進了月城。見一個老軍在向陽牆下，偎風而睡。

行者近前，搖他一下，叫聲：「長官。」那老軍猛然驚覺，麻麻糊糊的睜開眼，看見行者，連忙跪下磕頭，叫：「爺爺！」

行者道：「你休胡驚作怪。我又不是甚麼惡神，你叫『爺爺』怎的！」

老軍磕頭道：「你是雷公爺爺？」

行者道：「胡說！吾乃東土去西天取經的僧人。適才到此，不知地名，問你一聲的。」

那老軍聞言，卻才正了心，打個呵欠，爬起來，伸伸腰道：「長老，長老，恕小人之罪。此處地方，原喚比丘國，今改作小子城。」

行者道：「國中有帝王否？」老軍道：「有！有！有！」

行者卻轉身對唐僧道：「師父，此處原是比丘國，今改小子城，但不知改名之意何故也。」

唐僧疑惑道：「既云比丘，又何云小子？」

八戒道：「想是比丘王崩了，新立王位的是個小子，故名小子城。」

唐僧道：「無此理！無此理！我們且進去，到街坊上再問。」

沙僧道：「正是。那老軍一則不知，二則被大哥諕得胡說。且入城去詢問。」

又入三層門裡，到通衢大市觀看，倒也衣冠濟楚，人物清秀。但見那：

酒樓歌館語聲喧，彩鋪茶房高掛簾。
萬戶千門生意好，六街三市廣財源。
買金販錦人如蟻，奪利爭名只為錢。
禮貌莊嚴風景盛，河清海晏太平年。

師徒四眾牽著馬，挑著擔，在街市上行夠多時，看不盡繁華氣概，但只見家家門口一個鵝籠。

三藏道：「徒弟啊，此處人家都將鵝籠放在門首，何也？」八戒聽說，左右觀之，果是鵝籠，排列五色綵緞遮幔。

呆子笑道：「師父，今日想是黃道良辰，宜結婚姻會友，都行禮哩。」

行者道：「胡談，哪裡就家家都行禮？其間必有緣故，等我上前看看。」

三藏扯住道：「你莫去，你嘴臉醜陋，怕人怪你。」

行者道：「我變化個兒去來。」

好大聖，捻著訣，念聲咒語，搖身一變，變做一個蜜蜂兒，展開翅，飛近邊前，鑽進幔裡觀看，原來裡面坐的是個小孩兒。再去第二家籠裡看，也是個小孩兒。連看八九家，都是個小孩兒。卻是男身，更無女子。有的坐在籠中頑耍，有的坐在裡邊啼哭；有的吃果子，有的或睡坐。

行者看罷，現原身，回報唐僧道：「那籠裡是些小孩子，大者不滿七歲，小者只有五歲，不知何故。」三藏見說，疑思不定。

忽轉街見一衙門，乃金亭館驛。

長老喜道：「徒弟，我們且進這驛裡去。一則問他地方，二則撒和◆馬匹，三則天晚投宿。」

沙僧道：「正是，正是，快進去耶。」四眾欣然而入。

只見那在官人果報與驛丞，接入門，各各相見。敘坐定，驛丞問：「長老自何方來？」

三藏言：「貧僧東土大唐差往西天取經者，今到貴處，有關文理當照驗，權借高衙一歇。」驛丞即命看茶。茶畢，即辦支應，命當值的安排管待。

三藏稱謝，又問：「今日可得入朝見駕，照驗關文？」

驛丞道：「今晚不能，須待明日早朝。今晚且於敝衙門寬住一宵。」

少頃，安排停當，驛丞即請四眾同吃了齋供。又教手下人打掃客房安歇。

三藏感謝不盡。既坐下，長老道：「貧僧有一件不明之事請教，煩為指示。貴處養孩兒，不知怎生看待。」

驛丞道：「天無二日，人無二理。養育孩童，父精母血，懷胎十月，待時而生。生下乳哺三年，漸成體相。豈有不知之理。」

三藏道：「據尊言與敝邦無異。但貧僧進城時，見街坊人家各設一鵝籠，都藏小兒在內。此事不明，故敢動問。」

驛丞附耳低言道：「長老莫管他，莫問他，也莫理他、說他。請安置，明早走路。」長老聞言，一把扯住驛丞，定要問個明白。驛丞搖頭搖指，只叫：「謹言！」三藏一發不放，執死定要問個詳細。

驛丞無奈，只得屏去一應在官人等。獨在燈光之下，悄悄而言道：「適所問鵝籠之事，乃是當今國主無道之事。你只管問他怎的！」

三藏道：「何為無道？必見教明白，我方得放心。」

◆撒和——餵養牲口。

驛丞道：「此國原是比丘國，近有民謠，改作小子城。三年前，有一老人，打扮做道人模樣，攜一小女子，年方一十六歲。其女形容嬌俊，貌若觀音，進貢與當今，陛下愛其色美，寵幸在宮，號為美后。近來把三宮娘娘、六院妃子，全無正眼相覷。不分晝夜，貪歡不已。「如今弄得精神瘦倦，身體尪羸，飲食少進，命在須臾。太醫院檢盡良方，不能療治。那進女子的道人，受我主誥封，稱為國丈。國丈有海外祕方，甚能延壽。前者去十洲、三島採將藥來，俱已完備。但只是藥引子利害：單用著一千一百一十一個小兒的心肝，煎湯服藥。服後有千年不老之功。

「這些鵝籠裡的小兒，俱是選就的，養在裡面。人家父母懼怕王法，俱不敢啼哭，遂傳播謠言，叫做小兒城。長老明早到朝，只去倒換關文，不得言及此事。」言畢，抽身而退。

諕得個長老骨軟筋麻，止不住腮邊淚墮。忽失聲叫道：「昏君，昏君！

為你貪歡愛美，弄出病來，怎麼屈傷這許多小兒性命！苦哉！苦哉！痛殺我也！」有詩為證。詩曰：

邪主無知失正真，貪歡不省暗傷身。
因求永壽戕童命，為解天災殺小民。
僧發慈悲難割捨，官言利害不堪聞。
燈前灑淚長吁嘆，痛倒參禪向佛人。

八戒近前道：「師父，你是怎的起哩？專把別人棺材抬在自家家裡哭。不要煩惱！常言道：『君教臣死，臣不死不忠；父教子亡，子不亡不孝。』他傷的是他的子民，與你何干？且來寬衣服睡覺，莫替古人擔憂。」三藏滴淚道：「徒弟啊，你是一個不慈憫的！我出家人積功累行，第一要行方便。怎麼這昏君一味胡行！從來也不見吃人心肝，可以延壽。似這

◈尪羸—瘦弱。尪音汪。羸音雷。

等之事，教我怎不傷悲！」

沙僧道：「師父且莫傷悲。等明早倒換關文，覿面與國王講過，如若不從，看他是怎麼模樣的一個國丈。或恐那國丈是個妖精，欲吃人的心肝，故設此法，未可知也。」

行者道：「悟淨說得有理。師父，你且睡覺，明日等老孫同你進朝，看國丈的好歹。如若是人，只恐他走了傍門，不知正道，徒以採藥為真，待老孫將先天之要旨，化他皈正；若是妖邪，我把他拿住，與這國王看看，教他寬欲養身，斷不教他傷了那些孩童性命。」

三藏聞言，急躬身，反對行者施禮道：「徒弟啊，此論極妙！極妙！但只是見了昏君，不可便問此事，恐那昏君不分遠近，並作謠言見罪，卻怎生區處！」

行者笑道：「老孫自有法力。如今先將鵝籠小兒攝離此城，教他明日無物取心，地方官自然奏表。那昏君必有旨意，或與國丈商量，或者另行選報。那時節，借此舉奏，決不致罪坐於我也。」

三藏甚喜。又道：「如今怎得小兒離城？若果能脫得，真賢徒天大之德！可速為之，略遲緩些，恐無及也。」

行者抖擻神威，即起身，吩咐八戒、沙僧：「同師父坐著，等我施為，你看但有陰風刮動，就是小兒出城了。」

他三人一齊俱念：「南無救生藥師佛！南無救生藥師佛！」

這大聖出得門外，打個唿哨，起在半空，捻了訣，念動真言，叫一聲「唵淨法界」，拘得那城隍、土地、社令、真官，並五方揭諦、四值功曹、六丁六甲與護教伽藍等眾，都到空中，對他施禮道：「大聖，夜喚吾等，有何急事？」

行者道：「今因路過比丘國，那國王無道，聽信妖邪，要取小兒心肝做藥引子，指望長生。我師父十分不忍，欲要救生滅怪。故老孫特請列位，各使神通，與我把這城中各街坊人家鵝籠裡的小兒，連籠都攝出城外山凹中，或樹林深處，收藏一二日，與他些果子食用，不得餓損；再暗的護持，不得使他驚恐啼哭。待我除了邪，治了國，勸正君王，臨行時，送來還我。」

眾神聽令，即便各使神通，按下雲頭。滿城中陰風滾滾，慘霧漫漫：

陰風刮暗一天星，慘霧遮昏千里月。
起初時還蕩蕩悠悠，次後來就轟轟烈烈。
悠悠蕩蕩，各尋門戶救孩童；烈烈轟轟，都看鵝籠援骨血。
冷氣侵人怎出頭，寒威透體衣如鐵。
父母徒張皇，兄嫂皆悲切。滿地捲陰風，籠兒被神攝。
此夜縱孤悽，天明盡歡悅。

有詩為證，詩曰：

釋門慈憫古來多，正善成功說摩訶。

萬聖千真皆積德，三皈五戒要從和。
比丘一國非君亂，小子千名是命訛。
行者因師同救護，這場陰騭勝波羅。

當夜有三更時分，眾神祇把鵝籠攝去各處安藏。行者按下祥光，逕至驛庭上，只聽得他三人還念「南無救生藥師佛」哩。他也心中暗喜，近前叫：「師父，我來也。陰風之起何如？」八戒道：「好陰風！」三藏道：「救兒之事，卻怎麼說？」行者道：「已一一救他出去，待我們起身時送還。」長老謝了又謝，方才就寢。

至天曉，三藏醒來，遂結束齊備道：「悟空，我趁早朝，倒換關文去也。」行者道：「師父，你自家去，恐不濟事，待老孫和你同去，看那國丈邪正如何。」

三藏道：「你去卻不肯行禮，恐國王見怪。」

行者道：「我不現身，暗中跟隨你，就當保護。」

三藏甚喜，吩咐八戒、沙僧看守行李、馬匹，卻才舉步。這驛丞又來相見，看這長老打扮起來，比昨日又甚不同。但見他：

身上穿一領錦襴異寶佛袈裟，頭戴金頂毘盧帽。
九環錫杖手中拿，胸藏一點神光妙。
通關文牒緊隨身，包裹袋中纏錦套。
行似阿羅降世間，誠如活佛真容貌。

那驛丞相見禮畢，附耳低言，只教莫管閒事。三藏點頭應聲。大聖閃在門旁，念個咒語，搖身一變，變做個蟭蟟蟲兒，嚶的一聲，飛在三藏帽兒上。出了館驛，逕奔朝中。

及到朝門外，見有黃門官，即施禮道：「貧僧乃東土大唐差往西天取經者。今到貴地，理當倒換關文，意欲見駕，伏乞轉奏轉奏。」那黃門官果為傳奏。國王喜道：「遠來之僧，必有道行。」教請進來。

黃門官復奉旨，將長老請入。長老階下朝見畢，復請上殿賜坐。長老又謝恩坐了。只見那國王相貌尪羸，精神倦怠：舉手處，揖讓差池◆；開言時，聲音斷續。長老將文牒獻上，那國王眼目昏朦，看了又看，方才取寶印，用了花押◆，遞與長老。長老收訖。

那國王正要問取經原因，只聽得當駕官奏道：「國丈爺爺來矣。」那國王即扶著近侍小宦，掙下龍床，躬身迎接。慌得那長老急起身，側立於旁。回頭觀看，原來是一個老道者，自玉階前，搖搖擺擺而進。但見他：

頭上戴一頂淡鵝黃九錫雲錦紗巾，

身上穿一領箸頂梅沉香綿絲鶴氅。

◆差池—此指因精神不濟而出錯。

花押—興於宋，盛於元，又稱「元押」。多為長方形，一般上刻楷書姓民。

腰間繫一條紉藍三股攢絨帶，
足下踏一對麻經葛緯雲頭履。
手中拄一根九節枯藤盤龍拐杖，
胸前掛一個描龍刺鳳團花錦囊。
玉面多光潤，蒼髯頷下飄。
金睛飛火焰，長目過眉梢。
行動雲隨步，逍遙香霧饒。
階下眾官都拱接，齊呼國丈進王朝。

那國丈到寶殿前，更不行禮，昂昂烈烈，逕到殿上。國王欠身道：「國丈仙蹤，今喜早降。」就請左手繡墩上坐。三藏起一步，躬身施禮道：「國丈大人，貧僧問訊了。」那國丈端然高坐，亦不回禮，轉面向國王道：「僧家何來？」

國王道：「東土唐朝差上西天取經者，今來倒驗關文。」

國丈笑道：「西方之路，黑漫漫有甚好處！」

三藏道：「自古西方乃極樂之勝境，如何不好？」

那國王問道：「朕聞上古有云：『僧是佛家弟子。』端的不知為僧可能不死，向佛可能長生？」

三藏聞言，急合掌應道：「為僧者，萬緣都罷；了性者，諸法皆空。大智閒閒◆，澹泊在不生之內；真機默默，逍遙於寂滅之中。三界空而百端治，六根淨而千種窮。若乃堅誠知覺，須當識心：心淨則孤明獨照，心存則萬境皆清。真容無欠亦無餘，生前可見；幻相有形終有壞，分外何求？「行功打坐，乃為入定之原；佈惠施恩，誠是修行之本。大巧若拙，還知事事無為；善計非籌，必須頭頭放下。但使一心不動，萬行自全；若云

◆昂昂烈烈──神氣十足的樣子。

大智閒閒──語出《莊子・齊物論》。意思是說最聰明的人，心中寬裕，不為任何雜念干擾。閒閒，心懷坦率、寬裕。

採陰補陽，誠為謬語。服餌長壽，實乃虛詞。只要塵塵緣總棄，物物色皆空。素素純純寡愛慾，自然享壽永無窮。」

那國丈聞言，付之一笑。

用手指定唐僧道：「呵！呵！呵，你這和尚滿口胡柴！寂滅門中，須云認性。你不知那性從何而滅，枯坐參禪，盡是些盲修瞎煉。

「俗語云：『坐，坐，坐！你的屁股破。火熬煎，反成禍。』更不知我這修仙者，骨之堅秀；達道者，神之最靈。攜簞瓢而入山訪友，採百藥而臨世濟人。摘仙花以砌笠，折香蕙以鋪裀。歌之鼓掌，舞罷眠雲。

「闡道法，揚太上之正教；施符水，除人世之妖氛。奪天地之秀氣，採日月之華精。運陰陽而丹結，按水火而胎凝。二八陰消兮，若恍若惚；三九陽長兮，如杳如冥。應四時而採取藥物，養九轉而修煉丹成。跨青鸞，升紫府；騎白鶴，上瑤京。參滿天之華采，表妙道之殷勤。比你那靜禪釋教，寂滅陰神，涅槃遺臭殼，又不脫凡塵。三教之中無上品，古來惟道獨稱尊。」

那國王聽說，十分歡喜。滿朝官都喝采道：「好個『惟道獨稱尊』！『惟道獨稱尊』！」

長老見人都讚他，不勝羞愧。國王又叫光祿寺安排素齋，待那遠來之僧出城西去。三藏謝恩而退。

才下殿，往外正走，行者飛下帽頂兒，來在耳邊叫道：「師父，這國丈是個妖邪，國王受了妖氣。你先去驛中等齋，待老孫在這裡聽他消息。」三藏知會了，獨出朝門不題。

看那行者，一翅飛在金鑾殿翡翠屏中釘下，只見那班部中閃出五城兵馬官奏道：「我主，今夜一陣冷風，將各坊各家鵝籠裡小兒，連籠都刮去了，更無蹤跡。」

國王聞奏，又驚又惱，對國丈道：「此事乃天滅朕也！連月病重，御醫無效，幸國丈賜仙方，專待今日午時開刀，取此小兒心肝作引，何期被冷風刮去，非天欲滅朕而何？」

國丈笑道：「陛下且休煩惱。此兒刮去，正是天送長生與陛下也。」

國王道：「現把籠中之兒刮去，何以反說天送長生？」

國丈道：「我才入朝來，見了一個絕妙的藥引，強似那一千一百一十一個小兒之心。那小兒之心，只延得陛下千年之壽；此引子，吃了我的仙藥，就可延萬萬年也。」

國王漠然不知是何藥引，請問再三，國丈才說：「那東土差去取經的和尚，我看他器宇清淨，容顏齊整，乃是個十世修行的真體，自幼為僧，元陽未泄，比那小兒更強萬倍。若得他的心肝煎湯，服我的仙藥，足保萬年之壽。」

那昏君聞言，十分聽信，對國丈道：「何不早說？若果如此有效，適才留住，不放他去了。」

國丈道：「此何難哉！適才吩咐光祿寺辦齋待他，他必吃了齋，方才出城。如今急傳旨，將各門緊閉，點兵圍了金亭館驛，將那和尚拿來，必以禮求其心。如果相從，即時剖而取出，遂御葬其屍，還與他立廟享祭；如若不從，就與他個武不善作，即時捆住，剖開取之。有何難事！」那昏君如其言，即傳旨，把各門閉了。又差羽林衛大小官軍，圍住館驛。

行者聽得這個消息，一翅飛奔館驛，現了本相，對唐僧道：「師父，禍事了！禍事了！」

那三藏才與八戒、沙僧領御齋，忽聞此言，諕得三尸神散，七竅煙生，倒在塵埃，渾身是汗，眼不定睛，口不能言。慌得沙僧上前攙住，只叫：「師父甦醒！師父甦醒！」

八戒道：「有甚禍事？有甚禍事？你慢些兒說便也罷，卻諕得師父如此！」

行者道：「自師父出朝，老孫回視，那國丈是個妖精。少頃，有五城兵馬來奏冷風刮去小兒之事。國王方惱，他卻轉教喜歡，道：『這是天送長生與你。』要取師父的心肝做藥引，可延萬年之壽。那昏君聽信誣言，所以點精兵，來圍館驛，差錦衣官來請師父求心也。」

八戒笑道：「行的好慈憫！救的好小兒！刮的好陰風！今番卻撞出禍來了！」

三藏戰兢兢的爬起來，扯著行者，哀告道：「賢徒啊！此事如何是好？」

行者道：「若要好，大做小。」沙僧道：「怎麼叫做『大做小』？」

行者道：「若要全命，師作徒，徒作師，方可保全。」

三藏道：「你若救得我命，情願與你做徒子、徒孫也。」

行者道：「既如此，不必遲疑。」教：「八戒，快和些泥來。」

那呆子即使釘鈀築了些土。又不敢外面去取水，後就擄起衣服撒溺，和了一團臊泥，遞與行者。行者沒奈何，將泥撲作一片，往自家臉上一安，做下個猴像的臉子，叫唐僧站起休動，再莫言語。

貼在唐僧臉上，念動真言，吹口仙氣，叫：「變！」那長老即變做個行者模樣。脫了他的衣服，以行者的衣服穿上。行者卻將師父的衣服穿了，捻著訣，念個咒語，搖身變做唐僧的嘴臉。八戒、沙僧也難識認。

正當合心裝扮停當，只聽得鑼鼓齊鳴，又見那槍刀簇擁。原來是羽林衛官，領三千兵把館驛圍了。又見一個錦衣官走進驛庭問道：「東土唐朝長老在哪裡？」慌得那驛丞戰兢兢的跪下，指道：「在下面客房裡。」錦衣官即至客房裡道：「唐長老，我王有請。」八戒、沙僧左右護持假行者。只見假唐僧出門施禮道：「錦衣大人，陛下召貧僧，有何話說？」錦衣官上前一把扯住道：「我與你進朝去，想必有取用也。」咦！這正是：

妖誣勝慈善，慈善反招凶。

畢竟不知此去端的性命何如，且聽下回分解。

第七九回

尋洞擒妖逢老壽　當朝正主救嬰兒

卻說那錦衣官把假唐僧扯出館驛，與羽林軍圍圍繞繞，直至朝門外，對黃門官言：「我等已請唐僧到此，煩為轉奏。」

黃門官急進朝，依言奏上昏君，遂請進去。眾官都在階下跪拜，惟假唐僧挺立階心，口中高叫：「比丘王，請我貧僧何說？」

君王笑道：「朕得一疾，纏綿日久不愈。幸國丈賜得一方，藥餌俱已完備，只少一味引子。特請長老，求些藥引。若得病愈，與長老修建祠堂，四時奉祭，永為傳國之香火。」

假唐僧道：「我乃出家人，隻身至

此，不知陛下問國丈要甚東西作引？」

昏君道：「特求長老的心肝。」

假唐僧道：「不瞞陛下說，心便有幾個兒，不知要的甚麼色樣◆？」

那國丈在旁指定道：「那和尚，要你的黑心。」

假唐僧道：「既如此，快取刀來，剖開胸腹，若有黑心，謹當奉命。」

那昏君歡喜相謝，即著當駕官取一把牛耳短刀，遞與假僧。假僧接刀在手，解開衣服，忝◆起胸膛，將左手抹腹，右手持刀，唿喇的響一聲，把肚皮剖開，那裡頭就骨都都的滾出一堆心來。諕得文官失色，武將身麻。

國丈在殿上見了道：「這是個多心的和尚。」

假僧將那些心，血淋淋的一個個撿開與眾觀看，卻都是些紅心、白心、黃心、慳貪心、利名心、嫉妒心、計較心、好勝心、望高心、侮慢心、殺害心、狠毒心、恐怖心、謹慎心、邪妄心、無名隱暗之心、種種不善之心，

◆色樣──種類、樣子。　忝──同「腆」。突出、挺起的意思。

更無一個黑心。

那昏君諕得呆呆掙掙，口不能言，戰兢兢的教：「收了去！收了去！」那假唐僧忍耐不住，收了法，現出本相，對昏君道：「陛下全無眼力！我和尚家都是一片好心，惟你這國丈是個黑心，好做藥引。你不信，等我替你取他的出來看看！」

那國丈聽見，急睜睛仔細觀看，見那和尚變了面皮，不是那般模樣。咦！認得當年孫大聖，五百年前舊有名。卻抽身，騰雲就起，被行者翻觔斗，跳在空中喝道：「哪裡走！吃吾一棒！」那國丈即使蟠龍拐杖來迎。他兩個在半空中這場好殺：

如意棒，蟠龍拐，虛空一片雲靉靉。
原來國丈是妖精，故將怪女稱嬌色。
國主貪歡病染身，妖邪要把兒童宰。
相逢大聖顯神通，捉怪救人將難解。

鐵棒當頭著實凶，拐棍迎來堪喝采。
殺得那滿天霧氣暗城池，城裡人家都失色。
文武多官魂魄飛，嬪妃繡女容顏改。
諕得那比丘昏主亂身藏，戰戰兢兢沒布擺。
棒起猶如虎出山，拐輪卻似龍離海。
今番大鬧比丘國，致令邪正分明白。

那妖精與行者苦戰二十餘合，蟠龍拐抵不住金箍棒，虛晃了一拐，將身化作一道寒光，落入皇宮內院，把進貢的妖后帶出宮門，並化寒光，不知去向。

大聖按落雲頭，到了宮殿下，對多官道：「你們的好國丈啊！」多官一齊禮拜，感謝神僧。

行者道：「且休拜，且去看你那昏主何在？」

多官道：「我主見爭戰時，驚恐潛藏，不知向哪座宮中去也。」

行者即命：「快尋！莫被美后拐去！」多官聽言，不分內外，同行者先奔美后宮，漠然無蹤，連美后也通不見了。正宮、東宮、西宮、六院，概眾后妃，都來拜謝大聖。

大聖道：「且請起，不到謝處哩。且去尋你主公。」

少時，見四五個太監攙著那昏君，自謹身殿後面而來。眾臣俯伏在地，齊聲啟奏道：「主公！主公！感得神僧到此，辨明真假。那國丈乃是個妖邪，連美后亦不見矣。」

國王聞言，即請行者出皇宮，到寶殿，拜謝了，道：「長老，你早間來的模樣那般俊偉，這時如何就改了形容？」

行者笑道：「不瞞陛下說，早間來者，是我師父，乃唐朝御弟三藏。我是他徒弟孫悟空，還有兩個師弟豬悟能、沙悟淨，見在金亭館驛。因知你信了妖言，要取我師父心肝做藥引，是老孫變做師父模樣，特來此降妖也。」

那國王聞說，即傳旨著閣下太宰快去驛中請師眾來朝。

那三藏聽見行者現了相，在空中降妖，嚇得魂飛魄散。幸有八戒、沙僧護持，他又臉上戴著一片子臊泥。

正悶悶不快，只聽得人叫道：「法師，我等乃比丘國王差來的閣下太宰，特請入朝謝恩也。」

八戒笑道：「師父，莫怕，莫怕。這不是又請你取心，想是師兄得勝，請你酬謝哩。」

三藏道：「雖是得勝來請，但我這個臊臉，怎麼見人？」

八戒道：「沒奈何，我們且去見了師兄，自有解釋。」

真個那長老無計，只得跟著八戒、沙僧，挑著擔，牽著馬，同去驛庭之上。

那太宰見了，害怕道：「爺爺呀！這都像似妖頭怪腦之類！」

沙僧道：「朝士休怪醜陋，我等乃是生成的遺體。若我師父，來見了我師兄，他就俊了。」

他三人與眾來朝，不待宣召，直至殿下。

行者看見，即轉身下殿，迎著面，把師父的泥臉子抓下，吹口仙氣，叫：「變！」那唐僧即時復了原身，精神愈覺爽利。

國王下殿親迎，口稱：「法師老佛。」師徒們將馬拴住，都上殿來相見。

行者道：「陛下可知那怪來自何方？等老孫去與你一併擒來，剪除後患。」

三宮六院、諸嬪群妃都在那翡翠屏後；聽見行者說剪除後患，也不避內外男女之嫌，一齊出來拜告道：「萬望神僧老佛大施法力，斬草除根，把他剪除盡絕，誠為莫大之恩，自當重報！」行者忙忙答禮，只教國王說他住居。

國王含羞告道：「三年前他到時，朕曾問他。他說離城不遠，只在向南去七十里路，有一座柳林坡清華莊上。國丈年老無兒，只後妻生一女，年方十六，不曾配人，願進與朕。朕因愛那女，遂納了，寵幸在宮。不期得疾，太醫屢藥無功。他說：『我有仙方，只用小兒心煎湯為引。』是朕不才，輕信其言，遂選民間小兒，選定今日午時開刀取心。不料神僧下降，恰恰又遇籠兒都不見了。他就說神僧十世修真，元陽未泄，得其心，比小兒心更加萬倍。一時誤犯，不知神僧識透妖魔。敢望廣施大法，剪其後患，朕以傾國之資酬謝！」

行者笑道：「實不相瞞，籠中小兒，是我師慈悲，著我藏了。你且休題甚麼資財相謝，待我捉了妖怪，是我的功行。」叫：「八戒，跟我去來。」八戒道：「謹依兄命。但只是腹中空虛，不好著力。」國王即傳旨，教光祿寺快辦齋供。不一時齋到。八戒盡飽一餐，抖擻精神，隨行者駕雲而起。諕得那國王、妃后並文武多官，一個個朝空禮拜，都道：「是真仙真佛降臨凡也！」

那大聖攜著八戒，逕到南方七十里之地，住下風雲，找尋妖處。但只見一股清溪，兩邊夾岸，岸上有千千萬萬的楊柳，更不知清華莊在於何處。正是那：萬頃野田觀不盡，千堤煙柳隱無蹤。

孫大聖尋覓不著，即捻訣，念一聲「唵」字真言，拘出一個當方土地，戰兢兢近前跪下叫道：「大聖，柳林坡土地叩頭。」

行者道：「你休怕，我不打你。我問你：柳林坡有個清華莊，在於何方？」

土地道：「此間有個清華洞，不曾有個清華莊。小神知道了，大聖想是自比丘國來的？」

行者道：「正是，正是。比丘國王被一個妖精哄了，是老孫到那廂，識得是妖怪，當時戰退那怪，化一道寒光，不知去向。及問比丘王，他說三年前進美女時，曾問其由，怪言居住城南七十里柳林坡清華莊。適尋到此，只見林坡，不見清華莊，是以問你。」

土地叩頭道：「望大聖恕罪。比丘王亦我地之主也，小神理當鑒察。奈何妖精神威法大，如我泄漏他事，就來欺凌，故此未獲。大聖今來，只去那南岸九叉頭一棵楊樹根下，左轉三轉，右轉三轉，用兩手齊撲樹上，連叫三聲『開門』，即現清華洞府。」

大聖聞言，即令土地回去，與八戒跳過溪來，尋那棵楊樹。果然有九條叉枝，總在一棵根上。行者吩咐八戒：「你且遠遠的站定，待我叫開門，尋著那怪，趕將出來，你卻接應。」八戒聞命，即離樹有半里遠近立下。這大聖依土地之言，繞樹根，左轉三轉，右轉三轉，雙手齊撲其樹，叫：「開門！開門！」霎時間，一聲響亮，唿喇喇的門開兩扇，更不見樹的蹤跡。那裡邊光明霞采，亦無人煙。行者趁神威，撞將進去，但見那裡好個去處：

煙霞晃亮，日月偷明。白雲常出洞，翠蘚亂漫庭。
一徑奇花爭豔麗，遍階瑤草鬥芳榮。
溫暖氣，景常春，渾如閬苑，不亞蓬瀛。

滑凳攀長蔓，平橋掛亂藤。
蜂啣紅蕊來巖窟，蝶戲幽蘭過石屏。

行者急拽步，行近前邊細看，見石屏上有四個大字：「清華仙府」。他忍不住，跳過石屏看處，只見那老怪懷中摟著個美女，喘噓噓的，正講比丘國事，齊聲叫道：「好機會來！三年事，今日得完，被那猴頭破了！」行者跑近身，掣棒高叫道：「我把你這夥毛團！甚麼『好機會』！吃吾一棒！」

那老怪丟了美人，掄起蟠龍拐，急架相迎。他兩個在洞前，這場好殺，比前又甚不同：棒舉迸金光，拐輪凶氣發。那怪道：「你無知敢進我門來！」行者道：「我有意降邪怪！」那怪道：「我戀國主你無干，怎的欺心來展抹？」行者道：「僧修政教本慈悲，不忍兒童活見殺。」語去言來各恨仇，棒迎拐架當心扎。促損琪花為顧生，踢破翠苔因把滑。只殺得那洞中霞采欠光明，崖上芳菲俱掩壓。乒乓驚得鳥難飛，吆喝嚇得美人散。只存老怪與猴王，呼呼捲地狂風刮。看看殺出洞門來，又撞悟能呆性發。

原來八戒在外邊，聽見他們裡面嚷鬧，激得他心癢難撓，掣釘鈀，把一棵九叉楊樹鈀倒，使鈀築了幾下，築得那鮮血直冒，嚶嚶的似乎有聲。他道：「這棵樹成了精也！這棵樹成了精也！」八戒舉鈀，又正築處，只見行者引怪出來。那呆子不打話，趕上前，舉鈀就築。那老怪戰行者已是難敵，見八戒鈀來，愈覺心慌，敗了陣，將身一晃，化道寒光，逕投東走。他兩個決不放鬆，向東趕來。

正當喊殺之際，又聞得鸞鶴聲鳴，祥光縹緲。舉目視之，乃南極老人星也。那老人把寒光罩住，叫道：「大聖慢來，天蓬休趕，老道在此施禮哩。」

行者即答禮道：「壽星兄弟，哪裡來？」

八戒笑道：「肉頭老兒罩住寒光，必定捉住妖怪了。」

壽星陪笑道：「在這裡，在這裡。望二公饒他命罷。」

行者道：「老怪不與老弟相干，為何來說人情？」

壽星笑道：「他是我的一副腳力，不意走將來，成此妖怪。」

行者道：「既是老弟之物，只教他現出本相來看看。」

壽星聞言，即把寒光放出，喝道：「孽畜！快現本相，饒你死罪！」那怪打個轉身，原來是隻白鹿。壽星拿起拐杖道：「這孽畜，連我的拐棒也偷來也！」那隻鹿俯伏在地，口不能言，只管叩頭滴淚。但見他：

一身如玉簡斑斑，兩角參差七叉彎。
幾度飢時尋藥圃，有朝渴處飲雲潺。
年深學得飛騰法，日久修成變化顏。
今見主人呼喚處，現身抿耳伏塵寰。

壽星謝了行者，就跨鹿而行。被行者一把扯住道：「老弟，且慢走，還有兩件事未完哩。」

壽星道：「還有甚麼未完之事？」

行者道：「還有美人未獲，不知是個甚麼怪物；還又要同到比丘城見那昏君，現相回旨也。」

壽星道：「既這等說，我且寧耐。你與天蓬下洞擒捉那美人來，同去現相可也。」

行者道：「老弟略等等兒，我們去了就來。」

那八戒抖擻精神，隨行者逕入清華仙府，吶聲喊，叫：「拿妖精，拿妖精！」那美人戰戰兢兢，正自難逃，又聽得喊聲大振，即轉石屏之內，又沒個後門出頭。

被八戒喝聲：「哪裡走？我把妳這個哄漢子的臊精！看鈀！」

那美人手中又無兵器，不能迎敵，將身一閃，化道寒光，往外就走。被大聖抵住寒光，乒乓一棒。那怪立不住腳，倒在塵埃，現了本相，原來是一個白面狐狸。呆子忍不住手，舉鈀照頭一築。可憐把那個傾城傾國千般笑，化作毛團狐狸形。

行者叫道：「莫打爛她，且留她此身去見昏君。」

那呆子不嫌穢汙，一把揪住尾子，拖拖扯扯，跟隨行者出得門來。只見那壽星老兒手摸著鹿頭罵道：「好孽畜啊！你怎麼背主逃去，在此成精！若不是我來，孫大聖定打死你了！」

行者跳出來道：「老弟說甚麼？」壽星道：「我囑鹿哩！我囑鹿哩！」

八戒將個死狐狸摜在鹿的面前道：「這可是你的女兒麼？」

那鹿點頭晃腦，伸著嘴，聞她幾聞，呦呦發聲，似有眷戀不捨之意。被壽星劈頭撲了一掌道：「孽畜！你得命足矣，又聞她怎的？」即解下勒袍腰帶，把鹿扣住頸項，牽將起來，道：「大聖，我和你比丘國相見去也。」

行者道：「且住！索性把這邊都掃個乾淨，庶免他年復生妖孽。」

八戒聞言，舉鈀將柳樹亂築。行者又念聲「唵」字真言，依然拘出當方土地，叫：「尋些枯柴，點起烈火，與你這方消除妖患，以免欺凌。」那土地即轉身，陰風颯颯，率起陰兵，搬取了些迎霜草、秋青草、蓼節草、山蕊草、蔞蒿柴、龍骨柴、蘆荻柴，都是隔年乾透的枯焦之物，見火如同油膩一般。

行者叫：「八戒，不必築樹，但得此物填塞洞裡，放起火來，燒得個乾淨。」火一起，果然把一座清華妖怪宅，燒作火池坑。

這裡才喝退土地，同壽星牽著鹿，拖著狐狸，一齊回到殿前，對國王道：「這是你的美后，與她耍子兒麼？」那國王膽戰心驚。又只見孫大聖引著壽星，牽著白鹿，都到殿前，諕得那國裡君臣妃后一齊下拜。

行者近前，攙住國王，笑道：「且休拜我。這鹿兒卻是國丈，你只拜他便是。」

那國王羞愧無地，只道：「感謝神僧救我一國小兒，真天恩也！」即傳旨教光祿寺安排素宴，大開東閣，請南極老人與唐僧四眾，共坐謝恩。三藏拜見了壽星，沙僧亦以禮見。都問道：「白鹿既是老壽星之物，如何得到此間為害？」

壽星笑道：「前者，東華帝君過我荒山，我留坐著棋，一局未終，這孽畜走了。及客去尋他不見，我因屈指詢算◆，知他走在此處，特來尋他，正遇著孫大聖施威。若果來遲，此畜休矣。」

敘不了，只見報道：「宴已完備。」好素宴：

五彩盈門，異香滿座。桌掛繡緯生錦豔，地鋪紅毯晃霞光。
寶鴨內，沉檀香裊；御筵前，蔬品香馨。
看盤高果砌樓臺，龍纏斗糖擺走獸。
鴛鴦錠，獅仙糖，似模似樣；鸚鵡杯，鷺鷥杓，如相如形。

席前果品般般盛，案上齋殽件件精。
魁圓繭栗，鮮荔桃子。棗兒柿餅味甘甜，松子葡萄香膩酒。
幾般蜜食，數品蒸酥。油炸糖澆，花團錦砌。
金盤高壘大饝饝，銀碗滿盛香稻飯。
辣煼煼湯水粉條長，香噴噴相連添換美。
說不盡蘑菇、木耳、嫩筍、黃精，十香素菜，百味珍饈。
往來綽摸不曾停，進退諸般皆盛設。

當時敘了坐次：壽星首席，長老次席，國王前席，行者、八戒、沙僧側席。旁又有兩三個太師相陪左右。即命教坊司動樂。國王擎著紫霞杯，一一奉酒。惟唐僧不飲。

◆**屈指詢算**—詢同巡。巡算，也叫掐算。用手指紋推巡占算，用以斷定吉凶悔吝和走失逃亡的情況。

八戒向行者道：「師兄，果子讓你，湯飯等須請讓我受用受用。」那呆子不分好歹，一齊亂上，但來的吃個精空。

一席筵宴已畢，壽星告辭。那國王又近前跪拜壽星，求祛病延年之法。壽星笑道：「我因尋鹿，未帶丹藥。欲傳你修養之方，你又筋衰神敗，不能還丹。我這衣袖中只有三個棗兒，是與東華帝君獻茶的，我未曾吃，今送你罷。」國王吞之，漸覺身輕病退。後得長生者，皆原於此。

八戒看見，就叫道：「老壽，有火棗，送我幾個吃吃。」壽星道：「未曾帶得，待改日我送你幾斤。」遂出了東閣，道了謝意，將白鹿一聲喝起，飛跨背上，踏雲而去。這朝中君王妃后、城中黎庶居民，各各焚香禮拜不題。

三藏叫：「徒弟，收拾辭王。」那國王又苦留求教。行者道：「陛下，從此色欲少貪，陰功多積，凡百事將長補短，自足以祛病延年，就是教也。」遂拿出兩盤散金碎銀，奉為路費。

唐僧堅辭，分文不受。國王無已，命擺鑾駕，請唐僧端坐鳳輦龍車，王與嬪后，俱推輪轉轂，方送出朝。六街三市，百姓群黎，亦皆盞添淨水，爐焚真香，又送出城。

忽聽得半空中一聲風響，路兩邊落下一千一百一十一個鵝籠，內有小兒啼哭，暗中有原護的城隍、土地、社令、真官、五方揭諦、四值功曹、六丁六甲、護教伽藍等眾，應聲高叫道：「大聖，我等前蒙吩咐，攝去小兒鵝籠，今知大聖功成起行，一一送來也。」

那國王妃后與一應臣民，又俱下拜。

行者望空道：「有勞列位，請各歸祠，我著民間祭祀謝你。」呼呼淅淅，陰風又起而退。

行者叫城裡人家來認領小兒。當時傳播，俱來各認出籠中之兒，歡歡喜喜，抱出叫哥哥，叫肉兒，跳的跳，笑的笑，都叫：「扯住唐朝爺爺，到我家奉謝救兒之恩！」

無大無小，若男若女，都不怕他相貌之醜，抬著豬八戒，扛著沙和尚，頂著孫大聖，撮著唐三藏，牽著馬，挑著擔，一擁回城。那國王也不能禁止。這家也開宴，那家也設席。請不及的，或做僧帽、僧鞋、褊衫、布襪，裡裡外外，大小衣裳，都來相送。如此盤桓，將有個月，才得離城。又有傳下影神，立起牌位，頂禮焚香供養。這才是：

陰功高疊恩山重，救活千千萬萬人。

畢竟不知向後又有甚麼事體，且聽下回分解。

第八〇回

姹女育陽求配偶
心猿護主識妖邪

卻說比丘國君臣黎庶送唐僧四眾出城，有二十里之遠，還不肯捨。三藏勉強下輦，乘馬辭別而行，目送者直至望不見蹤影方回。四眾行夠多時，又過了冬殘春盡，看不了野花山樹，景物芳菲。前面又見一座高山峻嶺。

三藏心驚，問道：「徒弟，前面高山有路無路？是必小心。」

行者笑道：「師父這話，也不像走長路的，卻似個公子王孫，坐井觀天之類。自古道：『山不礙路，路自通山。』何以言有路無路？」

三藏道：「雖然是山不礙路，但恐險峻之間生怪物，密查深處出妖精。」

八戒道：「放心，放心！這裡來相近極樂不遠，管取太平無事。」

師徒正說，不覺的到了山腳下。

行者取出金箍棒，走上石崖，叫道：「師父，此間乃轉山的路兒，忒好走。快來，快來。」長老只得放懷策馬。

沙僧教：「二哥，你把擔子挑一肩兒。」真個八戒接了擔子挑上，沙僧攏著韁繩，老師父穩坐雕鞍，隨行者都奔山崖上大路。但見那山：

雲霧籠峰頂，潺湲湧澗中。百花香滿路，萬樹密叢叢。
梅青李白，柳綠桃紅。杜鵑啼處春將暮，紫燕呢喃社已終。
嵯峨石，翠蓋松。崎嶇嶺道，突兀玲瓏。
削壁懸崖峻，薜蘿草木穠。
千巖競秀如排戟，萬壑爭流遠浪洪。

老師父緩觀山景，忽聞啼鳥之聲，又起思鄉之念，兜馬叫道：「徒弟！我自天牌傳旨意，錦屏風下領關文。觀燈十五離東土，才與唐王天地分。甫能龍虎風雲會，卻又師徒拗馬軍。行盡巫山峰十二，何時對子見當今？」

行者道：「師父，你常以思鄉為念，全不似個出家人。放心且走，莫要多憂。古人云：『欲求生富貴，須下死工夫。』」

三藏道：「徒弟雖然說得有理，但不知西天路還在哪裡哩！」

八戒道：「師父，我佛如來捨不得那三藏經，知我們要取去，想是搬了；不然，如何只管不到？」

沙僧道：「莫胡談！只管跟著大哥走。只把工夫捱他，終須有個到之之日。」

師徒正自閒敘，又見一派黑松大林。

唐僧害怕，又叫道：「悟空，我們才過了那崎嶇山路，怎麼又遇這個深黑松林？是必在意。」

行者道：「怕他怎的！」

三藏道：「說哪裡話！『不信直中直，須防仁不仁。』我也與你走過好幾處松林，不似這林深遠。」

你看：「東西密擺，南北成行。東西密擺徹雲霄，南北成行侵碧漢。密查荊棘周圍結，蓼卻纏枝上下盤。藤來纏葛，葛去纏藤。藤來纏葛，東西客旅難行；葛去纏藤，南北經商怎進。這林中住半年，那分日月；行數里，不見斗星。你看那背陰之處千般景，向陽之所萬叢花。

「又有那千年槐，萬載檜，耐寒松，山桃果，野芍藥，旱芙蓉，一攢攢密砌重堆，亂紛紛神仙難畫。又聽得百鳥聲：鸚鵡哨，杜鵑啼；喜鵲穿枝，烏鴉反哺；黃鸝飛舞，百舌調音；鷓鴣鳴，紫燕語；八哥兒學人說話，畫眉郎也會看經。

「又見那大蟲擺尾，老虎磕牙；多年狐狢裝娘子，日久蒼狼吼振林。就

◈何時對子見當今——這是一首用骨牌術語集成的詩。天牌、錦屏風、觀燈十五、天地分、龍虎風雲會、拗馬軍、巫山峰十二、對子等，都是玩骨牌的術語。

是托塔天王來到此，縱會降妖也失魂。」

孫大聖公然不懼，使鐵棒上前劈開大路，引唐僧逕入深林。逍逍遙遙，行經半日，未見出林之路。

唐僧叫道：「徒弟，一向西來，無數的山林崎嶮，幸得此間清雅，一路太平。這林中奇花異卉，其實可人情意。我要在此坐坐：一則歇馬；二則腹中飢了，你去哪裡化些齋來我吃。」

行者道：「師父請下馬，老孫化齋去來。」那長老果然下了馬，八戒將馬拴在樹上。沙僧歇下行李，取了缽盂，遞與行者。

行者道：「師父穩坐，莫要驚怕，我去了就來。」

三藏端坐松陰之下，八戒、沙僧卻去尋花覓果閒耍。

卻說大聖縱觔斗，到了半空，佇定雲光，回頭觀看，只見松林中祥雲縹緲，瑞靄氤氳。

他忽失聲叫道：「好啊！好啊！」

你道他叫好做甚？原來誇獎唐僧，說他是金蟬長老轉世，十世修行的好人，所以有此祥瑞罩頭。「若我老孫，方五百年前大鬧天宮之時，雲遊海角，放蕩天涯；聚群精，自稱齊天大聖；降龍伏虎，消了死籍。頭戴著三額金冠，身穿著黃金鎧甲，手執著金箍棒，足踏著步雲履。手下有四萬七千群怪，都稱我做大聖爺爺，著實為人。如今脫卻天災，做小伏低，與你做了徒弟。想師父頭頂上有祥雲瑞靄罩定，逕回東土，必定有些好處，老孫也必定得個正果。」

正自家這等誇念中間，忽然見林南下有一股子黑氣，骨都都的冒將上來。行者大驚道：「那黑氣裡必定有邪了。我那八戒、沙僧卻不會放甚黑氣。」那大聖在半空中詳察不定。

卻說三藏坐在林中，明心見性，諷念那《摩訶般若波羅蜜多心經》，忽聽得嚶嚶的叫聲「救人」。

三藏大驚道：「善哉！善哉！這等深林裡，有甚麼人叫？想是狼蟲虎豹諕倒的，待我看看。」

那長老起身挪步，穿過千年柏，隔起萬年松，附葛攀藤，近前觀之。只見那大樹上綁著一個女子，上半截使葛藤綁在樹上，下半截埋在土裡。長老立定腳，問她一句道：「女菩薩，妳有甚事，綁在此間？」咦！分明這廝是個妖怪，長老肉眼凡胎，卻不能認得。

那怪見他來問，淚如泉湧。你看她桃腮垂淚，有沉魚落雁之容；星眼含悲，有閉月羞花之貌。長老實不敢近前，又開口問道：「女菩薩，妳端的有何罪過？說與貧僧，卻好救妳。」

那妖精巧語花言，虛情假意，忙忙的答應道：「師父，我家住在貧婆國，離此有二百餘里。父母在堂，十分好善，一生的和親愛友。「時遇清明，邀請諸親及本家老小拜掃先塋，一行轎馬，都到了荒郊野外。至塋前，擺開祭祀，剛燒化紙馬，只聞得鑼鳴鼓響，跑出一夥強人，持刀弄杖，喊殺前來，慌得我們魂飛魄散。

「父母諸親得馬得轎的各自逃了性命；奴奴年幼，跑不動，諕倒在地，被眾強人拐來山內。大大王要做夫人，二大王要做妻室，第三第四個都愛我美色，七、八十家一齊爭吵，大家都不忿氣，所以把奴奴綁在林間，眾強人散盤◆而去。今已五日五夜，看看命盡，不久身亡。不知是哪世裡祖宗積德，今日遇著老師父到此。千萬發大慈悲，救我一命，九泉之下，決不忘恩。」說罷，淚下如雨。

三藏真個慈心，也就忍不住掉下淚來，聲音哽咽，叫道：「徒弟。」那八戒、沙僧正在林中尋花覓果，猛聽得師父叫得悽愴，呆子道：「沙和尚，師父在此認了親耶。」

沙僧笑道：「二哥胡纏，我們走了這些時，好人也不曾撞見一個，親從

◆**散盤**——意同散夥。

何來？」

八戒道：「不是親，師父那裡與人哭麼？我和你去看來。」

沙僧真個回轉舊處，牽了馬，挑了擔，至跟前叫：「師父，怎麼說？」

唐僧用手指定那樹上，叫：「八戒，解下那女菩薩來，救她一命。」呆子不分好歹，就去動手。

卻說那大聖在半空中，又見那黑氣濃厚，把祥光盡情蓋了，道聲：「不好！不好！黑氣罩暗祥光，怕不是妖邪害俺師父！化齋還是小事，且去看我師父去。」卻返雲頭，按落林裡，只見八戒亂解繩兒。

行者上前一把揪住耳朵，撲地摔了一跌。呆子抬頭看見，爬起來說道：「師父教我救人，你怎麼恃你有力，將我摜這一跌？」

行者笑道：「兄弟，莫解她。她是個妖精，弄喧◆兒，騙我們哩。」

三藏喝道：「你這潑猴，又來胡說了，怎麼這等一個女子，就認得她是個妖怪？」

行者道：「師父原來不知，這都是老孫幹過的買賣，想人肉吃的法兒，你哪裡認得？」

八戒噴著嘴◆道：「師父，莫信這弼馬溫哄你，這女子乃是此間人家。我們東土遠來，不與相較，又不是親眷，如何說她是妖精？他打發我們丟了前去，他卻翻觔斗，弄神法轉來和她幹巧事兒，倒踏門◆也。」

行者喝道：「夯貨，莫亂談。我老孫一向西來，哪裡有甚憊懶處？似你這個重色輕生、見利忘義的饢糠，不識好歹，替人家哄了招女婿，綁在樹上哩。」

三藏道：「也罷，也罷。八戒啊，你師兄常時也看得不差，既這等說，不要管她，我們去罷。」

行者大喜道：「好了，師父是有命的了。請上馬，出松林外，有人家化齋你吃。」四人果一路前進，把那怪撇了。

◆弄喧——玩把戲、弄玄虛。　噴嘴——撅嘴、翹嘴。噴音犖。　倒踏門——招贅。

卻說那怪綁在樹上，咬牙恨齒道：「幾年家聞人說孫悟空神通廣大，今日見他，果然話不虛傳。那唐僧乃童身修行，一點元陽未泄，正欲拿他去配合，成太乙金仙，不知被此猴識破吾法，將他救去了。若是解了繩，放我下來，隨手捉將去，卻不是我的人兒也？今被他一篇散言碎語帶去，卻又不是勞而無功？等我再叫他兩聲，看是如何。」

妖精不動繩索，把幾聲善言善語，用一陣順風，嚶嚶的吹在唐僧耳內。你道叫的甚麼？她叫道：「師父啊，你放著活人的性命還不救，昧心拜佛取何經？」

唐僧在馬上聽得又這般叫喚，即勒馬叫：「悟空，去救那女子下來罷。」行者道：「師父走路，怎麼又想起她來了？」唐僧道：「她又在那裡叫哩。」行者問：「八戒，你聽見麼？」八戒道：「耳大遮住了，不曾聽見。」又問：「沙僧，你聽見麼？」沙僧道：「我挑擔前走，不曾在心，也不曾聽見。」

行者道：「老孫也不曾聽見。師父，她叫甚麼？偏你聽見？」

唐僧道：「她叫得有理。說道：『活人性命還不救，昧心拜佛取何經？』『救人一命，勝造七級浮屠。』快去救她下來，強似取經拜佛。」

行者笑道：「師父要善將起來，就沒藥醫。你想你離了東土，一路西來，卻也過了幾重山場，遇著許多妖怪，常把你拿將進洞，老孫來救你，使鐵棒，常打死千千萬萬。今日一個妖精的性命，捨不得，要去救她？」

唐僧道：「徒弟呀，古人云：『勿以善小而不為，勿以惡小而為之。』還去救她救罷。」

行者道：「師父既然如此，只是這個擔兒，老孫卻擔不起。你要救她，我也不敢苦勸：我勸一會，你又惱了。任你去救。」

唐僧道：「猴頭莫多話，你坐著，等我和八戒救他去。」

唐僧回至林裡，教八戒解了上半截繩子，用鈀築出下半截身子。那怪跌跌鞋，束束裙，喜孜孜跟著唐僧出松林，見了行者。行者只是冷笑不止。

唐僧罵道：「潑猴頭，你笑怎的？」

行者道：「我笑你時來逢好友，運去遇佳人。」

三藏又罵道：「潑猢猻！胡說！我自出娘肚皮，就做和尚，如今奉旨西來，虔心禮佛求經，又不是利祿之輩，有甚運退時！」

行者笑道：「師父，你雖是自幼為僧，卻只會看經念佛，不曾見王法條律。這女子生得年少標致，我和你乃出家人，同她一路行走，倘或遇著歹人，把我們拿送官司，不論甚麼取經拜佛，且都打做姦情；縱無此事，也要問個拐帶人口。師父追了度牒，打個小死；八戒該問充軍；沙僧也問擺站；我老孫也不得乾淨，饒我口能，怎麼折辨，也要問個不應。」

三藏喝道：「莫胡說，終不然，我救她性命，有甚貽累不成！帶了她去，凡有事，都在我身上。」

行者道：「師父雖說有事在你，卻不知你不是救她，反是害她。」

三藏道：「我救她出林，得其活命，怎麼反是害她？」

行者道：「她當時綁在林間，或三五日，十日半月，沒飯吃，餓死了，還得個完全身體歸陰。如今帶她出來，你坐的是個快馬，行路如風，我們只得隨你，那女子腳小，挪步艱難，怎麼跟得上走？一時把她丟下，若遇著狼蟲虎豹，一口吞之，卻不是反害其生也？」

三藏道：「正是呀，這件事卻虧你格◆，如何處置？」

行者笑道：「抱她上來，和你同騎著馬走罷。」

三藏沉吟道：「我哪裡好與她同馬？……她怎生得去？」

三藏道：「教八戒馱她走罷。」行者笑道：「呆子造化到了。」

八戒道：「『遠路沒輕擔。』教我馱人，有甚造化？」

行者道：「你那嘴長，馱著她，轉過嘴來，計較私情話兒，卻不便益？」

八戒聞此言，搥胸爆跳道：「不好！不好！師父要打我幾下，寧可忍疼。背著她決不得乾淨，師兄一生會臟埋◆人。我馱不成！」

◆格——語尾助詞。　臟埋——誣蔑、陷害。

三藏道：「也罷！也罷！我也還走得幾步，等我下來，慢慢的同走，著八戒牽著空馬罷。」

行者大笑道：「呆子倒有買賣，師父照顧你牽馬哩。」

三藏道：「這猴頭又胡說了！古人云：『馬行千里，無人不能自往。』假如我在路上慢走，你好丟了我去？我若慢，你們也慢。大家一處同這女菩薩走下山去，或到庵觀寺院，有人家之處，留她在那裡，也是我們救她一場。」

行者道：「師父說得有理，快請前進。」

三藏撩前走，沙僧挑擔，八戒牽著空馬，引著女子，行者拿鐵棒，一行前進。不上二、三十里，天色將晚，又見一座樓臺殿閣。

三藏道：「徒弟，那裡必定是座庵觀寺院，就此借宿了，明日早行。」

行者道：「師父說得是，各各走動些。」

霎時到了門首，吩咐道：「你們略站遠些，等我先去借宿，若有方便處，著人來叫你。」

眾人俱立在柳陰之下，惟行者拿鐵棒，轄著那女子。

長老拽步近前，只見那門東倒西歪，零零落落。推開看時，忍不住心中悽慘：長廊寂靜，古刹蕭疏；苔蘚盈庭，蒿蓁滿徑；惟螢火之飛燈，只蛙聲而代漏。

長老忽然掉下淚來。真個是：

殿宇凋零倒塌，廊房寂寞傾頹。
斷磚破瓦十餘堆，盡是些歪梁折柱。
前後盡生青草，塵埋朽爛香廚。
鐘樓崩壞鼓無皮，琉璃香燈破損。
佛祖金身沒色，羅漢倒臥東西。
觀音淋壞盡成泥，楊柳淨瓶墜地。

日內並無僧人，夜間盡宿狐狸。
只聽風響吼如雷，都是虎豹藏身之處。
四下牆垣皆倒，亦無門扇關居。

有詩為證。詩曰：

多年古剎沒人修，狼狽凋零倒更休。
猛風吹裂伽藍面，大雨澆殘佛像頭。
金剛跌損隨淋灑，土地無房夜不收。
更有兩般堪嘆處，銅鐘著地沒懸樓。

三藏硬著膽，走進二層門。見那鐘鼓樓俱倒了，只有一口銅鐘，扎在地下，上半截如雪之白，下半截如靛之青。原來是日久年深，上邊被雨淋白，下邊是土氣上的銅青。

三藏用手摸著鐘，高叫道：「鐘啊，你也曾懸掛高樓吼，也曾鳴遠彩梁聲。也曾雞啼就報曉，也曾天晚送黃昏。不知化銅的道人歸何處，鑄銅匠作哪邊存。想他二命歸陰府，他無蹤跡你無聲。」

長老高聲讚嘆，不覺的驚動寺裡之人。那裡邊有一個侍奉香火的道人，他聽見人語，爬起來，拾一塊斷磚，照鐘上打將去，那鐘噹的響了一聲，把個長老諕了一跌，掙起身要走，又絆著樹根，撲地又是一跌。長老倒在地下，抬頭又叫道：「鐘啊！貧僧正然感嘆你，忽的叮噹響一聲。想是西天路上無人到，日久多年變作精。」

那道人趕上前，一把攙住道：「老爺請起。不干鐘成精之事，卻才是我打得鐘響。」

三藏抬頭見他的模樣醜黑，道：「你莫是魍魎妖邪？我不是尋常之人，我是大唐來的，我手下有降龍伏虎的徒弟。你若撞著他，性命難存也！」

道人跪下道：「老爺休怕。我不是妖邪，我是這寺裡侍奉香火的道人。

卻才聽見老爺善言相讚，就欲出來迎接；恐怕是個邪鬼敲門，故此拾一塊斷磚，把鐘打一下壓驚，方敢出來。老爺請起。」

那唐僧方然正性道：「住持，險些兒諕殺我也。你帶我進去。」

那道人引定唐僧，直至三層門裡看處，比外邊甚是不同。但見那：

青磚砌就彩雲牆，綠瓦蓋成琉璃殿。
黃金裝聖像，白玉造階臺。
大雄殿上舞青光，毘羅閣下生銳氣。
文殊殿結綵飛雲，輪藏堂描花堆翠。
三簷頂上寶瓶尖，五福樓中平繡蓋。
千株翠竹搖禪榻，萬種青松映佛門。
碧雲宮裡放金光，紫霧叢中飄瑞靄。
朝聞四野香風遠，暮聽山高畫鼓鳴。
應有朝陽補破衲，豈無對月了殘經。

又只見半壁燈光明後院，一行香霧照中庭。

三藏見了，不敢進去，叫：「道人，你這前邊十分狼狽，後邊這等齊整，何也？」

道人笑道：「老爺，這山中多有妖邪強寇，天色清明，沿山打劫，天陰就來寺裡藏身，被他把佛像推倒墊坐，木植搬來燒火。本寺僧人軟弱，不敢與他講論，因此把這前邊破房都捨與那些強人安歇，從新另化了些施主，蓋得那一所寺院。清混各一，這是西方的事情。」

三藏道：「原來是如此。」

正行間，又見山門上有五個大字，乃「鎮海禪林寺」。才舉步，跨入門裡，忽見一個和尚走來。你看他怎生模樣：

頭戴左笄絨錦帽，一對銅圈墜耳根。

身著頗羅毛線服，一雙白眼亮如銀。

手中搖著播郎鼓◆，口念番經聽不真。
三藏原來不認得，這是西方路上喇嘛僧。

那喇嘛和尚走出門來，看見三藏眉清目秀，額闊頂平，耳垂肩，手過膝，好似羅漢臨凡，十分俊雅。他走上前扯住，滿面笑唏唏的與他捻手捻腳，摸他鼻子，揪他耳朵，以示親近之意。攜至方丈中，行禮畢，卻問：「老師父何來？」三藏道：「弟子乃東土大唐駕下欽差往西方天竺國大雷音寺拜佛取經者。適行至寶方天晚，特奔上剎借宿一宵，明日早行。望垂方便一二。」那和尚笑道：「不當人子！不當人子！我們不是好意要出家的，皆因父母生身，命犯華蓋，家裡養不住，才捨斷了出家。既做了佛門弟子，切莫說脫空◆之話。」三藏道：「我是老實話。」和尚道：「那東土到西天，有多少路程？路上有山，山中有洞，洞內有精。想你這個單身，又生得嬌嫩，哪裡像個取經的？」

三藏道：「院主也見得是。貧僧一人，豈能到此？我有三個徒弟，逢山開路，遇水疊橋，保我弟子，所以到得上剎。」

那和尚道：「三位高徒何在？」

三藏道：「現在山門外伺候。」

那和尚慌了道：「師父，你不知我這裡有虎狼、妖賊、鬼怪傷人。白日裡不敢遠出，未經天晚就關了門戶。這早晚把人放在外邊！」叫：「徒弟，快去請將進來。」

有兩個小喇嘛兒跑出外去，看見行者，唬了一跌；見了八戒，又是一跌。爬起來往後飛跑，道：「爺爺，造化低了！你的徒弟不見，只有三四個妖怪站在那門首也！」

◆播郎鼓——一種長柄搖鼓。　脫空——掉弄玄虛、背信、不老實。

三藏問道：「怎麼模樣？」

小和尚道：「一個雷公嘴，一個碓梃嘴，一個青臉獠牙。旁有一個女子，倒是個油頭粉面。」

三藏笑道：「你不認得。那三個醜的，是我徒弟。那一個女子，是我打松林裡救命來的。」

那喇嘛道：「爺爺呀！這們好俊師父，怎麼尋這般醜徒弟？」

三藏道：「他醜自醜，卻俱有用。你快請他進來，若再遲了些兒，那雷公嘴的有些闖禍，不是個人生父母養的，他就打進來也。」

那小和尚即忙跑出，戰兢兢的跪下道：「列位老爺，唐老爺請哩。」

八戒笑道：「哥啊，他請便罷了，卻這般戰兢兢的，何也？」

行者道：「看見我們醜陋害怕。」

八戒道：「可是扯淡！我們乃生成的，哪個是好要醜哩？」

行者道：「把那醜且略收拾收拾。」

呆子真個把嘴揣在懷裡，低著頭，牽著馬；沙僧挑著擔；行者在後面拿著棒，轄著那女子，一行進去。穿過了那倒塌房廊，入三層門裡，拴了馬，歇了擔。進方丈中，與喇嘛僧相見，分了坐次。

那和尚入裡邊，引出七、八十個小喇嘛來，見禮畢，收拾辦齋管待。正是：

積功須在慈悲念，佛法興時僧讚僧。

畢竟不知怎生離寺，且聽下回分解。

◆扯淡──胡扯、瞎說。

國家圖書館出版品預行編目(CIP)資料

西遊記/孫家琦編輯. 一 第一版.
一 新北市 ： 人人, 2017.02
冊 ； 公分. 一(人人文庫)
ISBN 978-986-461-094-5(卷4:平裝)
ISBN 978-986-461-096-9(全套:平裝)
857.47 105025279

【人人文庫】

卷4

第六一回至第八〇回

題字・篆刻／羅時僖
書系編輯／孫家琦
書籍裝幀／楊美智
發行人／周元白
出版者／人人出版股份有限公司
地址／23145新北市新店區寶橋路235巷6弄6號7樓
電話／(02)2918-3366(代表號)
傳真／(02)2914-0000
網址／www.jjp.com.tw
郵政劃撥帳號／16402311人人出版股份有限公司
製版印刷／長城製版印刷股份有限公司
電話／(02)2918-3366(代表號)
經銷商／聯合發行股份有限公司
電話／(02)2917-8022
第一版第一刷／2017年2月
定價／新台幣260元